LES MÉSAVENTURES NUPTIALES

L'épouse insaisissable

LES MÉSAVENTURES NUPTIALES

L'épouse insaisissable

Callie Hutton

Traduit de l'anglais par
Lynda Leith

Éditeur : François Doucet
Traduction : Lynda Leith
Révision linguistique : Féminin pluriel
Correction d'épreuves : Nancy Coulombe, Catherine Vallée-Dumas
Conception de la couverture : Matthieu Fortin
Photo de la couverture : © Danielle Barclay et Liz Pelletier
Mise en pages : Sébastien Michaud
ISBN papier 978-2-89752-749-5
ISBN PDF numérique 978-2-89752-750-1
ISBN ePub 978-2-89752-751-8
Première impression : 2015
Dépôt légal : 2015
Bibliothèque et Archives nationales du Québec
Bibliothèque Nationale du Canada

Éditions AdA Inc.
1385, boul. Lionel-Boulet
Varennes, Québec, Canada, J3X 1P7
Téléphone : 450-929-0296
Télécopieur : 450-929-0220
www.ada-inc.com
info@ada-inc.com

Diffusion

Canada :	Éditions AdA Inc.
France :	D.G. Diffusion Z.I. des Bogues 31750 Escalquens — France Téléphone : 05.61.00.09.99
Suisse :	Transat — 23.42.77.40
Belgique :	D.G. Diffusion — 05.61.00.09.99

Imprimé au Canada

Participation de la SODEC.
Nous reconnaissons l'aide financière du gouvernement du Canada par l'entremise du Fonds du livre du Canada (FLC) pour nos activités d'édition.
Gouvernement du Québec — Programme de crédit d'impôt pour l'édition de livres — Gestion SODEC.

Catalogage avant publication de Bibliothèque et Archives nationales du Québec et Bibliothèque et Archives Canada

Hutton, Callie

[Elusive Wife. Français]
L'épouse insaisissable
(Les mésaventures nuptiales ; 1)
Traduction de : The Elusive Wife. Français.
ISBN 978-2-89752-749-5
I. Leith, Lynda. II. Titre. III. Titre : Elusive Wife. Français.

PS3608.U872E4814 2015 813'.6 C2015-940993-4

Ce livre est dédié à tous les fabuleux
auteurs de livres de l'époque de la Régence anglaise que j'ai
lus au fil des ans et qui m'ont énormément divertie. Ils
m'ont aussi donné la motivation de mettre de côté, enfin,
ma façon de penser occidentale et d'écrire un roman de
l'époque de la Régence anglaise.
Vous êtes tout simplement trop nombreux
pour vous nommer.

Chapitre 1

Février 1812
Londres, Angleterre

— Bon sang !

Jason Cavendish, le nouveau comte de Coventry, assis au bord du lit, se frotta la nuque et lut la missive dans sa main. Il l'avait ramassée en sortant de chez lui ce matin-là et venait tout juste de s'en souvenir.

— Bon sang de bon sang !

Même s'il s'y était attendu, les muscles de sa mâchoire se contractèrent alors qu'il la relisait encore une fois.

> *Afin de respecter les termes énoncés dans le testament de feu John Martin Cavendish, comte de Coventry, vous avez l'obligation de vous présenter au manoir Coventry à dix heures, le vingt-deuxième jour de février de l'an de grâce mille huit cent douze pour échanger des vœux de mariage avec lady Jane Grant, arrivée aujourd'hui de Rome, en Italie.*
>
> *Selon les clauses dudit testament, si vous n'êtes pas présent à cette date et à cette heure, vous perdrez toutes les propriétés, les revenus et les capitaux qui ne sont pas*

inaliénables au titre, et précédemment détenus au nom de John Martin Cavendish, comte de Coventry.

Il se frappa la cuisse avec le poing quand il lut la finale : *Nos salutations distinguées, Meyer, Johns and Meyer, avocats.*

— Mauvaises nouvelles, chéri ?

Lady Sheridan étira son corps souple et nu, comme un félin profitant d'un moment sous le soleil. Elle roula vers lui et fit courir ses doigts en haut de son bras et rebroussa chemin doucement en laissant traîner ses ongles.

Trop furieux pour rester assis, il quitta le lit encore imprégné de l'odeur de leurs récents ébats amoureux et il traversa la pièce à longues enjambées pour se verser un brandy.

Jason vida le liquide d'un trait, savourant sa brûlure alors qu'il coulait jusqu'à son estomac. Il jeta un coup d'œil à Selena tandis qu'il se servait un second verre. Ressentant de la lassitude envers sa maîtresse, malgré sa beauté et son charme, il avait eu tort de supposer que son attrait durerait un certain temps. Comme pour les deux amantes avant elle, il avait commencé à se désintéresser de son corps sensuel seulement quelques mois après leur première fois au lit.

« Est-ce que je vieillis ? Rien ne semble plus retenir mon intérêt très longtemps, à présent. »

Il jeta son corps nu sur un fauteuil légèrement rembourré, puis ferma les yeux et se frotta la tempe avec le pouce et l'index.

— Le vieux comte a encore du pouvoir sur moi depuis la tombe. Je dois me marier.

Son géniteur n'avait jamais laissé les choses au hasard. Il avait voulu que Jason produise un héritier, il l'avait harcelé à ce propos pendant des années. Comme son fils ne s'était pas établi et n'avait pas installé sa nursery avant que le vieux comte ne casse sa pipe, il s'était assuré de ne laisser aucun choix à son unique enfant.

Selena le rejoignit d'un pas nonchalant et, debout derrière le fauteuil, posa ses mains délicates sur ses épaules et massa sa peau.

— Quelle histoire ! Quand le mariage doit-il avoir lieu ?

— Dans deux jours. Deux foutus jours.

Incapable de contenir sa colère, il se releva encore d'un bond et commença à faire les cent pas.

— On m'a *ordonné* de me présenter au manoir Coventry dans deux jours pour épouser une femme que le vieux comte a choisie. Si je ne me soumets pas à ses plans, on me coupera les vivres. Je vais obtenir le titre et le manoir de résidence, comme ils sont inaliénables, mais rien d'autre. Pas d'argent pour entretenir l'endroit ou subvenir à mes besoins.

— Bien, chéri, vous devez faire ce qu'il faut et marier la fille. Le mariage n'a pas à faire la moindre différence dans votre vie. Dieu sait qu'il n'a jamais rien changé dans la mienne. Épousez la gamine, engrossez-la et laissez-la à la campagne.

Elle retourna au lit et en adoptant une pose sensuelle sur les draps de soie et tendit ses bras minces.

— Maintenant, venez au lit. Nous avons encore deux heures avant que Sheridan ne rentre de son club.

Jason roula les épaules pour apaiser la tension, puis il alla au lit et s'assit à côté de sa maîtresse allongée sur le dos.

— Désolé, ma chérie, j'ai un rendez-vous, mentit-il en lui donnant un baiser rapide.

Dernièrement, une fois suffisait avec la jolie Selena. Il quitta le lit et commença à ramasser ses vêtements.

Elle se redressa en position assise, les traits froncés.

— Vous n'aviez pas mentionné de rendez-vous.

— Je viens tout juste de m'en souvenir.

Il sautilla sur un pied en tentant d'enfiler sa culotte. À présent que l'ordre était véritablement arrivé, il était impatient de partir. Il avait besoin de réfléchir et il trouvait agaçante la présence trop sentimentale de Selena. Il attacha rapidement sa chemise et tendit la main vers ses bottes.

— Quand vous reverrai-je ? dit Selena d'un ton plaintif tandis qu'elle se mettait à genoux en enroulant le drap de soie de couleur crème autour d'elle.

— Je ne devrais pas être absent longtemps. Je vais partir pour Coventry demain, épouser la gamine et rentrer à Londres en un rien de temps.

Il se dirigea vers la porte en nouant négligemment sa cravate.

— Je vais planifier un déjeuner particulier pour nous.

Elle le suivit, le drap traînant derrière elle.

— Sheridan s'en va à l'extérieur de la ville pendant quelques semaines. Quel jour dois-je prévoir ?

Jason combattit l'irritation qui semblait surgir si rapidement dernièrement devant ses machinations. Il fit disparaître l'exaspération de son visage et pivota :

— Je ne sais trop, ma chérie. Je ne compte pas être là-bas longtemps, mais il vaudrait mieux ne rien planifier de ferme et définitif.

Il lui donna un autre bref baiser, agita la main en guise de petit salut et quitta la chambre.

« Maudit soit le vieux comte ! »

Sa relation avec son père n'avait jamais été bonne, de sorte que Jason avait passé la plupart de ses dix dernières années à faire l'opposé de tout ce que son géniteur voulait — simplement pour prouver qu'il était un homme indépendant. Cependant, son père avait toujours réussi à trouver un moyen d'exercer son emprise sur lui, surtout en menaçant de retenir ses fonds. Mais ceci! Exiger de lui qu'il épouse quelqu'un au choix du comte était inadmissible.

« Ne serai-je jamais débarrassé de la tutelle du salaud ? »

• • •

Jason entra à grands pas chez White's, saluant brièvement d'un signe de tête les amis confortablement installés dans des fauteuils près des foyers massifs ou le feu rougeoyait. Le son étouffé des verres qui tintaient, remplis du meilleur alcool que Londres avait à offrir, résonnait dans l'air. Se dirigeant droit sur Drake, son ami de longue date, il se laissa choir dans le fauteuil à côté de lui et le regarda de travers.

Le marquis de Stafford était son meilleur ami depuis leurs études à Oxford. Peu après le début du trimestre, ils s'étaient réveillés dévêtus, deux jeunes dames délicieusement nues installées entre eux dans un grand lit. Ils souffraient tous les deux d'un énorme mal de tête et ils étaient devenus instantanément amis.

Une relation ayant commencé de cette manière ne pouvait que s'améliorer avec le temps, et les deux jeunes hommes s'étaient frayé un chemin à l'université et dans la société en usant de leurs charmes, en buvant et en jouant.

L'an dernier, le père de Drake avait ordonné à son fils de rentrer au manoir familial.

Il était revenu à Londres, désormais un homme plus sombre, mais continuait à s'adonner aux activités si chères à la noblesse, quoique cette fois avec un peu plus de retenue et de discrétion.

Drake examina la mâchoire serrée de son ami et ses doigts pianotant.

— Des problèmes ?

— L'ordre est tombé.

— Mariage ?

— Oui.

— Quand ?

— Dans deux jours.

— Merde.

— Exactement.

Jason s'adossa contre son fauteuil en relâchant un immense soupir et il contempla le plafond.

— Que dois-je faire, Drake ?

— Il n'y a rien que vous puissiez faire, sauf vous marier. Vous ne voulez pas plus que moi être pauvre. Nous nous inclinons devant nos géniteurs afin de poursuivre notre vie de plaisirs et de divertissements.

Il fit signe au valet de pied et leva son verre vide.

Jason frappa le bras du fauteuil de son poing.

— Votre géniteur est bien en vie, au contraire du mien, qui continue à me manipuler, même dans la mort. Mais me marier ? Même si j'étais enclin à le faire, ce qui n'est pas le cas à l'heure actuelle, je préfère faire mon propre choix.

« Maudit soit le vieux comte. »

— Je suis certain que vous saviez que vous seriez obligé de vous marier un jour. Le devoir envers le titre et tout cela. Que vous aimiez cela ou non, il semble que le choix ait été fait pour vous.

Drake sourit et fit tournoyer le brandy dans son verre avant d'en boire une gorgée.

— N'ayez pas l'air aussi fichtrement réjoui. Non seulement je n'ai jamais rencontré lady Jane, c'est son nom, mais j'en sais en plus très peu sur elle. Pas même où diable le comte a bien pu la trouver. Pour ce que j'en sais, elle pourrait avoir la cuisse légère.

Drake se redressa brusquement.

— Mes avis, Jason, que même le vieux comte ne ferait pas un coup pareil.

— Non, ce n'est pas si pire.

Il se frotta les yeux avec les poings.

— En fait, lady Jane est la filleule du vieux comte. Les avocats me disent qu'elle était en Italie avec son père, qui est un genre d'érudit de la Rome antique. La fille d'un érudit ! Elle est probablement ennuyeuse comme la pluie.

Les deux hommes restèrent assis avec un air morose à fixer les flammes du foyer, chacun occupé par ses pensées.

— Je vais me rendre à Coventry demain et passer la nuit à l'auberge avant de me présenter pour la cérémonie. Pouvez-vous être prêt demain à l'aube ?

S'il devait se résoudre à cela, au moins il pouvait avoir son meilleur ami pour compatir à son sort.

— Pourquoi demeurer à l'auberge alors que vous avez un lit totalement acceptable au manoir ?

Jason posa sa cheville bottée sur son genou replié.

— Je veux une dernière nuit de liberté. Qui sait à quel point l'estimable lady Jane s'est déjà imposée à Coventry depuis son arrivée ?

— Bien, désolé, je ne peux pas. Mon paternel requiert ma présence à Manchester. J'étais sur le point de partir, lorsque vous êtes entré.

Jason releva brusquement la tête.

— Sûrement, vous ne vous attendez pas à ce que j'affronte ce maudit mariage seul ?

— J'aimerais pouvoir vous aider, mon vieux, mais le devoir m'appelle. Je suis certain que vous pouvez y faire face sans mon assistance.

Il donna une tape dans le dos de Jason, puis il vida son verre. Après l'avoir reposé sur la table cirée, il se leva.

— Combien de temps resterez-vous à Coventry ?

— Assez longtemps pour l'épouser et coucher avec elle. Ensuite, je reviendrai.

Sa mine renfrognée réapparut en force.

Drake haussa les sourcils.

— Avec la belle lady Jane dans votre sillage ?

— Aucune chance. La nouvelle lady Coventry s'installera à résidence au manoir Coventry.

Jason remonta au pas de course les marches de sa maison de ville dans Mayfair, le quartier à la mode de Londres.

Barton ouvrit immédiatement la porte.

— Bon après-midi, monsieur.

Le majordome soulagea son employeur de sa douce houppelande en laine et de son chapeau.

— Dites à Grady que je souhaite le voir tout de suite. Je dois faire mes bagages pour un voyage de trois jours à Coventry.

Barton s'inclina légèrement, et Jason monta encore une fois les marches deux à la fois et continua jusqu'à sa chambre. Il avait à peine retiré sa cravate et son veston que son valet, Grady, le rejoignit.

– Nous partons en voyage, c'est cela, monsieur ?

– Oui, environ trois jours, pour Coventry. Vous n'avez pas à venir, mais simplement à boucler mes bagages.

– Comme vous le désirez.

Grady hocha légèrement la tête.

– Quand partez-vous ?

– Demain, aux premières lueurs de l'aube. J'ai la maudite fête des Newbury ce soir. J'enverrais mes regrets, mais lady Newbury m'a rappelé hier soir au bal des Fenniwick que j'ai raté les deux dernières. Cela vaut la peine d'avoir la vieille chouette de mon côté. Dites à Cook que je prendrai mon déjeuner dehors et préparez-moi un bain, dit-il en se dirigeant vers la porte. Je serai dans la bibliothèque quand il sera prêt.

Enfin loin de sa maîtresse, de son ami, de ses domestiques, Jason eut le temps de réfléchir à son avenir. Il rejoignit d'un pas nonchalant la fenêtre pour regarder dehors, les mains serrées dans le dos. Malgré ses déclarations à l'effet contraire, à vingt-huit ans, ce n'était qu'une question de temps avant qu'il suive la progression naturelle des choses et se dote de la femme requise et commence à remplir sa nursery. Depuis son accession au titre, l'obligation d'engendrer un héritier pesait lourdement sur ses épaules.

Son estomac se serra de rage devant la manière dont son père continuait de régir sa vie. La dernière fois qu'ils s'étaient parlés – qu'ils s'étaient disputés, plutôt, comme toujours –, le vieux comte avait menacé son unique enfant de lui couper les vivres s'il ne se calmait pas et ne choisissait pas une femme parmi les candidates au mariage.

— *Vous ferez votre devoir, sinon je vous couperai les vivres,* avait rugi son géniteur en se relevant légèrement de son fauteuil derrière l'immense table de travail dans sa bibliothèque.

Jason s'était prélassé dans un fauteuil en face de lui, ses longues jambes allongées, croisées aux chevilles, sa posture indifférente démentant la colère qui l'assaillait en entendant l'ordre de son père.

— *Je me marierai lorsque je trouverai la bonne femme. Je n'ai pas l'intention de choisir une demoiselle geignarde, qui rit bêtement, à peine sortie des salles de classe et lancée sur le marché du mariage.*

Il avait chassé d'une chiquenaude une peluche inexistante de son veston bien coupé.

— *Par le ciel, vous choisirez quelqu'un, et vous le ferez au cours de cette saison mondaine, sinon je prendrai les choses en main moi-même,* avait dit son père en s'effondrant sur son fauteuil et en avalant de grandes goulées d'air.

Le médecin du comte l'avait prévenu de ne pas trop s'en imposer, car son cœur n'était pas solide. Néanmoins, la soudaineté de sa mort quelques semaines après cette conversation avait secoué Jason plus qu'il ne voulait l'admettre. La présence écrasante de son dernier parent avait été si présente dans sa vie et avait dû être combattue avec force ; d'une certaine façon, il se sentait perdu. Cependant, sa colère pour avoir été acculé dans un coin demeurait en lui.

Avec lassitude, il se détourna de la fenêtre à l'appel de Grady et il monta à l'étage.

Un sentiment de découragement étreignit Jason toute la nuit. À la fête des Newbury, il alla de table en table, jouant un peu à l'argent, discutant avec des amis. Il avait peu d'intérêt pour les épouses de la haute société qui s'ennuyaient et l'observaient derrière leurs éventails, offrant avec leurs yeux ce qui, à une époque, l'aurait entraîné dans leur direction.

Les nombreuses activités qu'il avait tenues pour acquises et qui avaient occupé son temps pendant des années semblaient à présent ternes et sans vie. Inutiles. Les femmes étaient à la fois trop jeunes et trop innocentes ou trop directes dans leurs tentatives d'attirer un nouvel homme dans leurs lits pendant que leurs maris étaient autrement occupés. Tout le monde riait trop fort, buvait à l'excès, potinait sans pitié et jouait trop.

« Ne t'inquiète pas, mon vieux. La mort du comte t'a secoué, tout comme le mariage avec une inconnue. Il vaut mieux que tu en finisses et rentres à Londres. Ensuite, les choses reviendront à la normale. »

Certain que lady Newbury avait remarqué sa présence, il prit congé et demanda à son cocher de le laisser chez White's. Après un seul verre bu dans la solitude, il s'en alla et se retrouva chez lui à l'heure ridicule de minuit.

Aussi bien se mettre au lit et passer les heures en dormant.

Mais au lieu de dormir, il tourna d'un côté et de l'autre, ses pensées revenant à son père. Le cinquième comte de Coventry n'avait jamais été heureux de n'avoir engendré qu'un seul fils. Comme il était dans la manière du comte, il avait solidement placé le blâme de cette faute sur les épaules de sa femme.

Il y avait eu des années de cris et de disputes, Coventry accusant sa femme d'être moins qu'une femme pour ne pas avoir produit le fils de rechange requis. À son tour, elle l'avait accusé de perdre sa semence avec des femmes aux mœurs légères. Leur mariage typique de la haute société, reconnu comme une « union parfaite », avait suivi le cours habituel.

Lady Harriet avait été la fille d'un marquis. Une fois que la troisième et la cadette de ses filles – deux avaient épousé des ducs – avait été casée, son père avait été heureux d'en avoir fini avec toute cette histoire folle de mariages. Assez rapidement, elle avait donné naissance à Jason, l'héritier. Cependant, après plusieurs années à se chamailler sur l'insuccès à produire un second fils, lord et lady Coventry avaient vécu des vies séparées.

Sa mère avait passé la majeure partie de son temps à Londres et à Bath, alors que le comte s'était confortablement installé dans sa maison de campagne avec une succession de maîtresses pour lui tenir compagnie. Jason avait peu vu l'un ou l'autre de ses parents, passant ses premières années dans la nursery avec Nanny et une série de professeurs particuliers. Ensuite, on l'avait envoyé à Eton, puis à l'université.

Il n'avait jamais cru son enfance bien différente de celle de ses pairs jusqu'à ce qu'il aille dans la famille de Drake. Sa Seigneurie et sa duchesse avaient fait un mariage d'amour, et la différence dans leur foyer par rapport au sien était remarquable. Drake était le plus vieux de sept enfants. Lui et sa fratrie se battaient, se disputaient, se taquinaient et s'aimaient, tout cela enrobé de l'amour qui émanait de l'union de leurs parents.

Après des années à observer la froideur dans sa maison, Jason avait décidé qu'il ne se contenterait pas d'un mariage de la haute société conventionnel. Il n'avait pas l'intention de choisir la débutante minaudière sans cervelle qu'il pouvait courtiser et épouser pendant que ses parents évaluaient son argent, son titre et son rang avec avarice.

Sa mère était morte d'une brève maladie alors qu'il était encore à Eton — par ailleurs, elle n'aurait pas compris sa réticence à contracter une union parfaite de toute façon. Le temps passé en compagnie du vieux comte avait principalement été occupé par les disputes entre le père et le fils à propos des escapades de Jason et de ses défauts en tant qu'héritier.

Il se renfrogna. Aujourd'hui, il apparaissait que le comte avait pris soin de régler cette affaire en suspens. Le désir de Jason de s'assurer un mariage d'amour arrivait à sa fin. Même s'il était mort et enterré, le comte avait réussi à sortir de sa tombe et à choisir la fiancée de son fils en garantissant diablement bien que le fiancé n'ait aucun moyen de refuser.

Assorti à son humeur, le matin suivant se leva sur une journée froide, grise et avec la menace de la pluie si typique à Londres. Le soleil n'ayant pas encore fait son apparition, Jason grimpa dans son carrosse, et le cocher se mit en route.

Il s'installa sur la souple banquette en cuir et ferma les yeux. Toutefois, tout comme la nuit précédente, le sommeil le déjoua. Au lieu de cela, son cerveau fit apparaître l'image d'une jeune fille à lunettes avec des cheveux noués serrés — un visage pâle aux lèvres pressées. Pas de doute, sa fiancée serait sous-alimentée, avec des os fragiles le piquant partout lorsqu'il tenterait de coucher avec elle. Elle resterait allongée sur le dos, les paupières fermement closes pendant qu'il ferait de son mieux pour l'engrosser. Il frissonna et se redressa. Mieux valait fixer l'obscurité que se torturer avec des visions de lady Jane.

En ne s'arrêtant qu'une fois, le carrosse arriva à l'auberge à Coventry juste avant minuit. Agité à cause des heures dans le carrosse sans rien d'autre pour l'occuper que ses satanées pensées, Jason entra à grands pas dans l'auberge. Il ignora l'aubergiste qui s'inclinait devant lui et exigea une salle à manger privée, un repas et une bouteille de whisky.

En quelques minutes, l'alcool apparut, ainsi qu'un dîner de bœuf rôti et un pudding au suif. La jeune fille apportant la nourriture sourit et pressa ses seins généreux contre son bras alors qu'elle posait les assiettes. Il hésita tandis qu'il examinait son air coquin, mais ensuite, il se contenta de hocher la tête pour la remercier.

— J'm'appelle Mary, si z'avez b'soin d'aut' chose, milord.

Elle exécuta une révérence, ne laissant aucun doute dans son esprit sur les besoins qu'elle satisferait.

— Merci, Mary. Soyez sûre que je vous en informerai.

Elle lui décocha un sourire séduisant et passa la porte donnant sur la salle principale d'un pas nonchalant en balançant ses hanches.

Il la regarda partir, l'excitation se manifestant dans ses reins. Pas nécessairement jolie, Mary semblait toutefois propre et avait un corps voluptueux mature capable de lui faire oublier ses problèmes.

Après avoir vidé la moitié de la bouteille et terminé toute sa nourriture, il prit une décision totalement imprudente et demanda à l'aubergiste d'envoyer chercher Mary. Elle arriva tout de suite avec son corsage considérablement plus bas qu'il l'avait été lorsqu'elle avait apporté son repas.

Jason tapota sa cuisse, et Mary musarda jusqu'à lui et installa son derrière potelé sur ses genoux, encerclant son cou avec ses bras élancés.

Il pressa son nez dans son cou.

— Aimes-tu ton travail ici ?

— Oh, oui, Mon Seigneur. Je gagne bien ma vie en servant la nourriture et les boissons.

— Et que sers-tu d'autre, Mary ?

Il se déplaça pour lui mordiller l'oreille.

— Seulement de la nourriture et des boissons, Mon Seigneur.

Sa voix sensuelle démentit ses mots.

Il mit la main sur ses épaules et repoussa le tissu rugueux de son corsage vers le bas, libérant ses seins. Ses paumes encerclèrent les bouts sombres qui ne cherchaient que cela.

— Es-tu certaine de ne pas servir autre chose ?

Sa main tomba et remonta lentement sa jambe tandis que sa langue s'occupait de son mamelon.

— À l'occasion, il m'arrive d'offrir d'autres services, mais pas souvent, Mon Seigneur. Je suis une bonne fille.

Elle se trémoussa sur ses genoux, raffermissant son érection.

— Je suis certaine que tu l'es. Va verrouiller la porte.

Il la releva d'une poussée et tapota son beau derrière.

Il l'étudia à travers des yeux plissés pendant qu'elle mettait le loquet et revenait de son pas lent, ses seins oscillant.

« Qu'est-ce que je fais, par tous les diables ? Vraiment, mon vieux — une gueuse de taverne ? Ici même à Coventry ? »

Le vieux comte serait scandalisé, ce qui raffermit sa décision. S'il devait coucher avec un sac d'os très bientôt, il valait autant qu'il profite des courbes et de la douceur de Mary — une bonne fille. Il l'espérait, évidemment.

La fille le chevaucha et tira d'un air coquin sur l'extrémité de sa cravate. Cette demoiselle n'était pas timide. Il se pouvait qu'elle l'arrache à sa morosité.

Chapitre 2

Le jour du mariage du comte de Coventry était arrivé. Il n'avait pas dormi de la nuit, ayant passé les heures précédant son mariage à profiter des attentions de Mary. Puis, à boire, à manger, à jouer et encore à savourer les bons soins de la gueuse — du moins, il croyait que c'était Mary. À ce moment-là, il était assez ivre pour ne pas s'en souvenir — ou en fait, même pour s'en soucier.

L'aubergiste entra dans la salle à manger privée où Jason contemplait sombrement son verre vide posé à côté de deux bouteilles vides.

— Mon Seigneur, vous m'avez d'mandé à vous l'dire quand y serait la demie après neuf heures.

Jason se secoua et essaya de fixer son attention sur l'aubergiste.

— Neuf heures, dites-vous ?

— Oui, milord. La demie passée. Puis-je vous servir un petit déjeuner ?

— Non, dit-il en secouant lentement la tête, je pense que mon estomac ne pourrait pas le supporter.

Il tenta de se lever, mais il retomba durement sur sa chaise.

— Apportez-moi une glace, voulez-vous, mon vieux ?

L'aubergiste fit une courbette et quitta la pièce. Jason ne se souvenait pas d'avoir un jour été saoul à ce point. Il n'était pas certain de pouvoir rester debout, encore moins de faire le serment d'honorer et de chérir une femme inconnue pour le reste de sa vie.

Une petite glace craquée présentée par la femme de l'aubergiste lui révéla une image pire que Jason avait anticipée. Ses yeux étaient injectés de sang, sa chevelure en pagaille, et sa cravate autrefois amidonnée pendouillait lâchement. Ses vêtements étaient horriblement froissés, et l'ombre foncée de sa barbe naissante ornait son visage aristocratique.

— Du thé !

Il cria en direction de la porte par où avait disparu l'aubergiste.

— Milord ?

Mary était de retour, l'air presque aussi mal en point que lui.

— Du thé, Mary. Chaud et fort. S'il te plaît.

Il croisa ses bras sur la table devant lui et il y appuya la tête. Au moins, il ne souffrait pas des désagréables effets secondaires d'une cuite. Seulement parce qu'il était encore ivre.

Mary revint avec une grosse théière et s'apprêta à en verser dans une délicate petite tasse. Jason repoussa sa main, souleva la théière et but directement dedans, sans même grimacer quand la chaleur frappa sa bouche et se déversa dans sa gorge.

— Milord, aimeriez-vous que je vous prépare un bain ? demanda-t-elle en l'observant avec méfiance.

— Pas le temps. Demande à mon cocher de conduire le carrosse à l'avant.

Le carrosse rebondit et cahota pendant tout le trajet jusqu'au manoir Coventry. Avec chaque à-coup, Jason était certain de rendre tout son contenu. Il avala quelques grosses gorgées occasionnelles de la bouteille dont il s'était emparé avant de quitter l'auberge et il fixa ses bottes d'un air maussade. Il n'avait jamais accordé beaucoup d'importance à ses chaussures. À présent, tandis qu'il les examinait, il fut ébloui par le beau travail complexe qui entrait dans leur fabrication. Il devait aller trouver son bottier lorsqu'il rentrerait à Londres et lui offrir ses remerciements.

Jason vérifia sa montre au moment où le carrosse stoppait devant le manoir Coventry. Dix heures deux minutes.

« Les avocats du vieux comte permettront-ils quelques minutes de retard ? Ou bien lady Jane avait-elle rendez-vous avec un érudit pour discuter de ce sur quoi discutaient les érudits romains ? »

Il trébucha quand il arriva à la porte et il frappa avec son poing, étonné que le majordome ne l'ait pas déjà accueilli. Oscillant pendant qu'il patientait, il se pencha en arrière, puis il attrapa le marteau de la porte pour éviter de plonger vers l'arrière et débouler les marches. Il cria et continua à marteler la porte.

— Je suis ici. Ouvrez cette maudite porte, je dois assister à un mariage.

Malcolm ouvrit la porte. La seule concession que le vieux majordome fit à l'apparence de Jason fut de soulever légèrement les sourcils.

— Ils vous attendent dans la bibliothèque, milord.

Jason acquiesça d'un bref hochement de tête et il redressa les épaules. Il tripota sa cravate, mais il abandonna après deux tentatives pour la nouer.

« Où diable peut bien être Grady, de toute façon ? Pourquoi me permet-il de me présenter à mon mariage avec une allure aussi débraillée ? »

Il posa un pied devant l'autre, se servant du mur pour maintenir son équilibre pendant qu'il se rendait à la bibliothèque. Prenant une profonde respiration, il ouvrit la porte et survola la scène du regard.

Une petite femme, dos à lui, était debout à parler avec l'un des avocats. Tout ce qu'il pouvait voir d'elle était le chignon ancré fermement à l'arrière de sa tête. Elle portait une robe d'après-midi bleu foncé, ordinaire et sans ornement, et elle agitait les mains autour d'elle en discutant. Le regard de Jason balaya la pièce. Deux des avocats étaient présents, ainsi que sa gouvernante, le pasteur local et la bavarde lady Jane.

— Je suis là.

Il n'avait pas pris conscience de la force de sa voix jusqu'à ce que toute conversation cesse et que toutes les têtes se tournent dans sa direction. Il tenta de fixer son attention sur sa fiancée, mais c'était difficile, car il voyait encore double.

« Juste ciel, le vieux comte s'est-il arrangé pour que j'épouse des jumelles ? Étrange que cela. »

Un des avocats — même quand il était sobre, Jason ignorait duquel il s'agissait — se hâta vers lui.

— Milord, comme c'est agréable de vous voir. Nous sommes prêts à commencer quand vous le voulez.

Jason tira encore une fois sur sa cravate molle et hocha la tête. Il suivit l'avocat et jeta un bref regard à lady Jane. À présent plus près d'elle, il pouvait la voir. Cependant, la fixer trop longuement lui donnait le tournis, alors il regarda du côté du pasteur.

— Allez-y, mon vieux.

— Votre Seigneurie voudrait peut-être prendre un peu de temps pour discuter en privé avec lady Jane avant que nous ne commencions ? dit l'avocat.

— Non.

Il tendit la main et serra l'épaule de lady Jane pour se mettre d'aplomb.

Elle ferma les yeux et pressa les lèvres pendant que tous les autres bougeaient dans tous les sens.

Avec sa voix grave, le pasteur s'éclaircit la gorge et commença.

— Je vous prie de prendre la main droite de lady Jane, milord.

Jason empoigna une main délicate dans la sienne et ressentit comme un électrochoc. Plissant les yeux, se demandant si elle l'avait piqué avec une épingle, il jeta un coup d'œil à lady Jane, puis il détourna vite les yeux quand la pièce se mit à tourner.

— Procédez, monsieur. J'ai voyagé toute la nuit.

Il rota.

Le pasteur ouvrit son livre et radota sur l'amour et le mariage et la gravité de prononcer des vœux. Jason bâillait sans fin et tentait avec force de ne pas s'endormir. Il récita silencieusement le poème que son professeur particulier l'avait obligé à mémoriser dans sa jeunesse. À un moment donné, il se souvint d'un poème plutôt coquin que Drake et lui avaient inventé pendant une nuit de débauche, et il pouffa de rire. Toutes les têtes se tournèrent vers lui.

— Désolé, marmonna-t-il.

Il avait dû fournir les réponses nécessaires, car avant même de s'en rendre compte, le pasteur retirait ses lunettes et leur souriait.

— Vous pouvez embrasser la mariée.

Jason se tourna vers lady Jane, se pencha légèrement et embrassa l'air près de son oreille gauche. Elle leva la tête et le regarda directement en face. Sa bouche s'assécha complètement alors qu'il contemplait deux éblouissants yeux violets, débordant de larmes. Pendant une seconde, il se sentit totalement sobre et complètement idiot. Il recula rapidement et se cogna le coude sur l'un des avocats qui lui tendait une plume.

— Le livre de mariage, milord. Vous devez signer.

L'homme guindé tendait à Jason un volume lourd. Il écarta l'homme, tint le livre en équilibre dans sa main, signa où il lui avait indiqué, puis le poussa vers l'avocat.

— Je vais au lit, grommela Jason.

Il hésita et, allongeant le bras pour s'empêcher de basculer, quitta la bibliothèque et entreprit de monter les marches jusqu'à sa chambre. Il s'effondra à plat ventre sur le lit, entièrement vêtu.

« Je suis foutrement marié. »

La phrase se répéta dans son cerveau avant que le soulagement très apprécié du sommeil ne l'envahisse.

• • •

La nouvelle lady Coventry observa, abasourdie, son mari littéralement trébucher hors de la pièce, et se cogner contre l'ameublement en partant. Elle cligna rapidement pour libérer ses yeux de ses larmes. Une vague de colère la submergea, effaçant les restes d'apitoiement envers elle-même. Elle ne méritait pas cela.

Apparemment, lord Arrogant n'était pas heureux d'être marié à une étrangère. Bien, il était aussi un étranger pour elle et il n'avait certainement rien fait pour gagner ses bonnes grâces.

— Milady, vous devez aussi signer le livre de mariage.

Le petit avocat aux yeux perçants agita le livre que Jason avait poussé dans ses mains.

Olivia prit la plume et ajouta sa signature.

— Mille pardons, lady Coventry, je suis un peu perdu sur une question.

Elle lui jeta un regard interrogateur.

— Les lettres de votre père que nous avons trouvées dans les papiers du défunt comte vous mentionnaient sous le nom de « lady Olivia », pourtant l'entente de fiançailles indiquait « lady Jane Grant ».

Elle sourit.

— Je comprends la confusion. Mon nom complet est lady Jane Olivia Grant. Cependant, comme le nom de ma mère était aussi Jane, père m'appelait toujours Olivia, et je crains que le nom soit resté, et c'est sous celui-ci que l'on me connaît.

Avant que l'avocat ne puisse répondre, Malcolm apparut à côté d'elle et s'inclina légèrement.

— Milady, Cook a préparé un petit déjeuner de noces, si vous voulez bien venir par ici.

Elle sourit poliment et raidit les épaules. Peu importe qu'elle soit une jeune mariée sur le point de manger son repas de mariage sans son époux. Les apparences devaient être respectées. Elle se tourna vers le pasteur et les avocats et les pria de se joindre à elle.

Se jetant mutuellement des regards embarrassés, le petit groupe la suivit jusqu'à la salle à manger, où Olivia joua les hôtesses comme si rien ne clochait en ce jour inhabituel de son mariage.

Peu après la conclusion de l'interminable petit déjeuner, elle se leva, s'excusa et effectua une sortie digne avant de se hâter vers sa chambre.

La chambre à coucher raffinée, reliée à la chambre à coucher du comte par une solide porte en bois, contenait un ameublement foncé et morne. Les goûts de la précédente lady Coventry étaient tournés vers des tentures et une literie ternes. Un tapis vert foncé couvrait le plancher en bois. Un feu déjà allumé dans l'immense âtre l'attira.

Elle tendit les mains vers la chaleur réconfortante, puis elle fit courir ses paumes de haut en bas de ses bras. La température en Angleterre la déprimait autant que les événements de la journée. Comme elle se languissait du soleil de l'Italie.

Olivia fit les cent pas un moment, examinant la porte qui la séparait de son nouveau mari. Avec l'impression de faire une mauvaise action, elle traversa la pièce sur la pointe des pieds et pressa l'oreille contre la porte. Le son d'un ronflement bruyant l'accueillit.

Olivia sonna pour appeler une domestique et demanda un linge frais et une fiole de lavande pour un mal de tête. La colère luttait contre la tristesse tandis qu'elle était allongée sur le lit dans la faible clarté du crépuscule. Comment cet homme osait-il la traiter avec autant de mépris ? N'avait-il jamais pensé qu'elle aussi, peut-être, n'était pas enchantée d'être menottée à quelqu'un qu'elle ne connaissait pas ? Elle pouvait bien être une dame jusqu'au bout des ongles, elle comptait tout de même lui dire sa façon de penser au matin.

• • •

La température maussade s'était enfin éclaircie, et le soleil pointait au-dessus de la ligne d'horizon, jetant une maigre lumière dans la pièce. Jason grogna et roula sur le côté, tirant un oreiller par-dessus sa tête. Il se réveilla lentement et s'aperçut qu'il portait encore ses vêtements. Même ses bottes. Pourquoi diable Grady l'avait-il laissé dormir avec ses vêtements ?

Après une minute environ, son cerveau ayant mis fin à sa confusion, il se souvint de l'endroit où il se trouvait. Son lit au manoir Coventry où il était allongé complètement habillé, affamé et — que Dieu lui vienne en aide — marié.

Quand cette dernière partie pénétra son cerveau, il s'étira le cou et, au milieu des gémissements provoqués par les abus de la veille, il examina l'autre côté du matelas. Il était encore vautré sur le couvre-lit et il avait apparemment passé la nuit — sa nuit de noces — seul. Et comme aucun de ses vêtements ne manquait — n'était même pas desserré —, il supposa qu'il ne s'était rien passé qui vaille la peine de se souvenir. La nouvelle lady Coventry avait-elle passé les heures nocturnes dans la chambre à coucher adjacente à la sienne ?

La première chose dont il avait besoin, c'était du thé fort, puis de la nourriture, un bain et des vêtements propres. Dans cet ordre. Il sonna un domestique. Il aurait probablement dû amener son valet avec lui. Il ne savait pas trop où se trouvaient ses vêtements propres. Fort probablement toujours dans le carrosse, puisqu'il ne conservait jamais rien de convenable au manoir. La porte s'ouvrit, et un jeune garçon qu'il ne reconnut pas entra dans la pièce.

— Vous avez sonné, milord ?

— Qui es-tu ?

Jason lança un regard oblique au garçon.

— Ethan, milord.

Il hocha la tête.

— J'aimerais une théière pleine et de la nourriture.

— Certainement, milord. Aimeriez-vous un plateau ici dans votre chambre ou bien vous joindrez-vous à lady Coventry dans le salon du petit déjeuner ?

— Lady Coventry.

Il gémit.

— Je l'avais oubliée pendant une minute.

Il examina le jeune homme.

— Je suis certain qu'il s'écoulera encore quelque temps avant que Sa Seigneurie ne se lève.

— Non, milord. Lady Coventry est en ce moment dans le salon du petit déjeuner.

Jason sortit sa montre, ses sourcils se haussant.

— À sept heures ?

— Oui, milord.

Par tous les diables, pourquoi cette femme est-elle levée si tôt ?

— Oublie ça, Ethan, dis seulement à mon cocher que j'aimerais partir immédiatement. Je vais m'arrêter prendre quelque chose pendant le trajet de retour à Londres.

Jason utilisa l'eau dans le lavabo pour se rincer le visage et se brosser les dents. Puis, en faisant courir ses doigts dans ses cheveux, il quitta la pièce et prit la direction du rez-de-chaussée. Il dépassa le salon du petit déjeuner, en route vers la sortie. La porte de la pièce resta fermée, et le son étouffé de deux femmes conversant atteignit ses oreilles. Lady Coventry.

Incapable de faire apparaître une image de la femme, il ferma les yeux, et ses épaules s'affaissèrent. Il se frotta les tempes et, en pivotant brusquement, il passa la porte d'entrée.

Ses longues jambes avalèrent la distance jusqu'au carrosse en attente.

— Où allons-nous, milord ?

— À Londres.

Jason répondit au moment où le cocher fermait la portière.

• • •

Lady Coventry resta assise très immobile et extrêmement seule à la table du petit déjeuner. Le matin suivant son mariage. Comme le sommeil l'avait déjouée toute la nuit, elle avait repoussé les couvertures et étonné le personnel en sonnant une domestique si tôt pour l'aider. Elle secoua la tête, les lèvres serrées. Le temps n'avait pas écrasé sa colère. Elle doutait de ne jamais se remettre de l'humiliation qu'elle avait subie aux mains de cet homme.

— Milady, devons-nous servir le petit déjeuner maintenant ou attendre Sa Seigneurie ?

Olivia sursauta. L'entrée de la domestique avait été si silencieuse qu'elle n'avait pas eu conscience de sa présence avant qu'elle parle.

— Non, vous pouvez servir. Je ne sais pas du tout quand Sa Seigneurie se joindra à nous.

Pendant qu'elle et la domestique conversaient, Olivia prit conscience du bruit d'une personne descendant les marches. Elle retint son souffle quand les pas stoppèrent devant la porte fermée. Juste au moment où la domestique partait pour retourner à la cuisine, les pas continuèrent, et la porte d'entrée s'ouvrit et se referma. Olivia se leva de sa chaise et se hâta vers la fenêtre à temps pour voir Jason grimper dans le carrosse dans lequel il était apparemment arrivé hier.

— Londres.

La voix grave flotta jusqu'à elle alors que le cocher refermait la portière. Des larmes non désirées jaillirent dans ses yeux pendant que le carrosse se frayait un chemin dans la longue allée.

La fierté la poussa à retourner à sa chaise et à poser gracieusement la serviette sur ses cuisses. La domestique entra, accompagnée par plusieurs valets de pied portant des plateaux de nourriture. L'estomac d'Olivia se révulsa.

— Je suis désolée de vous causer tous ces ennuis, mais il semble que j'aie l'estomac à l'envers ce matin.

Elle hocha la tête devant cette abondance.

— Je vous prie de retourner le tout à la cuisine. Je vais prendre seulement du thé.

Elle lutta contre les larmes encore une fois en voyant le regard échangé par la domestique et un valet de pied.

« Bien, je me suis vraiment élevée dans le monde si mes domestiques ont pitié de moi. »

Après deux fortifiantes tasses de thé fort, Olivia quitta le salon du petit déjeuner et s'aventura dans la bibliothèque.

Elle marcha dans la pièce, faisant traîner le bout de ses doigts sur différents meubles. La pièce était richement meublée, le point focal créé par une grande table de travail. Des livres bordaient les murs, et un feu joyeux flambait dans le foyer. La fenêtre l'attira avec sa vue sur les jardins, dénudés aujourd'hui par l'hiver. Elle appuya la tête contre la vitre, et une larme roula sur sa joue.

« Père, dans quoi m'avez-vous entraînée ? »

Chapitre 3

Jason s'inclina devant lord Greely et embrassa la main ornée de bijoux de lady Greely au moment où il passait dans la file d'accueil avant d'entrer dans la salle de bal bondée.

Il était de retour à Londres depuis cinq jours, et l'ensemble de la cérémonie de mariage restait flou. Sans la lettre de ses avocats l'informant qu'il était maintenant en possession de tout ce qui avait appartenu au cinquième comte de Coventry, il penserait que toute l'affaire avait été un rêve. Ou peut-être un cauchemar.

Il repéra Drake et se fraya un chemin de l'autre côté de la pièce. Jason sourit et offrit un petit signe de tête à plusieurs débutantes, certaines à peine sorties des salles de classe. Elles se regroupaient ensemble, ricanant derrière des éventails colorés pendant que leurs mères enthousiastes examinaient Jason d'un œil de spéculatrice. Comme toujours, les femmes mariées jetaient de son côté des œillades sensuelles, cherchant un nouveau corps pour réchauffer leurs lits. La saison mondaine battait son plein.

— Je vois que vous êtes de retour en ville.

Jason fit un signe de tête à Drake et à la jeune femme s'accrochant avec possessivité au bras de son ami.

– Oui, le paternel n'avait pas besoin de ma présence bien longtemps.

Se tournant, il dit :

– Mademoiselle Spencer, puis-je vous présenter le comte de Coventry ? Coventry, mademoiselle Spencer.

– Mademoiselle Spencer.

Jason s'inclina et accepta sa main.

– Votre serviteur.

Toute en boucles dorées et en joues rougissantes, mademoiselle Spencer gloussa et, tenant son éventail dans une main, elle exécuta une petite révérence.

– C'est un plaisir de vous rencontrer, milord.

« Juste ciel, celle-ci est-elle même sortie de la salle de classe ? »

– J'expliquais à l'instant à mademoiselle Spencer comment mon paternel travaille avec son homme de confiance à Manchester pour augmenter la production.

– Un sujet, j'en suis convaincu, qui passionne totalement mademoiselle Spencer, dit ironiquement Jason.

Mademoiselle Spencer promena son regard d'un homme à l'autre, ses fossettes apparentes. L'humour que comptait injecter Jason dans la conversation passa complètement pardessus sa charmante tête de linotte.

– Oh, voici Freddy venu me réclamer la prochaine danse.

Elle exécuta une nouvelle révérence et tendit la main à son partenaire, lord Gilchrist.

– Comment s'est déroulé le mariage ? dit Drake dès que la rougissante mademoiselle Spencer fut hors de portée de voix.

— Je n'en sais fichtrement rien. Il a eu lieu. C'est à peu près tout ce que je peux en dire. Je suppose que je suis marié parce que j'ai reçu une lettre de félicitations des avocats.

Jason croisa les bras et s'adossa au mur en survolant la salle du regard.

— Vous voulez dire que vous n'en étiez pas sûr avant cela ?

Les sourcils de Drake s'arquèrent.

Jason arracha une flûte de champagne à un valet de pied qui passait.

— Pas entièrement, non.

— Puis-je demander comment un homme peut se passer la corde au cou et ne pas être trop sûr que cela se soit réellement produit avant que les avocats ne le félicitent ?

Drake lui jeta un regard de biais, puis il vida ce qui restait de son champagne.

Jason tira sur sa cravate.

— J'étais un peu mal en point, alors je ne me souviens pas de grand-chose.

— Mal en point ? Voulez-vous dire que vous étiez malade… ou ivre ?

— Ivre, marmonna-t-il.

— De quoi vous souvenez-vous ?

— De m'être réveillé… seul. Complètement habillé et avec un très gros mal de tête.

— Ah, pas de nuit de noces à imprimer dans votre mémoire ?

Jason se frotta la nuque.

— Apparemment, non.

Drake se fendit d'un sourire, prenant visiblement plaisir au malaise de son ami.

— Lady Coventry a-t-elle tiré sur vous à boulets rouges le lendemain matin ou Sa Seigneurie est-elle du type silence glacial ?

Jason secoua la tête.

— Quel veinard ! Elle aurait dû vous faire la peau. Où se trouve la charmante dame maintenant ? J'aimerais la rencontrer.

— Toujours au manoir.

Drake l'étudia une minute et il secoua la tête.

— Vous avez dit que vous feriez cela, mon vieux, mais je ne le croyais pas. Vous êtes véritablement un salaud, n'est-ce pas ?

Jason haussa les épaules, ne considérant pas cela comme un problème. Sauf que le nœud installé à l'ancienne place de son estomac lui rappela que le jugement de Drake était probablement exact.

— Et je suppose que vous avez retrouvé en courant la voluptueuse lady Sheridan dès que vos pieds ont touché le sol de Londres.

— Ne me sermonnez pas, Drake, dit-il sèchement.

Baissant la voix, il ajouta :

— C'est assez étrange que cela.

Jason prit une autre flûte.

— Je n'ai pas ressenti la moindre envie de voir Selena depuis mon retour.

Remarquant le haussement moqueur d'un sourcil de Drake, il poursuivit :

— Je me suis lassé d'elle avant de partir.

Ils fixèrent leurs regards sur la salle de bal, étudiant les jeunes choses fraîchement arrivées sur le marché du mariage pendant qu'elles geignaient et gloussaient sous l'attention des hommes cherchant des épouses cette saison-ci. Jason secoua la tête. Jeunes et innocentes. Sa femme était-elle ainsi ?

— Comment avez-vous réussi à persuader lady Coventry de rester là-bas alors que vous reveniez à Londres ?

— Je ne l'ai pas fait.

En réponse au regard interrogateur de Drake, il continua :

— Je me suis réveillé seul et je suis parti avant que nous n'ayons eu une conversation. En fait, je ne lui ai pas parlé du tout.

Un silence stupéfait accueillit les paroles de Jason.

— Salaud, ne commencez même pas à expliquer cela, mon ami, se moqua Drake alors qu'il esquissait un mouvement pour s'en aller, mais Jason l'attrapa par le bras.

— Je ne me sens pas précisément à l'aise avec mes actes.

— J'espère bien que non. Toutefois, que comptez-vous faire maintenant ?

— Je vais lui accorder un peu de temps pour retrouver son calme, puisque je suppose qu'elle n'est pas très contente de moi. Ensuite, je vais faire le voyage jusqu'à Coventry et voir ce que nous pouvons faire de toute cette situation.

— Assurez-vous seulement de me prévenir avant votre départ. En tant que votre ami le plus proche, je sens qu'il est de mon devoir d'aviser le médecin et de faire préparer les bandages.

Drake lui assena une claque sur l'épaule.

— Je m'en vais à la recherche de lady Elyse pour la prochaine danse.

Jason contempla Drake tandis qu'il se frayait un chemin jusqu'à l'autre extrémité de la salle de bal et se penchait sur la main d'une jeune débutante. Il frissonna, d'une certaine manière reconnaissant envers lady Jane de l'avoir libéré des griffes des jeunes dames enclines au mariage. Il hocha la tête en direction de différentes connaissances et évita lady Belford venant vers lui en traînant sa plus jeune fille, puis il tourna et avança d'un pas nonchalant vers la salle de jeu.

Des heures plus tard, en route vers chez lui dans son carrosse, Jason desserra sa cravate et tenta de visualiser le mariage dont il se souvenait à peine. Cela l'étonna de constater qu'il n'arrivait pas à se visualiser le visage de lady Coventry. Il ne se rappelait rien d'elle, sauf qu'elle avait une chevelure foncée et arrivait à la hauteur de son épaule.

Pour une raison inexpliquée, une paire d'yeux d'une couleur inhabituelle, inondée de larmes, n'arrêtait pas de planer dans un coin de son esprit. Y avait-il eu une paire de lunettes devant eux ? Il plissa le front et maudit son état d'ébriété.

On lui avait dit que lady Coventry était la filleule de son père, mais comment cette relation s'était-elle concrétisée ? Le vieux comte était-il un ami de son père ou de sa mère ? Étaient-ils vaguement apparentés ? Qu'est-ce qui avait poussé la femme à accepter d'épouser un étranger ?

Il savait qu'il l'avait mal traitée, loin de la manière du gentleman qu'il avait toujours cru être. Peut-être que dans quelques semaines — ou mois — il ferait le trajet jusqu'à

Coventry. Entre-temps, il devait communiquer avec ses avocats pour s'assurer qu'elle avait tout ce dont elle avait besoin. Elle pouvait bien ne pas être désirée, mais elle était tout de même sa comtesse.

• • •

Olivia examina la bibliothèque et prit conscience qu'il s'agissait de sa vie et qu'elle serait ce qu'elle en ferait. Si l'homme n'était pas intéressé par elle, ou sa compagnie, ainsi soit-il.

Elle se déplaça jusqu'à l'immense table de travail et s'assit dans le fauteuil que lord Coventry devait occuper. Il devait y avoir des choses pour l'occuper. Premièrement, des locataires à visiter, même si son mari n'était pas là pour la présenter. Des réunions avec la gouvernante, la cuisinière et le jardinier prendraient un peu de temps.

L'obscurité et la lourdeur de la chambre à coucher de la comtesse la déprimaient. Elle ferait retirer ses effets de la chambre pendant qu'elle referait la décoration. Des couleurs vives pour se débarrasser de la température grise de l'Angleterre. Un papier peint joyeux et un ameublement plus clair lui donneraient un décor qui lui conviendrait mieux.

Une autre corvée impliquait les papiers et les livres de son père qu'elle avait expédiés d'Italie. Au fil des ans, il avait accumulé une énorme quantité de paperasse pour ses recherches. Elle prendrait peut-être le temps de trier ses affaires, possiblement les classer et les offrir à l'Université de Milan.

Oui, sa vie pouvait être remplie. Olivia croisa ses bras sur la table de travail et appuya sa tête dessus en fermant les yeux.

« Alors, pourquoi je me sens si rejetée ? »

Non désirée par l'homme aux larges épaules et aux yeux bleus perçants dans un visage remarquablement beau. Ses cheveux foncés tombaient en vagues sur son front. Et il était tellement ivre qu'il pouvait à peine marcher.

Olivia se leva et marcha jusqu'au foyer pour fixer les flammes léchant le bois. Son père lui manquait, et des souvenirs de lui amenèrent un sourire sur ses lèvres. Il passait des heures chaque jour sur ses recherches sur les Romains de l'Antiquité. Le dîner avait toujours été un événement animé, alors qu'il lui relatait avec enthousiasme ce qu'il avait découvert ce jour-là. Son excitation poussait Olivia et sa mère à échanger des regards amusés.

Fillette, Olivia avait été calme et sérieuse jusqu'à ce qu'elle découvre la musique. Quand elle jouait du pianoforte, elle se perdait dans sa musique et, à mesure que s'était développé son talent, son assurance avait suivi. Sa mère avait embauché un professeur de musique, qui avait travaillé avec elle jusqu'à ce qu'elle atteigne sa huitième année, quand son père, lord Margate, avait déménagé sa famille en Italie afin de poursuivre ses recherches. Là-bas, elle avait repris son entraînement musical, étudiant avec un professeur italien.

C'était cinq ans après leur installation dans leur confortable maison en périphérie de Rome que lady Margate était décédée, ainsi que le bambin qu'elle avait mis au monde deux mois plus tôt.

Dévasté, son père s'était retiré avec sa fille, se concentrant uniquement sur son travail tandis qu'Olivia se perdait dans la musique. Quand elle avait atteint sa quinzième année, se sentant coupable de son manque d'intérêt et de guidance paternel, lord Margate s'était arrangé pour qu'Olivia étudie dans un pensionnat à Londres. Tout juste deux ans plus tard, il l'avait convoquée à la maison où elle avait été abasourdie d'apprendre qu'il était devenu un quasi-reclus.

Bien qu'elle eût montré un potentiel de pianiste classique, Olivia avait assumé la gestion du foyer de son père et avait abandonné ses rêves. Après trois ans, une agitation l'avait gagnée au plus profond de son être. Elle avait craint que la vie passe sans elle pendant qu'elle prenait soin du foyer de son père sans mener sa propre existence. Deux mois plus tôt environ, lord Margate avait répondu à ses inquiétudes inexprimées quand il l'avait convoquée dans sa bibliothèque.

— Ma chérie, je vous ai organisé un mariage.

Elle l'avait dévisagé avec une horreur grandissante. Son père ne faisait jamais rien à la légère, et une fois qu'il avait décidé d'un plan d'action, rien ne pouvait l'influencer.

— Je ne comprends pas, monsieur : quelqu'un a-t-il demandé ma main ?

— Oui. Bien, pas tout à fait demandé. Votre fiancé est le fils de votre parrain.

Il avait repoussé le fauteuil de sa table de travail, jeté brièvement un regard de son côté, puis s'était levé et avait commencé à faire les cent pas.

— Je sais que mon annonce arrive comme une surprise pour vous, mais c'est pour le mieux.

— Père, personne n'arrange plus les mariages de nos jours.

Elle s'était assise avec les mains serrées sur ses genoux, le seul signe extérieur de sa détresse.

Il l'avait dévisagée pendant un moment.

– Ne vous faites pas d'illusions. La plupart des mariages sont arrangés. Peut-être pas avec un complet étranger, mais assurément, les unions contractées dans notre monde le sont avec un petit coup de pouce des parents.

– Votre mariage n'était pas comme cela, avait-elle dit doucement.

Se détournant d'elle, lord Margate s'était arrêté et avait regardé par la fenêtre.

– Oui, vous avez raison, Olivia. Votre mère et moi avons fait un mariage d'amour.

Il l'avait regardée de nouveau en face et avait soupiré.

– Cependant, c'est rare. Très rare.

– Je ne comprends pas. Pourquoi cet homme… un étranger pour moi ? Et pourquoi maintenant ?

Relâchant sa respiration, il avait souri.

– Je connais très bien le comte de Coventry. Nous avons été très proches à une certaine époque, ce qui explique pourquoi il est votre parrain. Même après notre départ d'Angleterre, lui et moi avons correspondu régulièrement. Je sais quel genre d'homme il est et le genre d'homme que doit être son fils. Il sera bon et attentionné et veillera à ce que l'on prenne bien soin de vous. Vous avez presque vingt et un ans et vous avez besoin que quelqu'un veille sur vous, vous procure des enfants. Et vous devez rentrer à Londres, là où est votre place.

– J'ai le sentiment que vous ne me dites pas tout. Pourquoi maintenant ?

Lord Margate s'était assis dans la chaise à côté d'elle et avait enveloppé ses mains glacées dans ses propres mains chaudes.

— Je vous ai fait un grand tort en vous éloignant de votre foyer toutes ces années.

Il avait levé la main, quand elle s'était apprêtée à protester.

— Non, écoutez-moi jusqu'au bout. Vous auriez dû être à Londres durant une saison mondaine, présentée à la reine et assister à des bals et à des fêtes. J'ai perdu mon intérêt pour tout cela quand votre mère est décédée et, pour cela, je ne peux pas vous dire à quel point je suis désolé. Aujourd'hui, il est trop tard.

Il s'était relevé et avait marché jusqu'au foyer où il était resté debout.

— Les médecins me disent que mes poumons sont en grave danger de s'épuiser, tout simplement. Ils en rendent mes cigares responsables.

Il l'avait contemplée, les yeux remplis d'amour.

— Autant j'aimerais vous envoyer à Londres pour faire toutes ces choses, autant je serais plus tranquille si je savais que vous étiez déjà installée avec un mari et votre propre foyer.

• • •

Apparemment à l'aise avec les arrangements pris pour sa fille unique, son père avait décliné en quelques semaines, au point où il était devenu complètement grabataire. Il avait eu l'air tellement fragile alors qu'il s'appuyait sur ses oreillers, le visage aussi blanc que là où il posait la tête. Elle s'était rapprochée de lui quand il lui avait fait signe de le rejoindre. Il avait tenté de s'asseoir, mais elle avait posé une main légère sur son torse pour l'empêcher de bouger. Il avait saisi sa main dans la sienne.

— Je vous ai privée de tant de choses qu'une jeune femme devrait avoir. Une fois que vous serez mariée avec le fils du comte, on s'attendra à ce que vous preniez votre place dans la société, et je ne veux pas que vous ratiez quoi que ce soit au cours de cette première année importante.

Il s'était interrompu, prenant plusieurs respirations superficielles.

— Je vous en prie, promettez-moi de ne pas gaspiller cette année à porter le deuil.

Elle s'était penchée pour entendre sa voix rauque.

— Papa, je vous en prie, ne parlons pas de cela.

Toute la terreur qu'elle avait ressentie depuis qu'elle avait appris sa maladie et son mariage imminent l'avait submergée. Elle s'était accrochée à sa main frêle, la seule chose solide dans ce vent de changements qui la ballottait. Il avait tapoté sa main et fermé les yeux, l'effort de la conversation visible sur son visage.

Au lieu des deux semaines qu'elle s'était attendue à avoir pour se préparer à son mariage, elle avait eu quatre semaines pour régler les affaires de son père et expédier ses effets personnels à sa nouvelle résidence à Coventry. Au moment où elle avait entrepris son voyage, le comte de Coventry était mort lui aussi.

Elle avait commencé son voyage jusqu'en Angleterre en se sentant très seule. Les deux hommes qui avaient planifié cette union étaient décédés. Elle avait fait le trajet jusqu'à un endroit inconnu pour épouser un étranger.

L'accueil qu'Olivia avait reçu du personnel l'avait encouragée. Chaleureux et amicaux, ils l'avaient reçue à bras ouverts. Le nouveau comte, cependant, n'était pas à domicile et personne ne savait quand on devait l'attendre. Avant même qu'elle se soit installée, les avocats du vieux comte lui avaient rendu visite et l'avaient informée que selon les clauses du testament, le mariage devait avoir lieu au plus tard trois jours après son arrivée. Abasourdie et désorientée, elle avait accepté la date et l'heure suggérées par les avocats.

Sans le loisir de s'appesantir sur son mariage et sur l'homme auquel elle allait se donner pour le reste de sa vie, elle avait pris sa place devant le pasteur dans la bibliothèque à Coventry, encore vêtue en demi-deuil. Sauf qu'il n'y avait pas eu de fiancé pour se joindre à elle. Jusqu'à ce qu'un coup éclate à la porte d'entrée et que Jason Cavendish, sixième comte de Coventry, entre en trébuchant dans la pièce — ivre comme une grive.

Chapitre 4

Olivia posa sa plume et relut la lettre qu'elle venait de composer pour sa meilleure amie. Lady Lansdowne était lady Elizabeth quand elles étaient au pensionnat ensemble à Londres. Alors qu'Elizabeth était d'un an plus âgée qu'Olivia, elles avaient quitté l'école en même temps. Olivia avait répondu à l'appel de son père en Italie. Elizabeth était rentrée chez elle pour se préparer à la saison mondaine. La mère d'Elizabeth avait voulu qu'elle patiente cette année supplémentaire afin qu'elle fasse ses débuts avec sa cousine.

Après une cour enlevante, Elizabeth avait épousé le marquis de Lansdowne au cours d'un mariage de conte de fées. Les amies avaient continué à correspondre, bien qu'Olivia eût repoussé le moment d'écrire cette lettre particulière. Cependant, raisonna-t-elle, si quelqu'un pouvait sympathiser avec sa situation désespérée, c'était bien Elizabeth. Olivia pencha la tête, ses yeux se promenant sur le papier tandis qu'elle lisait ses mots.

Ma chère Elizabeth,

Pas de doute, vous serez étonnée d'apprendre que je suis à présent mariée. Le comte de Coventry et moi avons échangé nos vœux il y a trois semaines. Il a cru nécessaire de rentrer à Londres peu après, de sorte que je suis très seule ici, me débattant dans cette grande demeure.

Père est décédé peu de temps après mon départ de Rome pour mon mariage.

C'était ses poumons, dont, je pense, il a négligé de prendre soin. Rien ne semblait l'intéresser après la mort de mère.

Je me tiens occupée. Le jardinier m'assure qu'il commencera bientôt à préparer le sol pour les fleurs printanières. Je meurs d'envie de revoir des boutons colorés. Cook et moi nous réunissons hebdomadairement pour passer le menu en revue, ce qui semble idiot puisque je mange seule et que je n'ai jamais eu un gros appétit.

Les meilleurs moments sont mes visites aux locataires. J'apporte des pâtisseries et des pains fraîchement cuits aux familles, qui me sont reconnaissantes de mon attention. Les enfants sont tellement adorables et ils me font languir d'avoir les miens. Je trouve les gens et leurs chaumières chaleureux et accueillants, et ils s'informent toujours à propos du comte. J'espère qu'il sera en mesure de venir bientôt pour une visite. Maintenant, je dois y aller et boire mon thé. J'aimerais beaucoup avoir de vos nouvelles et savoir comment se passe la vie à Londres.

Affectueusement,

Olivia

• • •

Lady Lansdowne relut la lettre, les sourcils froncés. Il devait y avoir une erreur. Assurément, lord Coventry n'avait pas épousé son amie la plus chère. Allons bon, le scélérat avait été de toutes les fêtes et de tous les bals auxquels elle avait assisté depuis son arrivée pour la saison mondaine. Il n'affichait rien des comportements d'un homme marié. En effet, lady Sheridan était, hier seulement, plaquée sur lui au bal de débutante de la plus jeune des filles Dakin. Quelque chose ne tournait pas rond, et Elizabeth ne pouvait pas rester sans rien faire et ne pas aider à corriger la situation. Olivia lui avait semblé, faute de meilleur mot, perdue. Tellement à l'opposé de la jeune femme pleine de vie qu'elle connaissait si bien.

Elizabeth sortit rapidement une feuille de papier ministre et commença à écrire.

Ma très chère Olivia,

L'étonnement est un euphémisme pour décrire ma réaction à vos nouvelles. Mariée ! Et au comte de Coventry !

Vous ne mentionnez pas ce qui le retient à Londres, mais à présent, vous devez faire vos malles et venir nous rejoindre. La saison mondaine commence tout juste, et il y aura des dîners et des bals et des fêtes auxquels vous devez assister avec nous.

Mon cher petit Evan reste à la campagne avec sa nounou. Sa Seigneurie voulait que je l'accompagne à Londres pour la session parlementaire, et nous étions tous les deux d'avis que l'air de Londres ne serait pas bon pour les petits poumons d'Evan. Oh, j'aimerais tant que vous puissiez voir à quel point il est adorable. Mais alors, je suppose que toutes les mères pensent cela de leurs enfants.

Je ne sais pas trop à quoi ressemble la maison de célibataire de Coventry en ville, mais Lansdowne a rouvert la nôtre, et nous avons toute la place qu'il faut. Vous devez rester avec nous. Ce sera comme si nous étions à nouveau des écolières.

Soyez prévenue que je n'accepterai pas une réponse négative. Je vous attends d'ici deux semaines. Je vous en prie, Olivia, ce sera tellement amusant.

Vôtre à jamais dans l'amitié,

Elizabeth

• • •

Olivia tendit la main pour empoigner celle du cocher. Il était difficile de ne pas écarquiller les yeux, bouche bée, quand elle sortit du carrosse. De tant de façons, elle se sentait à nouveau comme une jeune fille, sans expérience du monde. Son père avait peut-être eu raison, et elle aurait dû vivre une saison mondaine à Londres.

La maison de ville des Lansdowne à Belgravia était magnifique. Deux colonnes encadraient une façade en stuc peinturée en blanc avec une entrée menant à la porte — d'un noir pur — avec un marteau de porte inhabituel en forme de tête de lion. Toute l'image en était une d'élégance et de sophistication.

Un majordome ouvrit la porte avant qu'Olivia soit même arrivée à la première marche. Il s'inclina devant elle tandis qu'elle entrait.

— Lady Coventry, je présume ?

Il tendit la main vers sa pelisse.

— Oui. Merci, murmura-t-elle distraitement.

Ses yeux étaient occupés à assimiler le vestibule, une aire élégante faisant deux fois la grandeur de la chambre à coucher qu'Elizabeth et elle avaient partagée à l'école.

— Olivia ! cria Elizabeth d'une voix aiguë en descendant les marches à la course, son poing refermé sur sa robe, dévoilant de délicates chaussures d'intérieur et des bas blancs.

— Elizabeth, soupira Olivia, ses yeux se remplissant.

Voir sa plus chère amie libéra quelque chose qu'elle n'avait pas su qu'elle retenait. Elizabeth représentait la chaleur, l'amour et la sécurité. Elle incarnait les rêves et les fantasmes d'une jeune femme, un espoir naïf d'une fin de conte de fées.

Les femmes s'étreignirent et versèrent des larmes pendant que le majordome regardait par-dessus leurs têtes. Bien vite, il s'éclaircit la gorge.

— Milady, vous aimeriez peut-être vous retirer dans le salon où le thé a été servi.

— Oh, oui, Staunton, merci.

Elizabeth essuya les larmes dans ses yeux.

Chacune avec un bras encerclant la taille de l'autre, Olivia et Elizabeth se dirigèrent vers le salon et s'installèrent côte à côte sur un confortable canapé.

Olivia contempla son hôtesse. Au cours des quelques années depuis son mariage, Elizabeth s'était transformée en charmante marquise. Plus l'écolière d'autrefois, elle endossait avec grâce et raffinement le rôle requis par sa position sociale, du haut de sa tête d'un blond doré jusqu'à ses minuscules pieds. À présent, les yeux bleus d'Elizabeth scrutaient son visage avec inquiétude.

— Je ne peux pas vous dire à quel point il est bon de vous voir.

Elle tenait la fragile théière jaune à fleurs et leur versait à toutes les deux une tasse de thé fumant.

Olivia accepta la sienne et savoura le chaud liquide fortifiant.

— Et je ne peux pas vous dire à quel point je suis heureuse d'être venue.

Elizabeth bavarda à propos de Londres, de la saison mondaine, de ses visites à la modiste et des événements prévus pour la semaine à venir. Olivia profita de l'occasion pour reprendre ses esprits. Malgré tout le bonheur d'être ici en compagnie de sa plus chère amie, elle savait que le moment viendrait où Elizabeth voudrait connaître toute l'histoire et elle comptait ne rien garder pour elle. Elle avait désespérément besoin d'une personne à qui parler et qui lui offrirait des conseils.

— Alors, dit gaiement Elizabeth en prenant la main de son amie. Racontez-moi comment vous en êtes arrivée à épouser le comte de Coventry.

Olivia ouvrit la bouche pour parler et elle éclata en sanglots.

— Oh, chérie, dit Elizabeth.

Elle se leva, ferma la porte du salon et revint s'asseoir à côté d'Olivia, qui avalait de grandes goulées d'air dans une tentative pour maîtriser ses pleurs. Elizabeth lui tapota la main, lui donnant le temps de reprendre son calme.

— Vous devez penser que je suis une crétine de la pire espèce.

Olivia s'essuya le nez sur le mouchoir de dentelle blanche qu'elle avait récupéré dans sa poche.

— Je ne sais que penser, ma chérie. Vous êtes très pâle et semblez avoir perdu quelques kilos.

Elle soupira.

— Je crains que vous ne soyez sur le point de me relater une triste histoire.

— Oui, j'ai bien peur que mon récit soit quelque peu déplaisant.

Prenant une profonde respiration, Olivia fit un compte-rendu de son mariage arrangé, du mariage lui-même et de la manière dont les choses avaient évolué — ou plutôt n'avaient pas évolué. Quand elle termina son histoire, un énorme poids quitta ses épaules. En fait, elle avait la plus étrange des envies de danser autour de la pièce et de rejeter la tête en arrière pour rire d'une façon qui n'avait rien d'élégant.

— Bien. Une histoire véritablement épouvantable.

Elizabeth la contempla avec compassion.

— Mais pour l'instant, je crois que vous devriez prendre un bon bain chaud et vous reposer avant le déjeuner. Mon mari se joindra à nous ce soir, et j'ai très hâte que Grif vous revoie.

Elle se leva et fit tinter la cloche à côté de la porte.

— Rose, veillez à ce que lady Coventry soit bien installée. Madame Deacon a préparé la chambre bleue.

Elizabeth prit le bras d'Olivia et marcha avec elle jusqu'au pied des marches.

— Lady Coventry aura également besoin d'un bain.

— Oui, milady.

Elizabeth guida Olivia en haut de l'escalier.

— Le dîner est à dix-sept heures ce soir. Grif et moi passons une soirée à la maison. Il sera bon pour vous de vous reposer. Nous serons occupées demain.

Elle lui sourit chaleureusement.

— Occupées ? demanda Olivia en haussant les sourcils.

— Nous en discuterons pendant le repas, ma chérie. À présent, allez prendre votre bain et vous reposer. Je vous verrai plus tard.

La chambre assignée à Olivia était joliment décorée en teintes de bleu pâle et du même violet profond que ses yeux. Même si on était tôt en avril, un joyeux feu flambait dans l'âtre, effaçant l'humidité froide dans l'air. Rose s'affaira dans la chambre, suspendant les robes de jour et de soirée d'Olivia pendant qu'une série de domestiques apportaient des seaux d'eau chaude pour la baignoire installée devant le foyer.

Le bain apaisant était merveilleux après un si long voyage. Ses muscles endoloris se détendirent, et elle se sentit mieux que depuis un long, très long temps. Rose l'aida à se laver les cheveux, puis elle les brossa devant le feu. Une fois qu'ils furent suffisamment secs, Olivia grimpa dans le lit moelleux et s'endormit.

— Il est temps de vous préparer pour le dîner, milady.

Olivia ouvrit les yeux pour découvrir Rose portant l'une de ses robes de soirée. Elle la posa avec précaution au pied du lit, faisant courir sa main sur la mousseline pêche lisse.

— J'ai pressé votre robe pour vous, afin qu'elle soit prête pour le dîner. Une fois que nous vous en aurons vêtue, je vais m'attaquer à votre chevelure. Je coiffe Sa Seigneurie dans ses différents styles depuis un moment maintenant, et elle est contente.

— Merci, ce sera parfait, Rose.

La sieste l'ayant complètement ragaillardie, Olivia ressentit un enthousiasme absent depuis des semaines. Elle était enfin ici, à Londres, et elle résidait chez son amie la plus intime. Cette visite était l'antidote dont elle avait besoin pour le tour pénible qu'avait pris sa vie. Elle ignorait totalement comment elle poursuivrait son existence à partir de maintenant, mais au moins, l'optimisme faisait à présent partie de la solution.

Elizabeth – Olivia ne pensait pas encore à son amie sous le nom de « lady Lansdowne » – et lord Lansdowne l'attendaient quand elle entra dans le salon. Un lieu agréable, avec un papier peint à rayures roses et vertes et un tapis vert pâle. Son regard se posa immédiatement sur une grande peinture qui devait représenter la joie et la fierté d'Elizabeth, Evan. Le portrait était suspendu au-dessus de l'âtre à une place d'honneur. Les meubles recouverts de somptueux chintz et de damassés avaient à l'évidence été choisis pour leur confort tout autant que le style. Elizabeth avait certainement apposé sa marque dans la pièce.

– Mon doux, vous avez bien meilleure mine, dit Elizabeth au moment où elle la rejoignit à la porte, puis elle lui encercla la taille et la pressa d'entrer dans le salon.

– Merci. Je me sens beaucoup mieux.

Un homme d'apparence joyeuse, les joues rouges et le physique légèrement rondelet, de plusieurs centimètres de plus qu'Olivia, se détourna de la table où il versait des boissons. Lord Lansdowne s'approcha de sa femme et lui tendit un petit verre de xérès.

S'adressant à son mari, Elizabeth lui dit :

– Grif, je suis certaine que vous vous rappelez ma plus chère amie, lady Coventry. Elle a assisté à notre mariage.

Il s'inclina légèrement et embrassa sa main tendue.

— C'est un plaisir de renouer connaissance, milady. Elizabeth m'a diverti pendant un bon moment avec des récits de vos escapades à l'école.

Lord Lansdowne contempla sa femme avec une adoration manifeste. Un bref élancement de jalousie submergea Olivia, vite suivi par la culpabilité. Elizabeth méritait certainement un tel amour ; elle souhaitait seulement pouvoir jouir d'une estime semblable elle aussi. Un de ses sourcils se haussa tandis que lord Lansdowne l'étudiait attentivement.

— Coventry, dites-vous ?

— Oui, milord.

Olivia baissa les yeux en exécutant une petite révérence.

— Vous devez m'expliquer cela, milady. J'ai passé pas mal de temps avec Coventry dernièrement, et il a omis de mentionner une belle épouse.

Elizabeth posa une main sur la manche de lord Lansdowne.

— Pour l'instant, Grif, ne creusons pas de trop près la question de Coventry. Olivia est ici pour se reposer et se divertir un peu. Nous allons garder le reste de l'histoire comme un petit secret entre nous, pour le moment.

— Comme vous le désirez, ma chérie.

— Milady, dit-il en direction d'Olivia, puis-je vous verser un verre de xérès ?

— Non merci, milord.

Elizabeth fit claquer ses mains ensemble.

— Oh, nous devons mettre fin à cette histoire de « milord » et « milady ». Ce sera « Olivia » et « Grif », je vous prie.

Grif inclina la tête.

— Comme toujours, je m'incline devant vos désirs, ma chérie. Je suis honoré d'escorter deux belles dames pour le dîner.

En souriant, Olivia et Elizabeth posèrent chacune une main sur une de ses manches, et le groupe marcha lentement vers la salle à manger.

Olivia passa un moment merveilleux. Ils dînèrent de faisan rôti et de saumon grillé avec une sauce aux herbes savoureuse, de petites pommes de terre au beurre et de poires pochées dans une sauce sucrée. Plusieurs valets de pied versèrent du vin et veillèrent à tous leurs besoins. Grif s'avéra un hôte attentif et amusant. Il évita savamment toute référence à Coventry et les fit rire continuellement avec des histoires à propos de gentlemen de la haute société, mais seulement avec les récits convenant aux oreilles des dames.

— Ma très chère, nous devons partir tôt pour Bond Street demain pour faire des courses.

Elizabeth et Olivia étaient assises dans le salon alors que Grif s'était retiré dans la bibliothèque pour savourer son porto.

— Des courses?

Les yeux d'Olivia se portèrent sur son amie.

— Oui, il vous faudra une nouvelle garde-robe complète pour la saison. Je connais une fabuleuse couturière, qui adorera vous habiller.

Olivia fronça les sourcils.

— J'avais eu l'intention de me faire créer plusieurs robes de soirée avant de quitter l'Italie, mais avec le décès de père et les affaires dont j'ai dû m'occuper, je n'en ai jamais trouvé le temps. Toutefois, je crains de ne pas avoir d'argent à dépenser sur des vêtements jusqu'à ce que les finances de mon père soient réglées.

– Je ne suis pas entièrement d'accord, ma chère amie. Vous êtes lady Coventry, avec toutes les ressources de Sa Seigneurie.

– Je suis également une lady Coventry très inconnue et négligée, dit ironiquement Olivia.

– Peu importe.

Elizabeth agita la main dans les airs.

– Nous allons vous équiper d'une garde-robe complète et faire envoyer les notes à votre mari.

Elle contempla l'expression ébahie d'Olivia avec un petit sourire satisfait.

« Acheter une garde-robe complète et faire envoyer les notes directement à Coventry. »

Comme cela résonnait bien à ses oreilles. Tous ses vêtements étaient gravement démodés, car leur vie sociale à Rome avait été inexistante avec la propension de son père pour l'isolement.

– Ai-je le droit d'agir ainsi ?

Elle murmura, craignant de se faire entendre des domestiques.

– Absolument.

Elizabeth bondit du canapé, ses yeux pétillant d'humour.

– Nous allons nous mettre en route de bonne heure, après le petit déjeuner. Nous avons tant à faire.

Elle tendit la main et tira Olivia debout et elle lui prit le bras. Elles montèrent lentement les marches, Elizabeth décrivant une nouvelle fois toutes les jolies choses qu'elles achèteraient et le plaisir sans partage que ressentirait la couturière à habiller Olivia avec son teint et sa silhouette éblouissante.

Après avoir donné congé à Rose, qui l'avait aidée à retirer sa robe et à enfiler sa chemise de nuit, Olivia s'enfouit dans le lit chaud en pensant à toutes les robes et tous les accessoires neufs dont elle aurait besoin en tant que lady Coventry. Encore plus exquise était l'image, dans son imagination, du visage de Sa Seigneurie quand il recevrait les factures. Souriant largement, elle gonfla son oreiller et s'installa confortablement pour une bonne nuit de sommeil.

Pour la première fois depuis des semaines, Olivia sentit les ténèbres s'éloigner. Être avec Elizabeth avait déjà fait des merveilles pour elle. À présent, armée du titre de lady Coventry, elle visiterait les meilleures boutiques et s'équiperait des tenues qui, à son avis, étaient de mise. S'adonnant à quelque chose qu'elle n'avait pas fait depuis des lustres, lady Coventry gloussa, le son voyageant dans l'air de la nuit.

Chapitre 5

— Milady, vous avez l'air absolument divine.

Mademoiselle DuBois, une couturière bien connue de Londres, se répandit en effusions en admirant Olivia. La robe qu'elle avait aidé sa cliente à passer s'enorgueillissait d'un jupon en velours d'un bleu profond, recouvert d'une jupe en soie d'un bleu plus pâle, bordé de dentelle et drapé d'un côté, retenu par une minuscule barrette. Le corsage au profond décolleté collait à ses seins généreux, et des mancherons bordés d'une petite bande de satin crème couvraient uniquement le haut de ses bras.

— Avec la coiffure appropriée et les bijoux adéquats, vous serez éblouissante. Madame a un très beau teint et une belle silhouette.

La couturière secoua l'arrière de la robe, étendant la légère traîne.

Olivia se contempla dans la glace. Son reflet lui présentait la plus belle robe qu'elle avait jamais vue. La couleur bleu foncé faisait ressortir le violet profond de ses yeux. Une rougeur d'excitation mettait une touche de rose sur ses joues. Mademoiselle DuBois se promena autour d'elle en tapotant ses lèvres d'un doigt mince.

— Nous ne devons faire que quelques retouches, milady. La femme qui a commandé cette jolie robe mesurait à peine quelques centimètres de plus que vous. Comme elle m'a prévenue qu'elle n'a plus besoin de cette robe, elle est à vous. Si vous m'accordez un peu de temps pour épingler l'ourlet, je vais la livrer au domicile de lady Lansdowne amplement à temps pour votre réception.

— C'est merveilleux, madame, dit Elizabeth. Je ne peux pas vous dire à quel point je suis emballée que vous ayez quelque chose de déjà fait qui convienne si bien à lady Coventry.

Elle agita la main.

— Maintenant, retirez vite la robe. Nous devons nous hâter d'acheter tout le reste.

— Tout le reste ?

La voix d'Olivia monta d'un ton sous la surprise.

— Oui, évidemment. Des gants, des sous-vêtements, des éventails, des parures pour les cheveux.

Elizabeth sourit largement et entrelaça ses doigts comme une débutante.

Olivia avait décidé de profiter sans retenue de sa journée de courses. Son absence de vie sociale et l'isolement imposé par les préférences de son père n'avaient pas laissé beaucoup de raisons de se faire plaisir en s'offrant des robes, des chaussons de danse et les autres frivolités qu'Elizabeth insistait pour dire qu'il lui fallait.

— Milady, quand aimeriez-vous poursuivre la sélection de tissus et de patrons pour vos autres robes ?

La couturière interrompit les pensées d'Olivia pendant qu'elle repassait la robe par-dessus sa tête.

Olivia inclina la tête d'un côté, les sourcils haussés en direction d'Elizabeth.

— Demain matin, je pense. Lady Coventry a besoin d'une garde-robe complète, mais aujourd'hui, nous avons le temps seulement pour une tenue pour le bal de ce soir. Disons, dix heures ?

— Nous attendrons votre arrivée.

La modiste inclina la tête.

— Tout ceci est tellement excitant.

Elizabeth serra Olivia contre elle tandis qu'elles se dirigeaient vers les boutiques sur Bond Street qui fourniraient à Olivia le reste de son ensemble.

Elles passèrent du temps chez Wood's, choisissant des chaussons de danse, avec la promesse de revenir le lendemain pour commander la confection d'autres chaussures.

Elizabeth exigea qu'elles fassent un tour chez Harding Howell & Co. pour plusieurs ombrelles et enfin, qu'elles rendent visite à John Arpthorp, Stay & Corset Maker pour remplacer le corset usé que possédait Olivia.

Le duo fatigué revint à la maison de ville Lansdowne pour prendre un bain et se reposer avant le divertissement du soir. Le bal Wilson-Henson — la première fois où Olivia se retrouverait face à face avec son mari. Elizabeth lui assura qu'en effet, Jason y assisterait, puisque Grif lui avait transmis cette information après avoir parlé à Jason plus tôt ce jour-là chez White's. Rencontrer une nouvelle fois lord Arrogant donnait des papillons dans le ventre à Olivia. Sous l'effet de l'excitation ou des nerfs ?

• • •

Après avoir lentement progressé dans la longue file s'étirant sur plus de deux kilomètres depuis la résidence Wilson-Henson, le carrosse des Lansdowne atteignit le valet de pied attendant pour assister ses occupants. Après avoir mis le pied à terre, Olivia se tourna pour observer la file d'élégants landaus et calèches pendant qu'ils continuaient à serpenter pour arriver jusqu'à l'entrée. Après avoir laissé sortir les passagers, les valets de pied dirigeaient les cochers vers une aire où les carrosses demeureraient jusqu'à ce que leurs propriétaires les réclament pour le trajet de retour à la maison.

Le marquis offrit son bras à son épouse, puis il tendit l'autre à Olivia. Avec une femme sur chaque flanc, il se fraya un chemin jusqu'à la porte. Ne souhaitant pas alerter Jason de sa présence avant qu'elle ait eu l'occasion de lui parler en privé, Olivia donna au domestique qui annonçait leur arrivée le nom de lady Olivia Grant.

La salle de bal brillait sous la lumière dansante des bougies et le reflet de centaines de pierres précieuses et de diamants au cou, aux bras et aux poignets des dames. Trois cents convives s'entassaient dans la salle bondée. Les gentlemen portaient des redingotes élaborées et des cravates nouées avec expertise.

Olivia survola la salle de bal du regard, cherchant le grand comte séduisant qui l'avait épousée, puis était parti, tout cela en moins de vingt-quatre heures. Son cœur battait la chamade chaque fois que son regard s'arrêtait sur le dos d'un gentleman bien bâti aux cheveux foncés.

Ayant elle-même raté sa saison mondaine, Olivia se découvrit fascinée par la haute société. Elle n'avait jamais vu autant de personnes si bien vêtues et parées de sa vie. Les femmes affichaient des coiffures compliquées avec des bijoux et des perles enroulés dedans. Les cravates aux nœuds complexes et d'un blanc immaculé des hommes arboraient des épingles ornées de pierres précieuses et de diamants scintillants. Elle avait l'impression de manquer quelque peu d'élégance avec son rang de perles simple et les petites boucles d'oreille en perles provenant de la collection de bijoux de sa mère.

— Je vais vous laisser, charmantes dames, susciter l'envie de toutes les autres femmes. Je vais être dans la salle de jeu et je reviendrai pour réclamer la danse du dîner, mon amour.

Grif embrassa la main d'Elizabeth.

— Et une danse pour vous également, milady.

Il hocha la tête vers Olivia, puis il partit.

— Vos joues sont roses.

Olivia sourit à Elizabeth.

— Je sais, n'est-ce pas bête ? Cependant, cet homme réussit encore à me mettre à l'envers. Et vous savez qu'il n'est pas tout à fait convenable pour un mari de réclamer la valse du dîner à sa femme. Cependant, Grif ne s'est jamais soucié des convenances.

Elles se promenèrent dans la salle. Les nerfs d'Olivia étaient en pelote alors qu'elle examinait chaque visage, essayant de ne pas le faire de manière trop flagrante, mais cherchant encore les yeux bleus perçants qui l'avait saisie pendant un bref instant lors de son mariage. Plusieurs gentlemen se dirigèrent vers elle et Elizabeth, cherchant à se faire présenter. Elizabeth bredouilla un peu au début, puis elle répéta la déclaration d'Olivia à la porte, affirmant que sa plus chère amie d'école, lui rendant visite pour la saison, était lady Olivia Grant.

Olivia entra rapidement dans la danse pour un quadrille, accompagnée d'un baron d'âge moyen, qui ne cessait de l'étudier à travers son lorgnon. Comme il y avait longtemps qu'elle avait dansé, elle découvrit qu'il lui fallait toute son attention pour se concentrer sur les pas. Elle ne remarqua pas l'entrée du comte de Coventry avec le marquis de Stafford à côté de lui jusqu'à ce que le valet de pied annonce leurs noms.

• • •

Les deux célèbres membres de la haute société attiraient l'attention sur eux simplement en entrant dans la pièce. Grands et séduisants tous les deux, avec la démarche féline des mâles sûrs d'eux, ils faisaient accélérer les cœurs des débutantes et incitaient leurs mères à les rapprocher d'elles. Les mères à l'esprit tourné vers le mariage auraient adoré piéger l'un ou l'autre pour devenir le mari de sa fille, mais elles étaient suffisamment avisées pour tenir les innocentes en laisse bien serrée quand les deux hommes étaient présents.

Jason croisa les bras et s'appuya contre le mur, assimilant l'assemblée.

— Quelques nouveaux visages ce soir, dit-il à Drake pendant que ses yeux continuaient de vagabonder.

Selena entretenait une conversation intime avec lord Wesley, qui était suspendu à ses lèvres. Elle avait peut-être déjà trouvé le prochain occupant de son lit animé.

— Non que cela ait en principe de l'importance pour vous, mon vieux. Vous vous souvenez bien d'être marié ?

Drake fit signe à un valet de pied de lui apporter une flûte de champagne.

— Ne commencez pas, Drake.

Les yeux de Jason lancèrent des éclairs.

— Je vous ai dit que le sujet de mon mariage n'est pas à discuter.

Drake grogna pour exprimer son opinion et il vida son champagne en une seule gorgée.

— Qui est la belle demoiselle dansant avec Ware ?

Les yeux de Jason se plissèrent au moment où il s'éloignait du mur d'une poussée.

Le baron Ware n'était pas très aimé au sein de la haute société, mais toléré en raison de son lien avec le prince régent. À présent, le baron corpulent au visage rouge bavait pratiquement sur le corsage de la belle femme à la chevelure foncée dans la jolie robe d'un bleu profond.

— Je ne sais pas. Je n'ai jamais vu la fille avant.

Drake fronça les sourcils.

— Une autre nouvelle débutante cherchant un mari, pas de doute.

Jason l'examina un moment. Quelque chose chez elle lui semblait vaguement familier, mais il doutait qu'ils se soient déjà rencontrés. Une peau de porcelaine contrastant avec une ravissante rougeur sur ses joues piqua son intérêt. Ses cheveux noirs bouclés reposaient en un chignon lâche au-dessus de sa tête et étaient cerclés d'un mince ruban de velours. Des bouclettes fines dansaient sur ses tempes et son cou. Mais le sourire. Chaque fois qu'elle regardait son partenaire et lui offrait un grand sourire, il sentait son bas-ventre se serrer. Il adorerait qu'on lui accorde ce sourire. Et des lèvres conçues pour embrasser créaient ce sourire intrigant. Des lèvres rouge foncé, pleines et boudeuses.

Quand la danse tira à sa fin, Jason continua de l'observer pendant que le baron Ware la raccompagnait jusqu'à lady Lansdowne. Il s'inclina sur sa main et s'en alla. Donc, la beauté était une connaissance de lady Lansdowne. Hum. Il était temps de renouer son association avec la blonde Elizabeth.

— Où allez-vous ? demanda Drake au moment où Jason s'apprêtait à traverser la salle de bal, son attention rivée sur lady Lansdowne et sa compagne.

— Nulle part en particulier. Je vais simplement circuler un peu. N'est-il pas l'heure de votre danse avec mademoiselle Ingram ? lança-t-il par-dessus son épaule.

— Oui, en fait, ce l'est. Évitez les ennuis, Jas.

Haussant les épaules devant le commentaire de Drake, Jason se fraya un chemin dans la foule se rassemblant pour la prochaine danse. Il sourit quand il remarqua que la beauté ne semblait pas avoir un partenaire pour cette danse.

• • •

Les yeux d'Olivia s'arrondirent quand elle regarda le grand homme aux cheveux foncés s'avancer dans leur direction depuis l'autre côté de la salle.

— Est-ce lui ? Zut, avec tout le monde en mouvement, je n'en suis pas certaine.

Elle attrapa la main d'Elizabeth.

— Je pense qu'il vient vers nous.

— Oui. C'est lord Coventry. Calmez-vous, Olivia. Rappelez-vous que c'est lui qui est dans le tort et non vous.

Olivia était convaincue que toute la salle de bal pouvait entendre son cœur battre. Elle serra ses mains glacées ensemble, essayant de stopper leur tremblement.

« Juste ciel, je vais m'évanouir comme une débutante délicate juste ici à ses pieds. »

— Que devrais-je lui dire ?

Olivia se mordilla la lèvre.

— Il s'approche de nous, laissez-le parler. Vous recevrez peut-être des excuses.

— Lady Lansdowne, vous êtes toujours aussi charmante.

Jason s'empara de la main d'Elizabeth et l'embrassa.

— Et qui, dites-moi, est votre belle compagne ?

Il se tourna et regarda Olivia droit dans les yeux.

La bouche d'Elizabeth s'ouvrit en grand alors qu'elle promenait son regard entre Jason et Olivia.

— Lord Coventry, sûrement, vous connaissez lady…

— Olivia Grant, milord, murmura Olivia, la bouche sèche.

Jason s'inclina en lui prenant la main et en l'embrassant.

— Le comte de Coventry, à votre service, milady.

Il plissa le front, quand son regard alla d'une femme à l'autre. Olivia jeta un coup d'œil à Elizabeth, qui fixait un regard mauvais sur Jason, ses lèvres serrées en une mince ligne.

— Milady, puis-je avoir le plaisir de cette danse ? dit Jason avant de relâcher la main d'Olivia.

Incapable de retrouver sa voix, elle se contenta d'acquiescer d'un signe de tête et décocha un rapide regard paniqué à Elizabeth avant d'accepter le bras de Jason.

« Il ne se souvient même pas de moi ! Tout ce temps, j'ai redouté cette rencontre, et l'idiot ignore complètement qui je suis. »

Toutefois, quand il l'examina avec ces yeux bleus perçants, elle frissonna intérieurement. La déserter était déjà inacceptable, mais ne même pas la reconnaître était l'humiliation suprême. Dieu merci, seule Elizabeth connaissait l'histoire et avait été témoin de leur échange.

« Qu'est-ce qui m'a poussée à lui donner – à lui surtout – mon nom de jeune fille ? »

Les mots avaient bondi dans sa bouche avant même qu'elle réfléchisse. À présent que c'était fait, elle poursuivrait dans la même veine. Si seulement il cessait de la regarder d'une manière qui l'empêchait de prendre une vraie respiration.

Jason émettait des commentaires généraux quand la danse les rapprochait. Encore incapable de former deux mots, Olivia se contentait de lui sourire ou de hocher la tête devant ses remarques.

« C'est donc à cela que ressemble mon mari lorsqu'il est sobre. »

Extrêmement séduisant était ce qui lui venait à l'esprit. Sa mâchoire forte et ses lèvres pleines avec une légère cicatrice dans le coin supérieur droit de sa bouche lui donnaient un air dangereux. C'était déjà assez pénible quand il souriait. Mais quand il faisait éclater ce sourire extrêmement irrésistible et la contemplait avec ces yeux bleus comme s'il voulait la manger, l'air semblait lui manquer.

« Attendez une minute. Il se croit marié, pourtant il flirte avec moi. »

La colère et l'humiliation la submergèrent comme une vague renversant une petite embarcation, et sa paume lui démangea sous l'envie de le gifler pour faire disparaître ce sourire ensorcelant.

Le toupet de cet homme !

Enfin, la danse se termina, et Jason leva la main d'Olivia et la posa sur son bras.

— Vous me semblez avoir un peu chaud ; une flûte de champagne ou peut-être un verre de limonade, lady Olivia ?

Encore une fois, Olivia se contenta d'incliner la tête. Sauf que maintenant, la rage et non la panique étouffait sa voix.

Ils avancèrent lentement jusqu'à la table des rafraîchissements, Jason faisant un signe de tête à différentes personnes devant qui ils passaient. Il lui trouva une chaise et lui présenta une flûte de champagne glacé avant même qu'elle s'aperçoive qu'il était parti.

— Comme je ne vous ai jamais vue avant ce soir, je suppose que ce bal est votre première apparition de la saison, milady ?

Il s'installa sur la chaise en face d'elle.

— Oui, en effet. Je viens d'arriver de la campagne.

L'agacement serra ses lèvres, quand elle entendit sa voix essoufflée.

Ses joues rougirent tandis que la colère continuait de faire rage en elle. Elle posa avec précaution la flûte de champagne sur la table pour éviter de lui jeter son contenu au visage.

— Le nom de Grant me semble quelque peu familier.

Jason fit signe à un valet de pied d'apporter une seconde flûte de champagne.

— Vraiment ?

— Est-il possible que je connaisse votre famille ?

— Mes parents sont décédés. Toutefois, nous ne vivions pas en Angleterre depuis un bon moment déjà.

— En tous les cas, je suis certain que tout Londres est absolument ravi que vous ayez fait le trajet depuis la campagne. Vous demeurez avec lady Lansdowne ?

Il continua de la fixer avec ces yeux, mais la colère l'immunisait contre son charme.

— Oui, je suis son invitée.

Elle devait s'éloigner de lord Arrogant avant de faire quelque chose qui embarrasserait Elizabeth ou encore qu'elle-même regretterait à coup sûr.

Jason sirotait son champagne et l'observait par-dessus le bord de sa flûte.

— Montez-vous à cheval ?

— Oui.

Elle lui offrit un sourire tendu et ajouta :

— L'équitation est à peu près notre seul divertissement à la campagne.

— Vous aimeriez peut-être vous joindre à moi un bon matin. Je monte tous les jours.

Olivia paniqua. C'était déjà assez pénible d'être aussi près de lui dans une salle bondée, mais chevaucher seuls tous les deux était hors de question. Cependant, imaginer sa tête frapper une branche basse et son derrière d'aristocrate être évincé de sa selle et atterrir dans la boue amena un sourire agréable sur ses lèvres.

— Malheureusement, milord, je n'ai apporté aucune tenue d'équitation.

Elle leva le menton, prête à le congédier et à rejoindre Elizabeth.

— Bien, voilà où vous vous cachiez.

Un grand homme séduisant, blond, à l'opposé de la coloration foncée de Jason, les fit sursauter tous les deux. Il donna une claque dans le dos de Jason et regarda ostensiblement Olivia.

— Puis-je avoir le plaisir d'être présenté à cette charmante dame ?

Olivia et Jason se levèrent.

— Lady Olivia, permettez-moi de vous présenter lord Stafford.

Il s'inclina sur la main d'Olivia.

— Votre serviteur.

Olivia sourit à Stafford et se tourna vers Jason.

— J'aimerais retourner auprès de lady Lansdowne, milord, mais je crains de ne pas me souvenir de la direction à prendre pour la trouver.

— Comme vous le désirez.

Jason lui tint le coude et l'aida à passer dans la foule, lord Stafford dans leur sillage.

Olivia poussa un soupir de soulagement quand elle repéra Elizabeth survolant anxieusement la foule.

— Lady Lansdowne ; un plaisir, comme toujours.

Stafford s'inclina devant elle. Elizabeth lui rendit son sourire et lui présenta sa main à embrasser.

— Olivia, est-ce que ça va ? Vous me paraissez un peu rouge.

Son amie la regarda avec inquiétude.

Olivia ne pensait pas un jour retrouver son état normal après l'humiliation de cette soirée. Si ce n'était pas à l'encontre des bonnes manières d'une dame, elle soulagerait un valet de pied qui passait de son plateau vide et l'abattrait sur la tête de lord Arrogant. Qu'il en pense ce qu'il voudrait.

— En fait, j'ai la tête qui tourne un peu. Cela vous ennuierait-il terriblement si nous partions ? Je crains de ne pas être encore habituée aux foules.

Elle prit le bras d'Elizabeth.

Elizabeth lui tapota la main.

— Pas du tout ; je vais demander à Grif de faire avancer le carrosse.

— Je suis désolé que vous ne vous sentiez pas bien, milady.

Jason s'inclina devant elle.

— Ce n'est rien. Peut-être qu'avec le temps, je m'accoutumerai à Londres.

Elizabeth fit un signe de tête aux deux gentlemen, et elles se dirigèrent vers la sortie.

— Elizabeth, je crois que je vais perdre connaissance, dit Olivia d'une voix pantelante tandis qu'elle s'agrippait à l'avant-bras de son amie.

— Non, vous n'en ferez rien, répondit-elle. Continuez simplement à mettre un pied devant l'autre.

En vérité, Olivia n'était pas habituée aux foules de Londres. Ni d'ailleurs, en fait. Ayant passé une vie calme, sous le signe de la méditation avec son père, les odeurs et la chaleur de la salle de bal l'étouffaient, lui donnaient le sentiment de ne pas avoir suffisamment d'air pour respirer.

Comment diable ces gens faisaient-ils pour affronter de tels événements tout le temps ? En ce moment, elle mourait d'envie de retrouver le confort et le calme de sa chambre à coucher dans la maison Lansdowne, une belle flambée, une tasse de thé et sa chemise de nuit préférée.

Les deux femmes se frayèrent un chemin dans la foule jusqu'au vestibule. Elizabeth s'adressa à un valet de pied posté devant la porte.

— Pourriez-vous, je vous prie, trouver une chaise pour lady Olivia pendant que je retrouve mon mari ? Et faites immédiatement avancer le carrosse de lord Lansdowne.

Le jeune valet de pied fournit rapidement une chaise, et Olivia s'y laissa choir.

« Par le ciel, que vais-je faire à présent ? Coventry veut m'accompagner pour une promenade à cheval. »

Tout juste cinq minutes plus tard, Elizabeth revint avec Grif sur ses talons. Une fois les étoles des femmes remises, les trois descendirent les marches ; Grif tenait fermement et avec sollicitude une Olivia à présent tremblante.

— Je suis désolée de couper court à votre soirée, milord. Je suis certaine de pouvoir rentrer seule à la maison, et vous pouvez retourner à votre divertissement.

— Sottises.

Grif tapa sur le toit du carrosse, et ils démarrèrent.

— Elizabeth vous dira que j'aime bien mieux me détendre dans mon fauteuil confortable devant le feu de ma bibliothèque, mon épouse à mes côtés, qu'assister à un bal.

Il rit et pressa la main d'Elizabeth.

Olivia se cala dans son siège et ferma les yeux. Les occupants du carrosse gardèrent le silence pendant le reste du trajet. En rencontrant une nouvelle fois Jason, il ne lui était pas venu à l'idée qu'il puisse ne même pas se souvenir d'elle. En effet, il était très ivre à leur mariage, et elle avait entendu dire qu'un tel état pouvait entraîner une perte de mémoire, mais oublier complètement la femme qu'il avait épousée ? Oh, l'indignité de tout cela !

Son cœur battait alors qu'elle réfléchissait à ce qu'elle ferait à présent.

Olivia n'avait rien planifié au-delà de leur première véritable rencontre où elle donnerait libre cours à sa colère vertueuse, après quoi ils en seraient possiblement venus à un genre d'arrangement acceptable pour leur bénéfice à tous les deux. Cependant, l'ignorance de son identité l'avait laissée à court de mots et furieuse. Et quelque peu blessée.

— Je pense que j'aimerais regagner ma chambre. La journée a été longue.

Olivia grimaça à cause de la douleur dans sa tête tandis qu'elle entrait dans la maison. Le majordome lui retira son étole, et elle fit courir ses paumes sur sa chair frissonnante, essayant désespérément de se réchauffer. Cependant, elle savait que la froideur émanait de cette partie d'elle qui ne se réchaufferait probablement plus jamais. Cette partie qui voulait désespérément être aimée et chérie.

— Certainement, ma chérie, nous discuterons demain matin.

Elizabeth effleura sa joue, puis elle soupira quand Olivia se hâta de monter.

Chapitre 6

Elizabeth suivit son mari dans la bibliothèque, où il se versa un verre de brandy. La carafe de sherry à la main, il haussa les sourcils.

— Non, merci.

Il tira sur sa cravate et l'ôta de son cou avec un soupir.

— Enfin, me direz-vous, par tous les diables, ce qui se passe ? Quand Coventry s'est-il marié et pourquoi, par le ciel, sa femme occupe-t-elle l'une de mes chambres d'invité ?

Elizabeth fit un résumé de la triste histoire d'Olivia.

— Maudit soit cet homme ! grommela Grif. Comment a-t-il pu se montrer aussi insensible aux sentiments de cette femme ?

Il retira son veston avant de rejoindre sa femme sur le canapé, où elle se reposait. S'installant confortablement, il croisa le pied sur son genou.

— En effet.

Elizabeth secoua la tête.

— Cela ne ressemble pas au Coventry que nous connaissons. Il a toujours eu une réputation de séducteur, mais je ne l'ai jamais vu traiter une dame avec une attitude aussi cavalière ni entendu dire qu'il l'avait déjà fait. Et sa propre femme !

— Je devrais peut-être lui parler.

Grif examina le liquide brun tandis qu'il le faisait tournoyer dans le verre dans sa main.

— Lady Coventry est sous mon toit, alors j'ai l'impression d'avoir une certaine responsabilité envers elle puisqu'elle n'a aucun parent masculin pour prendre sa défense.

— Non, je ne le pense pas. Voyons ce que dira Olivia au matin. Elle devait avoir une raison pour ne pas se dévoiler ce soir.

Elizabeth fixa une tache sur la carpette en se mordillant la lèvre inférieure.

— Cependant, nous avons exercé une certaine vengeance.

Elle se tourna vers son mari avec un large sourire.

— Nous avons acheté, et nous continuerons à acheter, une nouvelle garde-robe complète. Attendez que Coventry voie les factures ! Cela devrait lui faire redresser la tête et attirer son attention.

Elle gloussa.

Grif déposa son verre sur la table en marbre à côté de lui et prit les mains d'Elizabeth en coupe dans les siennes.

— Et vous, ma chérie, avez attiré mon attention grâce à votre beauté. Pourquoi ne pas mettre le temps qui nous a été accordé à bon escient en nous retirant tôt ?

Il haussa les sourcils.

La chaleur envahit le visage d'Elizabeth tandis qu'elle contemplait l'expression dans les yeux de son mari. Le désir y brillait alors qu'il prenait son visage en coupe dans une main et l'attirait plus près de lui. Ils étaient un couple marié avec un enfant, pourtant ses attentions continuaient de lui rendre les jambes flageolantes et de libérer les papillons dans son bas-ventre.

— Oh oui, dit-elle dans un souffle avant qu'il prenne possession de sa bouche.

• • •

Olivia permit à Elizabeth de la traîner dans une boutique après l'autre sur Bond Street le lendemain matin. Elle eut un petit sourire satisfait quand son amie informa gaiement les commerçants de livrer toutes les factures à lord Coventry.

Mademoiselle DuBois exécuta une révérence et fut aux petits soins pour elles dès qu'elles entrèrent dans la boutique. En une heure, des tissus de toutes les couleurs et textures jonchaient la pièce. Elizabeth, Olivia et la couturière se penchèrent sur les patrons et les illustrations. Des employées de la boutique et des aides-couturières allaient et venaient avec de nouvelles étoffes, de nouveaux patrons. Olivia grimaça quand elle fut coincée par des épingles et son corps mesuré encore et encore. Cependant, cette douleur était mineure en comparaison de la blessure causée par sa rencontre de la veille avec Jason. Avait-elle réellement si peu de valeur ?

— Êtes-vous certaine que nous pouvons faire cela ? demanda Olivia en se penchant pour murmurer à l'oreille d'Elizabeth au moment où elles quittaient une mademoiselle souriant brillamment devant l'immense garde-robe qu'Olivia lui avait demandé de coudre.

— Nous le pouvons et nous le ferons. Vous êtes lady Coventry, et c'est une honte qu'on vous ait abandonnée sans ressources après votre mariage, renifla Elizabeth alors qu'elle l'entraînait vers une autre boutique.

— Ce n'est pas tout à fait exact.

Olivia s'arrêta, la devanture d'une chapelière attirant son attention avec un charmant chapeau vert pâle, orné d'une plume coquine se courbant à partir du rebord.

— Monsieur Meyer, l'avocat de Jason, m'a envoyé une lettre quand j'étais à Coventry et a déclaré que je pouvais utiliser les fonds de lord Coventry pour mes besoins si je le désirais.

— Vous voyez, c'est clair. On vous a accordé le droit, alors profitez-en.

Elizabeth reporta son regard sur l'objet de la fascination d'Olivia, et elle haleta.

— Oh, quel superbe chapeau ! Vous devez l'essayer. Il serait parfait avec votre nouvelle tenue d'équitation.

Olivia s'accorda la permission d'essayer plusieurs autres chapeaux, puis de visiter d'autres boutiques à mesure qu'avançait la journée. C'était idiot de se sentir coupable à propos de tout cet argent qu'elle dépensait, et elle apaisa sa conscience mal à l'aise en se rassurant elle-même que lord Coventry en avait certainement les moyens. Cependant, elle n'arrivait pas à faire taire les doutes et le désarroi persistants devant de si nombreux achats qu'elle facturait ensuite à un homme qui n'avait jamais voulu d'elle comme épouse. En fait, qui ne se souvenait même pas d'elle.

— Je pense que nous avons mérité une glace chez Gunter's, dit Elizabeth quand elles quittèrent la petite boutique où elles avaient acheté des gants en cuir de chevreau de couleur crème et des gants de satin blanc s'étirant jusqu'aux coudes.

— Oui, s'il vous plaît, ma très chère, mes pieds n'en peuvent plus.

Gunter's accueillait une petite foule, mais elles réussirent à obtenir des places près de la fenêtre. Olivia soupira en s'assoyant, desserra ses chaussures et se pencha pour se frotter le talon. Inélégant, à coup sûr ; mais cela faisait du bien.

— Bon après-midi, mesdames. Je suppose que vous faisiez les boutiques ?

Lord Coventry s'inclina légèrement et sourit avec ses lèvres sensuelles aux deux femmes savourant leurs glaces.

Le cœur d'Olivia lui tomba dans le ventre. La glace qu'elle dégustait se transforma en cendres dans sa bouche, et elle la repoussa.

— Oui, c'est le cas. En fait, lady Olivia a passé un merveilleux moment à visiter les boutiques et à remplacer presque toute sa garde-robe.

Elizabeth offrit un visage rayonnant à Jason.

Olivia déposa sa cuillère, ses yeux se promenant rapidement tout autour de la salle, cherchant désespérément une issue.

— Vraiment, lady Olivia ?

Il la contempla avec un sourire à couper le souffle.

— J'espère que vous vous sentez mieux aujourd'hui.

— Oui, je vais bien, dit-elle sèchement.

Son sourire vacilla, mais reprenant vite ses esprits, il lui dit :

— J'étais en route pour un rendez-vous lorsque je vous ai aperçues par la fenêtre, et il fallait absolument que je m'arrête pour vous offrir mes hommages.

— C'est toujours un plaisir.

Elizabeth lui offrit un sourire tendu.

Olivia hocha la tête.

— Mesdames.

Jason s'inclina à nouveau et il prit congé.

Olivia lâcha un immense soupir.

— Elizabeth, que vais-je faire à propos de tout cela ? J'ai passé une bonne partie de la nuit à me tourner et me retourner. J'imaginais toutes sortes de réactions de sa part au moment où nous allions nous rencontrer, mais je n'avais jamais escompté une complète ignorance.

Elizabeth la contempla un moment.

— Je ne sais vraiment pas quoi dire. Ma suggestion est de laisser les choses suivre leur cours et voir ce qui se passera. Un jour, lord Coventry va accepter le fait qu'il a abandonné une épouse qu'il croit bien au chaud à la campagne.

Olivia soupira et regarda par la fenêtre des femmes de la haute société qui passaient, élégamment vêtues, parées de bijoux, poudrées et suivies par des domestiques se débattant avec des paquets. Elles appartenaient à cet univers de la société de Londres.

« Où est ma place dans le monde ? »

• • •

« À quoi ai-je pensé : entrer chez Gunter's pour parler à lady Olivia ? »

Jason se morigéna tandis qu'il s'éloignait d'un pas raide de chez James Gunter's Tea Shop. Le problème était qu'il n'avait pas réfléchi. Pas avec son cerveau, en tout cas. Son attirance pour la dame était beaucoup trop dangereuse. Même s'il s'en était sèchement pris à Drake quand il lui avait rappelé son statut matrimonial, son ami avait raison et Jason devrait rester loin d'elle. Du moins, jusqu'à ce qu'il décide quoi faire avec son épouse planquée au manoir Coventry.

La femme qu'il n'avait jamais emmenée au lit.

L'idée d'une annulation avait pointé plus que quelques fois depuis le matin désastreux de son mariage. À présent qu'il s'était calmé, il devrait peut-être faire le voyage jusqu'au manoir Coventry et découvrir les sentiments de lady Coventry sur une fin possible à ce mariage.

Sûrement, elle serait encline à cette idée. Sauf pour leurs vœux de mariage, ils ne s'étaient pas adressé deux mots et, à présent, elle devait se rendre compte qu'elle avait épousé un goujat. Comme personne n'était au courant de l'arrangement, ils pouvaient discrètement solliciter une annulation. Il agirait en gentleman et l'installerait comme elle le souhaitait, où elle le désirait, et ils seraient libres. Il serait libre — d'explorer son attirance pour la délectable lady Olivia.

Il jura devant cette ironie. Après des années de menaces de la part de son père, il avait finalement trouvé la femme qu'il pouvait imaginer comme sa comtesse. Trop tard, mille mercis aux machinations du vieux comte.

— Je veux que vous meniez une enquête pour moi.

Jason se cala dans le grand fauteuil en cuir derrière sa table de travail tandis qu'il regardait le jeune monsieur Meyer. Même si l'avocat était bien avancé dans la cinquantaine, Milton Meyer serait pour toujours connu comme le « jeune » monsieur Meyer, par respect pour son père. David Meyer, fondateur du cabinet, avait encaissé sa récompense éternelle plus de trente ans auparavant déjà.

— Comment puis-je vous être utile ? répondit l'homme.

— J'aimerais connaître la possibilité de conclure un accord avec lady Coventry pour une annulation discrète.

L'avocat le contempla en silence, le front plissé.

— Milord, je devrai réviser le testament de feu votre père. Je ne me souviens pas spontanément si le mariage était soumis à des contingences. Le comte a produit cette clause particulière un peu précipitamment... à l'encontre de mes conseils, puis-je ajouter.

Il s'éclaircit brièvement la gorge.

— Cependant, depuis que le parlement a entériné l'acte Hardwicke, il est très difficile d'obtenir une annulation. Le prétexte habituel de non-consommation n'est acceptable que si, dit-il en baissant la voix, le gentleman est incapable d'accomplir ses devoirs d'époux.

Jason ouvrit et referma la bouche quelques fois avant de secouer la tête.

— Cela n'ira pas.

L'avocat hocha la tête.

— Je n'avais aucune raison de croire que cela ferait l'affaire, milord.

Il retira ses lunettes et les frotta, concentré.

— Toutefois, il y a une clause qui déclare que si vous n'avez pas toute votre tête lorsque vous prononcez vos vœux, cet état pourrait être une cause d'annulation.

— Me dites-vous que si je prétends être fou, on pourrait m'accorder une annulation ? demanda Jason sans la moindre trace d'humour.

— Non, milord, ajouta rapidement monsieur Meyer. Mais puisque Votre Seigneurie n'était pas, disons, totalement sobre quand les vœux ont été prononcés, cela donne un motif pour demander l'annulation. Mais dans tous les cas, il me faudrait effectuer des recherches pour savoir s'il y a des conditions imposées au mariage avec lady Coventry par l'intermédiaire des termes du testament.

Jason resta assis un moment, fixant le vide, puis il ferma les yeux et pressa ses doigts dessus.

— Voyez ce que vous pouvez découvrir et tenez-moi au courant.

Alors que Jason s'apprêtait à congédier l'homme, l'avocat reprit la parole.

— Une dernière chose, milord. Je suis en contact avec le manoir Coventry depuis votre, euh, mariage, et je trouve des plus étranges que lady Coventry n'ait pas demandé des fonds depuis tout le temps qu'elle séjourne là-bas.

Jason fronça les sourcils et se rassit.

— Pas d'argent ?

— Non, milord.

Il secoua la tête.

Une femme qui n'avait pas besoin d'argent ? Qui était cette étrange femme que lui avait imposée son père ?

— S'est-elle fait transférer ses propres fonds d'Italie ?

— Pas que je sache. Quoiqu'il soit en effet tout à fait possible qu'elle ait retenu ses propres avocats pour la représenter. Je trouve bizarre qu'elle n'ait rien demandé. Cela est des plus inhabituels pour une jeune mariée.

Il dévisagea Jason, ses lunettes lui agrandissant les yeux et les rendant dérangeants.

— Oui, un mystère. Merci de l'avoir porté à mon attention.

L'avocat hocha la tête pour marquer sa compréhension et il partit. Que diable se passait-il avec la femme installée à

Coventry ? C'était encore difficile de penser à elle comme à sa femme.

Plusieurs heures plus tard, Jason entra chez White's et repéra Drake, qu'il avait cherché presque toute la soirée. Le marquis s'était confortablement installé dans un large fauteuil, ses longues jambes allongées devant lui, ses chevilles croisées. Il fit tournoyer le liquide ambré dans le petit verre de dégustation en cristal taillé et il sourit paresseusement à son ami.

— Je me demandais où vous étiez passé.

Jason s'assit en face de lui et fit signe à un valet de pied de lui apporter une boisson.

— Je suis ici depuis une heure environ. J'ai passé une bonne partie de la soirée à éviter les mamans qui ne font que penser au mariage au bal Onslow.

— Je ne peux pas dire que je suis désolé de l'avoir manqué.

Jason se cala dans son siège et accepta le verre du valet de pied. Il fixa l'âtre, songeant à sa conversation plus tôt avec l'avocat.

Drake étudia le comportement de son ami.

— En effet, puisque vous avez déjà la corde au cou.

Quand Jason ne réagit pas à sa plaisanterie, il lui dit :

— Pourquoi avez-vous l'air aussi abattu ?

Jason examina le liquide dans son petit verre de dégustation avant de répondre.

— J'ai fait venir mon avocat aujourd'hui.

— Et ?

Jason prit une bonne gorgée et regarda Drake.

— Je lui ai demandé de creuser la possibilité d'une annulation.

Drake ne répondit pas, mais il continua à le dévisager, ce qui lui donna le temps de rassembler ses idées.

Jason déposa son verre et, fermant les yeux, tourna son cou.

— Je ne sais pas quoi faire. Je ressens une énorme culpabilité envers cette femme, mais la colère chasse la culpabilité, car je ne devrais même pas me retrouver dans cette situation.

— Ni elle. Pourquoi ne donnez-vous pas une chance à la jeune femme ? Allez à Coventry, parlez-lui. Il pourrait s'avérer que vous l'appréciez. Vous pourriez même vous convenir.

Jason se passa les doigts dans les cheveux et grimaça.

— Voilà le problème. Je n'ai pas l'impression qu'elle sera très enthousiaste à m'accorder une chance. Si elle ne me déteste pas à l'heure qu'il est, il y a quelque chose qui cloche chez elle.

Il soupira.

— Et ensuite, il y a la belle lady Olivia, qui ne cesse de me narguer au fond de mon esprit.

— Oubliez-la, mon vieux. C'est une innocente et pas une personne avec qui vous devriez vous amuser.

— Ne pensez-vous pas que je le sache ? dit sèchement Jason. J'ai tenté de l'éviter. Je présume qu'elle se trouvait chez les Onslow ce soir ?

— Oui.

Les yeux de Drake brillèrent d'un rire réprimé.

— Entourée de jeunes loups se battant tous pour l'avoir. La dame avait un partenaire pour chaque danse.

La mâchoire de Jason se contracta, et ses mains formèrent des poings. La pensée de lady Olivia dans les bras d'un autre homme lui donnait envie de frapper quelque chose. Il secoua la tête avec émerveillement, n'ayant jamais eu cette réaction pour une femme auparavant.

Il valait mieux qu'il se reprenne. Il devait d'abord affronter une épouse.

— Et il y a une chose étrange.

Jason se pencha en avant.

— Mon avocat m'apprend que lady Coventry n'a pas demandé d'argent depuis qu'elle est à domicile.

Le sourcil gauche de Drake s'arqua légèrement.

— Elle n'a rien demandé ?

— Rien.

— Hum. Vous ne devriez peut-être pas être si pressé de vous débarrasser d'une femme qui exige si peu.

Il sourit largement.

— Je suis sérieux. Quelque chose ne tourne pas rond.

— C'est vrai. Vous devriez voir la pile de factures arrivant quotidiennement sur la table de travail de mon paternel pour les robes, les chaussures et autres trucs du même genre de mes sœurs.

Jason sourit devant la vision de Sa Seigneurie enfouie sous une mer de demandes de paiement de la part de commerçants de la ville.

— Puis-je suggérer quelque chose ?

Drake se leva.

Jason leva les yeux vers lui.

— C'est-à-dire ?

— Rendez-vous à Coventry. Parlez à cette femme. Si c'est une annulation que vous désirez, elle sera peut-être tout aussi pressée de se débarrasser d'un mari absent que vous l'êtes de vous défaire d'une femme non désirée.

Jason se frotta la nuque.

— Il semble que ce soit la seule chose que je puisse faire. Il est aussi temps pour moi de me réunir avec l’intendant de mon domaine, de toute façon.

Chapitre 7

La pluie tombait à torrents au moment où le carrosse armorié monta au sommet de la colline, puis il franchit la distance jusqu'à l'entrée du manoir Coventry. Malcolm ouvrit la porte avant que Jason ne soit descendu de son carrosse.

Il descendit les marches en hâte en tenant un parapluie.

— Bonjour, milord.

Jason hocha la tête.

— C'est bon d'être à la maison.

Ils se dépêchèrent, réfugiés sous le parapluie, jusqu'à l'entrée. Jason tendit ses gants et son chapeau au majordome, qui l'aida à retirer son manteau trempé.

— Je vous prie d'informer lady Coventry de mon arrivée et lui dire que je l'attends dans la bibliothèque.

Il parla par-dessus son épaule en s'avançant dans le vestibule.

Jason s'arrêta en entendant l'inspiration soudaine de Malcolm.

— Je suis désolé, milord, mais lady Coventry n'est pas à la maison.

— Pas à la maison ?

Jason se retourna en haussant les sourcils. Où pouvait-elle être, par ce temps affreux et sans connaître personne ?

Il voulait en finir avec cette conversation le plus rapidement et le moins douloureusement possible.

— Quand l'attend-on ?

La perplexité marqua le visage de l'homme.

— Milord, je ne suis pas sûr. Enfin, je veux dire...

Jason n'avait jamais vu ce membre de longue date du personnel de Coventry aussi nerveux.

— Qu'y a-t-il, mon vieux ? rétorqua-t-il impatiemment.

— Bien, milord, lady Coventry n'est plus à domicile depuis un bon moment.

La mâchoire de Jason se décrocha et ses sourcils se plissèrent sous la confusion.

— Quand est-elle partie ? Où est-elle allée ?

— Je suis désolé, milord, mais je ne sais pas trop où s'est rendue Sa Seigneurie.

— Vous ne savez pas trop où elle est allée ? Vous voulez dire qu'elle est simplement sortie un jour de la maison, pour ne jamais revenir, et que vous n'avez pas pensé à m'en prévenir ?

Ses yeux s'arrondirent.

Malcolm se redressa, à l'évidence agacé de voir l'accomplissement de ses devoirs remis en question.

— Milord, lady Coventry a demandé à Evelyn, la femme de chambre de l'étage supérieur, d'emballer ses effets personnels et, ensuite, elle est partie pour Londres. Cependant, elle ne m'a pas dit directement où à Londres elle comptait se rendre, et j'ai supposé, à tort semble-t-il, qu'elle comptait faire le voyage jusqu'à votre maison de ville.

— Elle n'est pas venue à la maison Coventry, à moins que nous ne soyons passés l'un à côté de l'autre sur la route. Quand Sa Seigneurie est-elle partie ?

— Il y a plus de trois semaines, milord.

Le visage du majordome avait pâli.

Jason soupira et fit courir ses doigts dans sa chevelure.

— Envoyez-moi l'homme qui l'a conduite à Londres. Je vais être dans la bibliothèque.

« À me servir quelque chose de très fort à boire. »

— Comme vous le désirez, milord.

« Où diable se trouve ma femme ? Pourquoi n'est-elle pas là où je l'ai laissée ? »

Tandis qu'il se versait un brandy, il prit conscience qu'il allait devoir cesser de penser à elle de cette manière s'il comptait demander une annulation.

Il sirota son brandy et marcha jusqu'à la grande fenêtre pour regarder la pluie créer de petits ruisseaux dans le jardin nouvellement creusé. Il alla à sa table de travail, puis il s'effondra sur le fauteuil derrière et fixa le vide. Comme cette situation s'était embrouillée.

— Milord ?

Malcolm s'approcha de la table de travail de Jason de sa manière discrète habituelle.

— Où est le cocher ?

Il serra les mains ensemble et se tapota la bouche avec ses index.

— Il semble que le cocher qui a amené Sa Seigneurie à Londres ait récemment été congédié, milord.

Malcolm le contempla avec gêne.

— A-t-il été congédié, par hasard, parce qu'il a perdu lady Coventry ?

Jason arqua un sourcil moqueur.

Le majordome très stylé ignora le sarcasme.

— Non. Il a été congédié par madame Watkins pour vol.

— Merveilleux.

Jason esquissa un geste de congédiement.

— Ce sera tout, Malcolm. Je vous prie de demander à Cook de me préparer quelque chose et de me le servir ici. Il faut que j'étudie certains rapports.

Qu'était-il censé faire maintenant? Sa femme — « non, ne pense pas à elle ainsi » — était quelque part à Londres. Il allait devoir partir à sa recherche mais, en ce moment, il ignorait où elle demeurait ou avec qui. Puis, il s'étouffa avec son reste de brandy quand il prit conscience qu'il ne se rappelait même pas de quoi elle avait l'air.

Bon sang!

Ce petit fait devrait rendre sa recherche intéressante.

Il se cala dans son fauteuil et observa les gouttes de pluie glissant sur les carreaux de la fenêtre tandis qu'il pianotait avec ses doigts sur le bras de son siège. À l'évidence, elle ne se présentait pas dans la société sous le nom de lady Coventry, sinon il en aurait entendu parler.

Zut, cette affaire était censée être simple!

Jason se sentait mal à l'aise au moment où il entra dans la chambre à coucher de la comtesse, où il supposait qu'elle avait dormi lorsqu'elle demeurait ici. Si elle était déjà partie depuis un moment, cela signifiait qu'elle n'avait pas été sur place bien longtemps, seulement deux semaines.

L'odeur de lavande flottait encore dans l'air. Il ne se rappelait pas ce parfum à son mariage, mais alors, son souvenir de l'événement était inexistant. Jason ouvrit des tiroirs et des placards, sans rien trouver, presque comme si toute leur rencontre avait été un rêve. Il ne se souvenait pas d'elle, et rien d'elle ne restait ici. Sauf l'odeur de lavande.

Il survola la pièce du regard en tentant désespérément de se souvenir d'une chose qui pourrait l'aider à la trouver. Il grimaça. Interroger le personnel sur son apparence dépassait les bornes, même pour lui. Après avoir jeté un dernier regard à la chambre désertée, il s'en alla.

Le petit déjeuner le lendemain matin l'emplit de culpabilité. Lady Coventry avait souffert ce silence et cette négligence chaque jour après qu'il l'eut quittée jusqu'à son départ. À quoi pensait-elle ? Le détestait-elle ou s'en foutait-elle, d'une manière ou d'une autre ? L'avait-il blessée ou n'étaitelle que trop heureuse d'avoir le titre et l'argent et pas de mari pour lui imposer ses attentions ? Quoique, selon ses avocats, elle n'avait rien demandé. Ce qui le portait à croire qu'elle devait résider à Londres chez quelqu'un de bien nanti.

La concentration de Jason sur la colonne de chiffres qu'il tentait de rapprocher fut rompue par un léger coup à la porte de la bibliothèque. Madame Watkins entra, quand il l'en pria. Jason reposa sa plume sur son porte-plume et salua sa gouvernante.

— Milord, voudrez-vous dîner à l'heure habituelle ou dois-je vous faire porter un plateau ici quand vous serez prêt ?

— Un plateau ici conviendra, madame Watkins. Disons, autour de dix-huit heures ?

— Comme vous le désirez, milord.

Elle pivota pour s'en aller, puis Jason la rappela.

— Madame Watkins, euh, comment se débrouillait lady Coventry pendant son séjour ici ?

— Oh, milord, nous sommes tous très attachés à Sa Seigneurie.

Les yeux de la femme plus âgée brillaient.

— Un véritable rayon de soleil. Les locataires l'adoraient aussi.

— Les locataires ?

Ses sourcils se haussèrent d'une manière interrogatrice.

— Oui, milord. Elle aimait aller chez les locataires et leur apporter quelques pains et sucreries de Cook pour les petits. Ils l'adoraient tous.

Elle posa les mains sur sa poitrine et soupira.

— Et la musique ! Oh, comme elle jouait bien !

— La musique ?

Il commençait à ressembler à un foutu perroquet.

— Sa Seigneurie est une merveilleuse pianiste, milord. Quand elle jouait, nous nous arrêtions tous pour l'écouter. La plupart du temps, les larmes me montaient aux yeux.

La femme s'essuya les yeux.

— Mais le pianoforte n'a pas été accordé depuis des années.

Il fronça les sourcils.

— Oh, milord, elle l'a accordé elle-même. Et elle jouait comme un ange.

Se sentant résolument mal à l'aise devant la tournure des événements, il hocha la tête.

— Merci, madame Watkins. Ce sera tout.

Elle inclina la tête et quitta la pièce.

Donc, Sa Seigneurie avait captivé les locataires et le personnel ? Et tout le monde l'adorait, tout simplement ? Alors pourquoi diable n'était-elle pas restée à sa place afin qu'il puisse connaître ce parangon ? Non, elle était allée se balader à Londres, restant Dieu seul savait où et maintenant, il devait partir à sa recherche comme un chien en chasse.

Trois jours plus tard, Jason se sentit assez rassuré par ses échanges avec l'intendant de son domaine et les livres sur lesquels ils s'étaient penchés pour faire le voyage de retour jusqu'à Londres. Même s'il avait accordé assez de marge de manœuvre à son personnel pour discuter de l'absente lady Coventry, la seule chose qu'il obtint pour ses efforts fut l'image d'une belle femme calme et sensible qui s'était attiré l'affection de tous ceux qu'elle avait rencontrés. Et évidemment, il y avait la musique exquise que personne n'avait omis de mentionner. Puis, il grogna en se souvenant du jeunot qui était venu lui rendre visite la veille. Jason était occupé à sa table de travail, quand Malcolm était entré dans la bibliothèque.

— Milord, il y a quelqu'un ici demandant des nouvelles de Sa Seigneurie.

Jason avait brusquement levé les yeux et fait rouler entre deux doigts la plume dans sa main.

— Vraiment. Qui est le visiteur ?

Malcolm lui avait présenté une carte de visite.

Sir Garrett Brooke, Coventry, Angleterre.

Jason avait haussé les sourcils.

— Je vous en prie, faites entrer sir Brooke.

Un grand gentleman dégingandé aux cheveux blond foncé et à la peau plus sombre que la plupart des Anglais était arrivé dans la minute. Sa démarche assurée démentait toute intimidation qu'il aurait pu ressentir à se présenter au comte.

— Milord.

Il avait incliné la tête.

— Je vous en prie, assoyez-vous.

Une fois son visiteur bien installé, Jason avait poursuivi.

— Je comprends que vous avez demandé des nouvelles de lady Coventry ?

— Oui, milord. Ma mère m'a dit qu'elle a vu votre carrosse arriver il y a quelques jours, et j'espérais que Sa Seigneurie vous accompagnait.

Il avait décoché à Jason un sourire brillant qui avait amené ce dernier à se demander si lady Coventry avait été divertie par le sourire et les attentions de ce jeune homme pendant qu'elle cavalait dans la campagne en charmant ses locataires avec son affection et ses sucreries.

— En fait, lady Coventry n'est pas à domicile en ce moment. Elle est encore à Londres.

Il avait attentivement observé l'expression de l'autre homme pour voir l'effet de cette information sur lui. Sir Garret Brooke n'avait affiché ni déception ni agacement.

Aucun indice de ce côté.

— Dans ce cas, je suis désolé d'avoir pris votre temps, milord. Je vous prie d'offrir mes hommages à Sa Seigneurie quand vous retournerez à Londres. C'est une femme tellement délicieuse. Et sa musi…

Agacé, Jason s'était levé.

— Je me ferai un devoir de l'informer de votre visite. Maintenant, si vous voulez bien m'excuser.

L'homme avait bondi sur ses pieds, incliné la tête et était parti.

« Je vais certainement transmettre vos hommages si je peux trouver la maudite femme. »

Il semblait que lady Coventry eût fait sa marque, malgré le peu de temps qu'elle était demeurée ici.

Jason était installé dans sa maison de ville à Londres depuis seulement quelques heures, lorsque Drake arriva.

— Comment était votre voyage ?

Drake se laissa choir dans un grand fauteuil en cuir devant le foyer.

— Les choses ont dû bien se passer. Vous n'êtes pas resté absent trop longtemps.

Jason s'assit dans le fauteuil en face de lui.

— Les choses n'ont pas avancé du tout.

Drake l'étudia.

— Ne s'est-elle pas montrée disposée à accepter votre suggestion ?

Jason appuya ses coudes sur ses genoux écartés en faisant pendre ses mains entre eux.

— Elle n'était pas là.

Drake se raidit.

— Pas là ? Où était-elle ?

— À Londres.

— Ici, à Londres ? Elle demeure avec qui ?

— Je l'ignore.

Il poussa un immense soupir.

Drake sourit d'un air suffisant.

— Vous feriez peut-être bien de commencer par le début, mon vieux, vous n'êtes pas tellement compréhensible.

Jason se leva et fit les cent pas devant l'âtre.

— Elle s'est apparemment enfuie à Londres peu de temps après notre mariage. Cependant, elle est restée là-bas sans aucun doute assez longtemps pour se rendre chère aux yeux de l'aristocratie locale, des locataires et de mon personnel de maison.

— Sans blague ?

Drake fit briller un sourire ravi.

— Il semble que Sa Seigneurie ait rendu visite aux locataires pendant son séjour là-bas, livrant des sucreries et des pains et s'insinuant dans leurs cœurs.

Gesticulant en direction de la fenêtre, il reprit :

— De plus, quand elle ne courait pas la campagne en faisant profiter de sa bienveillance à tout un chacun, elle divertissait mon personnel avec une fascinante musique au pianoforte.

— Vraiment ?

— Exactement.

Faisant courir ses doigts dans ses cheveux, Jason se rejeta sur le dossier de son fauteuil et pencha la tête en arrière pour fixer le plafond.

— Mais il y a pire.

Drake attendit patiemment.

— Personne ne sait où elle est allée.

— Pas le personnel à Coventry ?

Son ami bafouilla.

— Elle a disparu ?

— Elle a emballé ses affaires et a seulement dit au personnel qu'elle se rendait à Londres. Ils ont naturellement présumé qu'elle venait me rejoindre ici, à la maison Coventry.

— Et le cocher, ne peut-il vous dire où il l'a conduite ?

— Le cocher a été renvoyé, et tous mes efforts pour le trouver ont échoué.

Jason retourna devant le foyer, les mains sur les hanches, le front plissé.

— Dans l'état actuel des choses, j'ai une femme quelque part ici, à Londres. J'ignore à quoi elle ressemble, je ne sais pas où elle est ou avec qui elle demeure.

Les muscles de la mâchoire de Drake firent leur travail, mais le rire éclata quand même.

— Dites donc, vous avez un petit problème ici.

— Je le sais.

Il jeta un regard mauvais à son ami.

— Je suis tellement content que ma vie vous fournisse un divertissement.

— Désolé. Vraiment, je le suis, mais il n'y a que vous pour vous retrouver dans un pétrin semblable.

Drake l'examina du regard.

— Qu'allez-vous faire à présent ?

Jason secoua la tête.

— Je ne sais pas. Je ne sais pas trop par où commencer mes recherches. Je ne connais rien d'elle.

Il poussa un immense soupir. Quel pétrin.

Après avoir doucement frappé à la porte, Barton entra dans la pièce pour remettre plusieurs enveloppes à Jason.

— Le courrier du matin, milord.

— Merci.

Jason feuilleta les articles, ses yeux s'arrondissant quand il parcourut deux des enveloppes. Il en déchira une pour l'ouvrir, il la lut en diagonale, puis il passa à l'autre.

— Bien, il semble que Sa Seigneurie a bien besoin de mes fonds, en fin de compte.

Drake se leva pour le rejoindre.

— Qu'est-ce que c'est ?

— Deux factures. Une pour plusieurs robes de Mademoiselle DuBois. L'autre d'une boutique qui a vendu à lady Coventry des gants, des chaussures, des chapeaux et trois réticules.

— Oh, oh.

Drake sourit largement.

— Elle vous nargue. Je l'aime bien. Si, vraiment, vous la rejetez, envoyez-la-moi.

Jason fit claquer les enveloppes sur sa jambe.

— À quel jeu joue-t-elle ? Partir pour Londres, sans dire à personne où elle résidera. Ne pas se servir de son nom en société, nous aurions sûrement entendu parler d'elle maintenant, mais faisant libre usage de mon argent.

— Pardonnez mon impertinence, milord, mais lady Coventry ne doit-elle pas de droit être logée, vêtue et nourrie par son mari ? C'est peut-être sa façon d'attirer votre attention.

La voix de Drake s'adoucit.

— Elle l'a à coup sûr à présent, non ? Je n'arrive pas à comprendre pourquoi vous êtes tellement en colère contre cette jeune femme. Vous l'avez épousée et l'avez laissée se débrouiller seule. Si elle a la force de caractère pour venir en ville et de s'habiller comme une comtesse doit l'être, quelle est votre objection ?

— Mon objection est qu'il faut que je discute avec elle, pour voir si nous pouvons prendre des arrangements pour mettre fin à cette farce. Comment vais-je la trouver ?

Drake étira son long corps, puis il tapota les enveloppes dans la main de Jason.

— Je vous suggère de commencer par les factures. À l'évidence, quelqu'un sait à quoi elle ressemble.

— Oh, oui, je vois cela d'ici. « Excusez-moi, mademoiselle, j'ai ces factures en main pour des robes pour lady Coventry. Pourriez-vous me dire, je vous prie, à quoi elle ressemble ? »

Il se renfrogna.

— Bien, peu importe la solution, je crains qu'il vous appartienne de la découvrir. J'ai rendez-vous avec mon tailleur.

Drake se dirigea vers la porte.

— Serez-vous à la soirée Pembroke ce soir ?

— Oui.

Jason le salua d'un signe de la main tout en continuant à étudier les factures.

Chapitre 8

Le souffle manqua à Olivia, quand Jason entra dans la salle de bal. Le bal de débutante de la fille aînée des Pembroke, Sarah, était déjà bien en train. Des centaines de personnes remplissaient à craquer la salle de bal et la salle à manger.

Lord et lady Pembroke n'avaient rien épargné pour fournir à la première de leurs trois filles entrant dans la société un bal de débutante exceptionnel. Le grand orchestre jouait un aria qu'Olivia reconnut comme étant *Le Nozze di Figaro* de Mozart, un de ses opéras préférés. La pièce accueillait suffisamment de membres de la haute société pour qu'on qualifie leur nombre de « cohue », ce qui allait faire l'extrême bonheur de lady Pembroke. La fille Pembroke s'était habillée du blanc traditionnel, avec ses charmantes boucles dorées remontées en une coiffure compliquée et sophistiquée. Sa beauté et sa grâce avaient déjà pris d'assaut la haute société.

De l'autre côté de la salle, Jason passa dans la file d'accueil et regarda autour de lui. Olivia lui tourna le dos et continua à bavarder avec Elizabeth et les nombreux gentlemen autour d'elles, la plupart manœuvrant pour se rapprocher.

Les poils sur sa nuque se dressèrent, lui faisant prendre conscience que le comte de Coventry se tenait à proximité. Cela l'agaçait de savoir cela. Elle ne voulait aucun lien avec cet homme. Néanmoins, son cœur battait plus vite, et elle trouvait très difficile de prendre une bouffée d'air pour remplir ses poumons. Évidemment, cela était dû au nombre de personnes dans la pièce bondée, se rassura-t-elle. Elle agita délicatement son éventail peint devant son visage chaud.

— Bonsoir, lady Olivia.

La voix grave glissa en elle comme un liquide chaud de ses oreilles au bout de ses pieds.

— Milord.

Elle pivota et exécuta gracieusement une petite révérence. Son regard s'éleva jusqu'aux yeux de Jason, une grave erreur. Beau, c'était la seule façon de décrire l'homme. Elle mourait d'envie de lisser en arrière une des mèches noires qui lui tombaient sans cesse sur le front. Le sourire dévastateur qu'il faisait briller devrait être illégal. Il portait un manteau de soirée de qualité d'un bleu profond épousant ses formes et ses muscles bien définis, le blanc éclatant de sa cravate au nœud compliqué contrastant avec sa peau légèrement bronzée. Sa culotte habillée en tissu noir enveloppait de puissantes cuisses qu'Olivia tenta avec force de ne pas fixer.

— Puis-je oser espérer que vous m'ayez réservé une danse ?

Jason couvrit sa main et la porta à ses lèvres, ses yeux pétillant quand il croisa les siens.

Pourquoi cet homme l'émouvait-il ainsi ? Elle devrait le détester pour ce qu'il lui avait fait, mais au lieu de cela, elle fondait à son contact et se perdait dans ses yeux.

— Oui, je crois qu'il m'en reste une ou deux.

Elle sourit, agacée par le son essoufflé de sa voix.

Jason tendit la main vers le petit carnet pendant à son poignet.

— Une valse, par hasard ?

— Je suis désolée, milord ; les quatre sont réservées.

La chaleur s'éleva de son ventre pour se répandre sur son visage. Elle lutta contre l'envie de se hâter vers les portes françaises et d'avaler une goulée d'air.

Il retourna la carte.

— Lord Carstairs ne sera pas en mesure de réclamer sa valse, alors vous pouvez mettre mon nom à sa place.

Il lui lança le sourire paresseux qu'il avait probablement peaufiné pour obtenir ce qu'il voulait depuis qu'il était au berceau. Il s'inclina légèrement devant elle, la quitta et prit la direction de la salle de jeu.

Olivia examina sa carte. Lord Carstairs avait réservé la valse du dîner. Elle s'éventa furieusement le visage.

Maudites soient les méthodes cavalières de Jason. Non seulement il l'avait oubliée, mais il avait aussi oublié le fait qu'il était marié. Ou était-ce que lord Arrogant s'attendait à avoir un mariage typique de la haute société où personne ne regardait de travers les hommes qui prenaient des amantes et des maîtresses ? Elle se redressa et carra les épaules. Après avoir été témoin de l'amour entre ses parents, c'était une aberration pour elle d'avoir ce genre de mariage.

« Et quel genre as-tu maintenant ? »

À ce stade, il lui fallait faire face à Jason qui la tiendrait dans ses bras, puis partagerait le dîner avec elle. Comment s'en sortirait-elle ? C'était une bonne chose qu'elle n'ait pas faim, car le nœud dans son estomac empêcherait toute nourriture d'y rester.

— Que voulait lord Coventry ?

Elizabeth revenait de sa danse avec monsieur Sayer.

— Il voulait une danse.

Elle parla doucement, pour éviter les oreilles intéressées des jeunes hommes l'entourant qui avaient été témoins de leur échange.

— Et ? Vous semblez déconcertée.

Elizabeth glissa un bras sous le sien, et elles se promenèrent dans la salle avant le début de la danse suivante.

— Parce qu'il a usurpé la place de lord Carstairs pour la valse du dîner.

Les sourcils froncés, elle continua de s'éventer. Elizabeth lui décocha un regard perçant.

— Hum. Toute cette affaire a pris un tour plutôt intéressant.

— Tout à fait ; mais je suis de plus en plus mal à l'aise avec cette tromperie.

Olivia baissa la voix tout en faisant des signes de tête à plusieurs connaissances.

Quelque chose devait être fait bientôt, car elle ne possédait pas le caractère pour poursuivre longtemps cette mascarade. Toute cette énigme la troublait. Même s'il était extrêmement ivre à leur mariage, il ne lui était jamais venu à l'esprit qu'elle lui avait fait une impression si minime qu'il ne se souvenait même plus d'elle.

— Oui, cette situation ne peut pas se poursuivre indéfiniment.

Elizabeth interrompit les pensées d'Olivia.

— En effet.

• • •

Jason balaya la salle de jeu du regard. Des tables occupaient tout l'espace, et plusieurs parties de whist et de vingt-et-un se déroulaient. Des valets de pied encerclaient les joueurs avec leurs boissons – du véritable whisky et non les vins légers de la salle de bal.

Jason marcha d'un pas nonchalant jusqu'à une table installée contre la fenêtre du fond. Quatre joueurs se concentraient sur une partie de Faro. Il prit une chaise et regarda le jeu un moment.

– Cela vous dit de vous joindre à nous, Coventry ?

Le comte de Dartmouth jeta un regard dans sa direction alors qu'ils terminaient une manche.

– Plus tard, peut-être.

Jason salua le jeune homme qui ramassait ses gains d'un signe de tête.

– Puis-je vous dire un mot, Carstairs ?

Lord Carstairs avait récemment obtenu son titre à cause de la mort inattendue de ses deux frères aînés. N'ayant jamais anticipé cette triste réalité, il jouait trop, il buvait à l'excès et se considérait comme un homme du monde. Globalement, il n'était pas mauvais ; il avait seulement besoin de temps pour s'habituer à son titre.

– Que puis-je pour vous, Coventry ? dit le jeune gringalet.

– Vous pouvez oublier la valse du dîner avec lady Olivia, car je vais prendre votre place.

Carstairs rougit violemment.

– Écoutez.

Sa mâchoire se contracta.

– Je tente d'obtenir une valse de dîner avec la dame depuis les trois derniers bals. Pourquoi devrais-je vous la céder ?

Jason dévisagea le jeune homme d'un air qu'il réservait habituellement à son adversaire pendant un duel au pistolet.

— Vous devriez me la céder parce que je vous l'ai demandé.

— Diable, Coventry, ce n'est pas une raison suffisante. Je trouve la dame des plus intéressantes et je compte la courtiser.

— À quelle fin, vieux ?

Il rigola.

— Vous avez encore la couche aux fesses. Maintenant, accordez-moi cette faveur, et je serai votre obligé.

Jason regarda le jeune homme débattre en lui-même de la question. Arrivant apparemment à la conclusion qu'avoir comme obligé le comte de Coventry pouvait être bénéfique, il hocha légèrement la tête.

— Elle est à vous.

Jason lui offrit un petit signe de tête brusque et poursuivit son chemin autour de la salle de jeu. Repérant Drake à une table à l'autre extrémité, il prit cette direction. Au beau milieu d'une partie de Lanterloo, son ami ne le regarda pas ; il serrait les lèvres sous la concentration. Après avoir observé un moment, Jason se joignit à la partie.

Remarquant l'heure, Jason rassembla ses gains.

— Messieurs.

Il salua de la tête les hommes encore à la table et il partit. Il ne lui fallut pas trop de temps pour trouver lady Olivia, presque comme si une corde invisible les reliait ensemble. Il s'avança lentement et se joignit au petit groupe autour d'elle. Occupée à converser avec Elizabeth, il semblait qu'elle faisait de son mieux pour l'ignorer.

— Milord.

Elizabeth exécuta une petite révérence.

Au moins, elle ne l'avait pas ignoré.

— Lady Lansdowne, c'est un plaisir, comme toujours.

Le sentiment désagréable d'avoir raté quelque chose l'envahissait chaque fois qu'il était en présence de ces deux dames. Avant qu'il ait le temps de s'attarder sur la question, les musiciens entamèrent les premiers accords de la valse du dîner.

— Milady.

Jason se tourna vers Olivia.

Elle fit une révérence, et il lui tendit le bras. Cela lui fit plaisir de sentir le tremblement dans sa main quand elle le toucha. Lady Olivia continua de fixer un petit point sur sa cravate au nœud complexe autour de sa gorge quand il la prit dans ses bras. Lentement, elle leva les yeux vers les siens lorsqu'il plaça un doigt sous son menton et releva légèrement son visage. Il sourit devant sa réticence et les lança tous les deux dans le tourbillon de la danse.

La tenir dans ses bras était un supplice. Peu importe le degré d'attirance qu'il ressentait pour lady Olivia, avec une femme errant quelque part à Londres, il devait se retenir. Si seulement il avait rencontré lady Olivia avant que son paternel ne lui choisisse une épouse et aucune façon d'éviter son ordre.

Il fronça les sourcils en humant le léger parfum de lavande qui émanait de sa chevelure. La même odeur qu'il avait découverte flottant encore dans la chambre à coucher de sa femme à Coventry. Sans doute une fragrance populaire chez les dames.

— Prenez-vous plaisir à la saison mondaine, milady ?

Il la guida devant un couple de danseurs qu'ils étaient sur le point d'emboutir tandis qu'ils se frayaient un chemin dans la salle de bal.

— Oui, milord, je la trouve fascinante.

Ses parfaites dents blanches brillaient sous la lumière des bougies quand elle souriait.

— Je dois donc supposer qu'il s'agit de votre première saison ?

Il modifia leur position pour éviter une autre collision avec lord et lady Townshend, qui se mitraillaient des yeux. Un rappel de la raison pour laquelle les mariages arrangés n'avaient jamais été attirants.

— Oui, c'est ma première.

La douce voix d'Olivia le tira de ses réflexions.

— Où vous cachiez-vous pour que nous n'ayons pas eu le plaisir de votre compagnie avant maintenant ?

Elle tremblait encore, et une rougeur évidente remonta dans son cou pendant qu'elle se mordillait la lèvre.

— Je voyageais avec mon père.

— Vraiment ? Et où vos voyages vous ont-ils menée ?

Elle détourna son regard du sien, paraissant mal à l'aise devant la question.

— Ici et là, milord. Mon père était un érudit.

Souriant vivement, elle ajouta :

— Je présume que vous avez vécu plusieurs saisons mondaines.

Il hésita et rit un peu de sa tentative pour détourner la conversation.

— Oui, plus que je ne peux en compter.

Le silence tomba tandis qu'ils continuaient de circuler dans la salle. Il trouvait difficile de dominer son corps quand il se trouvait près de cette femme. La sensation de sa peau douce, la légère odeur de lavande et les folles mèches bouclées volant délicatement autour de son visage sous la lumière des bougies le fascinaient.

Cela faisait longtemps qu'une femme avait eu cet effet sur lui.

Pourquoi avait-il fallu qu'il rencontre la seule femme de qui il pouvait tomber amoureux, après le coup bas de son père ? Le besoin de trouver sa femme et d'obtenir son consentement pour une annulation devint primordial.

La danse se termina, et Jason glissa le bras d'Olivia sous le sien. Après avoir cherché un peu, il leur trouva une place près des portes françaises.

Tandis que lady Olivia s'installait, il se pencha et parla près de son oreille.

– Voyez si vous pouvez nous obtenir deux flûtes de champagne.

Jason se dirigea vers le buffet où il remplit des assiettes à dîner de tourtière froide de faisan, de curry de lapin, de canard sauvage et de caille. Sur deux assiettes plus petites, il déposa des fruits séchés, des tartelettes aux cerises et de la crème au citron.

– Je ne savais pas ce que vous préfériez, alors j'ai apporté un peu de tout.

Il posa les assiettes sur la table et s'assit.

Entre deux bouchées, il l'observa tandis qu'elle poussait sa nourriture dans son assiette. Son teint plus foncé et ses mains tremblantes lui indiquèrent ce qu'il soupçonnait. Lady Olivia était assurément nerveuse.

Il tendit le bras et posa sa paume chaude sur sa main froide.

— Est-ce que je vous rends nerveuse, milady ?

Elle le regarda avec des yeux méfiants.

« Est-ce de la panique dans ses yeux ? »

— Pas du tout, milord. Pourquoi dites-vous cela ?

Elle se lécha les lèvres, et il sentit ses reins se serrer. Il pouvait penser à de nombreux usages pour ces délicieuses lèvres. Elles pouvaient commencer par un baiser, puis descendre sur son torse, sa taille… Il changea de position pour soulager l'inconfort dans son pantalon.

Jason arqua un sourcil.

— J'ai la nette impression que vous êtes mal à l'aise en ma présence.

Elle secoua vivement la tête et contempla son torse.

« Oui, assurément nerveuse. »

Il retira sa main, et ils terminèrent leur repas dans un silence tendu. Drake les rejoignit, ainsi que sa sœur, Abigail. Ayant fait son entrée dans la société l'année précédente seulement, la jeune fille avait reçu des offres, mais étant un père indulgent, Sa Seigneurie lui avait permis de les décliner toutes.

Les enfants Melbourne, ayant observé de près le mariage d'amour de leurs parents, étaient déterminés à s'offrir la même chose.

— Lady Olivia.

Abigail lui fit une révérence.

— Aimez-vous votre première saison ?

— Oui. Je comprends qu'il s'agit de votre deuxième.

Abigail acquiesça d'un signe de tête.

— Oui. Je m'amuse tellement que je pourrais bien ne jamais accepter d'offre.

— Notre paternel ne serait pas trop content de cela, je le crains.

Drake contempla affectueusement sa sœur.

— Je ne comprends pas pourquoi les hommes peuvent passer une année après l'autre sans se choisir une femme, mais qu'on s'attend à ce que les dames acceptent une offre en un ou deux ans. Cela ne me paraît pas très juste.

Elle dirigea son commentaire vers Olivia, qui hocha la tête pour marquer son accord.

— Vous êtes chanceuse que le paternel vous ait permis de terminer la dernière saison sans accepter d'offre. Le duc nage dans les factures de couturière, dit Drake.

Abigail plissa le nez en regardant son frère.

— Et qu'en est-il de vos dettes de jeu ? Et de vos factures de tailleur ?

— Je suis l'héritier.

Drake la contempla avec des sourcils levés comme si cette déclaration disait tout.

Jason se leva et tira la chaise d'Olivia.

— Je suggère que nous retournions dans la salle de bal où vous pourrez tous les deux continuer à comparer les reçus du duc.

— Coventry, chéri, vous voilà. Je ne vous ai pas vu depuis des lustres, au moins.

Lady Sheridan enroula son bras autour du sien et lui caressa le torse d'une manière intime.

— Ma chère, je vous croyais à l'extérieur de la ville.

Il se libéra de son étreinte.

— Non, idiot que vous êtes, je vous ai dit que Sheridan quittait la ville un moment. Et de toute façon, c'était il y a déjà bien longtemps.

Souffrant de la rebuffade de Jason, elle s'accrocha au bras de Drake et, en dirigeant ses commentaires vers Jason, elle évalua froidement Olivia.

— Je vous ai réservé la dernière valse, chéri. Je sais à quel point vous aimez valser.

— C'était très gentil de votre part, milady, mais j'ai bien peur d'être sur le point de prendre congé.

— Un autre *rendez-vous*, Jason ?

Elle fit la moue.

— On pourrait dire cela.

Il s'inclina légèrement devant elle. Reportant son attention sur Olivia, il lui dit :

— Ce fut un plaisir, lady Olivia. Lady Sheridan, ajouta-t-il en embrassant la main de son ancienne maîtresse. Mes hommages à votre mari.

— Milord.

Lady Sheridan hocha légèrement la tête.

— Lord Melbourne, vous devez me présenter à cette *charmante* dame.

La voix de Selena résonna derrière Coventry tandis qu'il faisait sa sortie.

• • •

Olivia souhaita la bonne nuit à sa femme de chambre et grimpa dans son lit. On pouvait dire de nombreuses choses sur la saison mondaine à Londres, et elles n'étaient pas toutes bonnes. Déjà lasse de la méchanceté sous-jacente dans presque chaque événement auquel elle avait assisté jusqu'ici, la présentation de ce soir à la belle lady Sheridan l'avait secouée. La femme lui avait jeté un regard si mauvais qu'Olivia avait senti le besoin de reculer d'un pas quand elle avait fait sa connaissance. Elle aurait chassé toute l'affaire de son esprit s'il n'y avait pas eu la conversation qu'elle avait surprise plus tard dans la soirée alors qu'elle se trouvait dans le salon des dames.

Deux femmes qu'Olivia connaissait de vue, mais pas de nom, discutaient de lady Sheridan d'une manière peu flatteuse. Lorsque l'une d'elles avait mentionné Coventry, Olivia avait dressé les oreilles.

La femme plus âgée avec une poitrine lourde s'occupait de ses cheveux.

— Je pense qu'il l'a déjà mise de côté.

— Je connais Selena, ma chère, avait dit l'autre femme, et si elle est décidée à garder lord Coventry dans son lit, alors il y restera. Croyez-moi.

Le sang s'était retiré du visage d'Olivia, et elle s'était redressée brusquement sur sa chaise, le souffle court. Donc, la belle lady Sheridan était la maîtresse de Jason ? Pas étonnant que la femme l'ait traitée avec autant de mépris.

« Cependant, elle ignore que nous sommes mariés. »

Toutefois, Olivia n'avait pas fini d'être stupéfiée. La femme à la forte poitrine avait baissé la voix.

— Selena m'a dit dans la plus stricte confidence que lord Coventry s'est marié il y a plusieurs semaines avec une jeune fille terne que son père lui a imposée. Il a commis le méfait, mais il l'a promptement laissée pour qu'elle poursuive sa vie à la campagne. Faites-moi confiance, Selena n'a aucune intention de renoncer à Coventry pour l'instant.

— Marié ? Lord Coventry ? Comment cela s'est-il produit ?

– Le vieux comte en a fait une condition dans son testament.

Olivia n'avait jamais entendu la réponse de l'autre femme, car le sang résonnait si violemment dans sa tête qu'il bloquait son ouïe. Elle ignorait complètement combien de temps elle était restée assise à fixer le vide. Certainement bien après le départ des dames, qui avaient continué à ricaner en échangeant des potins.

« Mon Dieu, toute la haute société est-elle au courant de l'embarras qu'est mon mariage ? »

Le temps était peut-être venu de laisser tomber la duperie, de tourner les talons et de fuir. Elle s'était sentie seule au manoir Coventry, mais au moins, le personnel et les locataires l'avaient prise en affection et lui avaient montré le respect qu'elle ne recevrait jamais ici. Et les souvenirs de son pianoforte l'attiraient aussi. Ses doigts mouraient d'envie de rejouer. La musique l'avait toujours apaisée quand elle s'était sentie seule et abandonnée.

À peu près comme elle se sentait aujourd'hui.

Elle se secoua mentalement pour chasser les souvenirs déplaisants, elle gonfla son oreiller et tenta de se vider l'esprit pour dormir un peu mais, rapidement, le clair de lune brillant à travers la fenêtre l'attira par son charme. Elle s'appuya contre la vitre, les doigts écartés sur sa froideur. Tandis qu'elle contemplait Londres, calme et sombre, le plus violent des sentiments de solitude qu'elle n'avait jamais éprouvés dans sa vie la submergea.

Pourquoi les hommes dans sa vie la repoussaient-ils ? Bien qu'elle eût toujours su que son père l'aimait, il lui avait donné l'impression qu'elle était morte en même temps que sa mère. Avec sa bien-aimée femme disparue, il n'avait que faire de la personne qui lui rappelait celle qu'il avait perdue.

Aujourd'hui, son mariage, que son père considérait comme la meilleure chose pour assurer son avenir, était aussi vide que la moitié des lits de la haute société. Refusant de se vautrer dans l'apitoiement, elle effleura ses yeux humides de ses doigts et retourna au lit.

Demain, elle dirait à Elizabeth qu'elle aimerait rentrer à la campagne. Rien n'avait été accompli ici, sauf qu'elle se sentait plus mal qu'avant. À Coventry, elle pourrait rendre visite aux locataires à nouveau et se perdre dans sa musique.

Il fallut des heures avant que le sommeil ne l'envahisse.

Chapitre 9

Ce fut une Olivia très fatiguée qui se joignit à Elizabeth pour le petit déjeuner le lendemain matin. C'était un jour froid et pluvieux, exactement comme son humeur. Se débattant encore avec l'idée d'un retour à Coventry, elle se versa du thé et grignota un bout de rôtie.

— On dirait que vous n'avez pas bien dormi.

Elizabeth repoussa son assiette vide.

— J'avais beaucoup de choses en tête hier soir.

Elizabeth ouvrit la bouche pour parler juste au moment où un valet de pied livrait le courrier du matin. Elle y jeta un coup d'œil et extirpa une enveloppe épaisse, puis la tendit à Olivia.

Olivia s'essuya les doigts sur une serviette, accepta l'enveloppe et fronça les sourcils quand elle vit l'adresse des expéditeurs : ses avocats. Elle les avait vus brièvement peu après son arrivée à Londres et elle leur avait fait transférer d'Italie ce qu'il restait de l'héritage de son père.

Le sang se vida de son visage pendant que ses yeux se promenaient sur les phrases, son horreur grandissant. Le cœur battant, les mains tremblantes, elle leva les yeux vers Elizabeth en serrant la lettre si fort qu'elle se froissa.

— Pour l'amour du ciel, Olivia, qu'y a-t-il ? Vous êtes pâle comme la mort.

Olivia mit la lettre de côté et inspira profondément.

— La raison pour laquelle j'avais de la difficulté à dormir hier soir était que je songeais à retourner à Coventry.

Elle leva la main quand Elizabeth ouvrit la bouche pour s'opposer.

— Cependant, à la lumière de cet avis de mon avocat, je pense que je vais demeurer ici et profiter au maximum de ce qu'il reste de la saison.

Elle lissa la lettre et la tendit à Elizabeth avec un sourire tendu.

— Qu'y a-t-il dans cette lettre, Olivia ?

Elizabeth plissa le front.

— Il semble que mon bien-aimé mari a présenté une requête au parlement pour qu'on lui accorde une annulation.

— Une annulation ! dit Elizabeth, sa main volant à sa bouche. Il n'y a presque pas de fondements pour une telle procédure. Que dit-elle ?

— Il prétend qu'il était trop ivre pour savoir ce qu'il faisait.

Elle sentit la rougeur naître dans son ventre et voyager jusqu'à la racine de ses cheveux.

« Le toupet de cet homme est sans fin ! »

— Qu'allez-vous faire ? demanda Elizabeth.

— Je vais accorder à Sa Seigneurie, le comte de Coventry, ce qu'il veut, bien sûr.

Elle recula sa chaise et se leva.

— Puis-je me servir de votre bonheur-du-jour pour signer ce papier indiquant que j'ai été avisée et l'expédier ?

Elizabeth se leva avec elle et s'empara de sa main.

— Vous devriez peut-être y réfléchir, ma très chère. Vous avez reçu tout un choc.

— Il n'y a pas à réfléchir, Elizabeth. J'ai commis une erreur. Après avoir constaté l'état de Jason ce matin-là, j'aurais dû tout annuler. Père m'a légué assez d'argent pour m'offrir une vie confortable. Je serai plus qu'heureuse de me débarrasser de lord Arrogant.

Elle pivota et quitta la pièce, écrasant la lettre dans sa main.

• • •

Jason leva les yeux quand le jeune monsieur Meyer entra dans la bibliothèque.

— Bonjour, milord.

Il s'inclina légèrement devant lui.

— Meyer.

Jason hocha la tête. Il désigna le fauteuil devant sa table de travail, et l'avocat s'assit au bord, serrant des papiers dans ses mains.

— Milord, j'ai quelques papiers que vous devez signer. Ils sont au sujet de l'héritage du comte décédé.

Il feuilleta les papiers dans sa main et les lui passa.

Jason les étudia attentivement, puis il trempa sa plume dans la petite jarre d'encre sur sa table et les signa d'un geste grandiloquent, terminant avec son sceau.

— Est-ce tout ?

Il les rendit à l'avocat.

— Non, milord.

S'éclaircissant la gorge, il continua.

— J'ai envoyé une lettre aux avocats de lady Coventry en Italie les informant que vous alliez demander l'annulation du mariage entre vous et Sa Seigneurie.

Jason se redressa brusquement dans sa chaise, les yeux brillants de curiosité.

— Vraiment; et quelle nouvelle avez-vous ?

— J'ai reçu une réponse m'informant qu'ils ne représentent plus lady Coventry, et ils ont été assez bons pour faire suivre la lettre à ses avocats ici, à Londres.

— À Londres, dit Jason en tapant sa plume sur sa table de travail. Vous ont-ils donné le nom de ceux qui représentent maintenant Sa Seigneurie ici ?

— Oui, j'ai le nom du cabinet.

L'avocat tendit un morceau de papier à Jason, qui l'étudia pendant quelques minutes.

— Qu'avez-vous découvert dans le testament de mon père ?

Meyer se racla la gorge.

— Il semble que le comte n'ait ajouté aucune condition à sa demande que vous épousiez lady Jane; seulement que vous deviez être marié dans les trois jours, s'il devait décéder avant son arrivée en Angleterre.

Jason grogna pour exprimer son opinion à l'égard de la requête du comte.

— Ce sont les conclusions de Meyer, Johns et Meyer qu'en l'absence d'instructions au-delà du mariage, vous êtes libre de demander une annulation. Avec tout le respect dû à la mémoire du comte, nous avons toujours été d'avis que toute cette affaire avait été bouclée beaucoup trop vite et sans la réflexion nécessaire et convenable.

L'avocat se racla encore une fois la gorge.

— L'annulation peut être demandée, à condition, évidemment, que le mariage n'a pas été consommé.

Il marmonna cette dernière partie de sa déclaration, et une rougeur vive monta sur son visage.

Jason ignora la question non formulée.

— Merci, Meyer. Veuillez me tenir informé de tout nouveau progrès.

Le jeune Meyer s'inclina devant lui et prit congé. Jason quitta son fauteuil et marcha jusqu'à la fenêtre en enfonçant les mains dans ses poches.

Elle avait été notifiée.

Était-elle bouleversée ? En larmes ? Furieuse ? Il se faisait l'impression d'être un maudit lâche d'agir ainsi, mais il apaisa sa conscience avec le fait qu'il avait tenté de discuter avec elle en personne, mais que c'était elle qui avait disparu. Si elle avait dû être notifiée par courrier, c'était donc sa faute.

« Pourquoi cela me fait-il l'impression d'être un goujat ? »

Il posa les mains sur le cadre de la fenêtre et appuya son front contre la vitre lisse.

« Et où diable à Londres est donc cette femme de toute façon ? »

Une fois de plus, Jason repéra lady Olivia simplement en entrant dans le théâtre. S'installant dans sa loge avec plusieurs invités qu'il avait conviés pour *La flûte enchantée,* il la remarqua presque immédiatement dans la loge des Lansdowne. L'attirance consciente entre les deux était une chose visible, et cela lui fit plaisir de la voir jeter un coup d'œil dans sa direction dès qu'il eut pris sa place.

Ensuite, il fronça les sourcils quand son regard tomba sur lord Carstairs assis à la droite de la dame, se penchant pour lui dire quelque chose à l'oreille. Elle rit de ce qu'il lui avait murmuré en rejetant la tête en arrière. La vue de son long cou élégant où il désirait tant poser ses lèvres provoqua un serrement dans son entrejambe. Il changea de position dans son fauteuil pour accommoder sa réaction physique. Ainsi penché sur elle, Carstairs avait carrément une vue plongeante dans le corsage de sa robe. Une envie folle d'écraser son poing dans le visage lubrique de l'homme le submergea.

— Chéri ; nous sommes finalement arrivés.

Jason grimaça, ses dents se serrant au son de la voix perçante de Selena. Collant un sourire sur son visage, il se tourna pour saluer lord Jillard, qui avait apparemment invité la femme au spectacle avec lui.

« C'est la dernière fois que j'invite ce bouffon. Il aurait dû être plus avisé que d'amener Selena avec lui. »

— Oh, regardez, Jillard ; il y a deux places devant, juste à côté de Sa Seigneurie.

Gémissant intérieurement, Jason se leva au moment où Jillard et Selena le rejoignaient. Il embrassa la main de Selena et jeta un bref regard à lady Olivia, qui le jaugea les sourcils levés, puis se tourna calmement vers Carstairs, se penchant près de lui pour lui dire quelque chose qui le fit sourire.

Jason tenta de montrer de l'intérêt pour les propos décousus de Selena, ses mains roulées en boule tandis qu'elle continuait de le toucher, exhibant une intimité qu'il ne ressentait plus. Il poussa un soupir de soulagement quand l'opéra commença enfin.

Deux fois pendant le spectacle, Selena posa ses doigts minces sur sa cuisse. Les deux fois, il changea de position de sorte à l'obliger à les retirer. Non découragée, elle profita de chaque occasion pour se pencher près de lui, poser sa paume sur son torse ou murmurer à son oreille. Quelques fois, il la surprit à jeter un regard à l'endroit où lady Olivia était assise, un petit sourire satisfait sur son beau visage.

Le rideau se ferma pour l'entracte, et Jason se leva.

— Je découvre que je suis assoiffé. Si vous voulez bien m'excuser.

— Je vais me joindre à vous.

Selena bondit sur ses pieds et faillit renverser sa chaise.

— Je trouve très inconfortable de rester assise tout le temps, milord ; pas vous ?

Elle s'accrocha à son bras avec possessivité.

Jason se tint le corps raide, les muscles du cou, des épaules et des bras tendus. Il se pencha près de son oreille, s'adressant uniquement à elle à voix basse.

— Selena, j'ignore à quel jeu vous jouez, mais j'aimerais qu'il cesse.

Il sourit et hocha la tête tandis qu'ils passaient devant des amis et des connaissances.

— Si vous ne venez pas me voir, milord, alors il semble que je doive vous courir après.

La colère brilla dans ses yeux brun foncé.

— Ne discutons pas de cela maintenant, milady.

Il accepta deux verres de limonade chaude d'un valet de pied et il lui en tendit un.

— Quand pouvons-nous en discuter, milord ? Il s'est écoulé passablement de temps depuis votre dernière visite.

Elle le contempla par-dessus le bord de son verre.

— Je vais vous rendre visite demain. Disons, quatorze heures ?

— Je vous attendrai.

Elle hocha légèrement la tête.

Ils se promenèrent dans le hall dans un silence tendu, puis ils regagnèrent la loge à temps pour la fin de l'entracte. Jason regarda immédiatement de l'autre côté de l'allée la loge des Lansdowne, mais elle était vide et elle le resta pour la fin de l'opéra.

Jason ne prenait jamais plaisir à mettre un terme à une relation avec une maîtresse, détestant les larmes, les reproches et le drame général qui accompagnaient habituellement de telles rencontres. Aucun doute ; son entrevue avec Selena serait pareille.

La maison de ville des Sheridan était située dans le quartier Mayfair de Londres, pas très loin de la résidence de Jason. Avec une journée inhabituellement dégagée et ensoleillée, et un vent léger, il choisit de marcher. Il monta les marches quatre à quatre et salua le majordome quand le domestique ouvrit la porte.

— Une journée des plus agréables, milord, dit l'homme.

— Oui, en effet, Jasper. Je vous prie d'informer Sa Seigneurie de mon arrivée.

— Elle vous attend dans le salon, milord.

Selena se prélassait d'une façon provocante sur un canapé dans une robe qu'il ne lui avait jamais vu porter ailleurs que dans sa chambre à coucher. Après avoir pris la pause pendant un moment, elle se leva gracieusement et traversa la pièce.

— Chéri, cela fait trop longtemps. Vous avez été un amant extrêmement négligent.

Elle fit ressortir ses lèvres pleines – celles dont il ne pouvait se rassasier à une certaine époque – pour faire la moue tandis qu'elle faisait courir ses paumes sur son torse avant d'encercler son cou.

Jason retira les bras de Selena, marcha jusqu'au buffet et se tourna, puis s'appuya dessus.

– Selena, vous savez pourquoi je suis ici.

Il étudia les différentes expressions qui passèrent brièvement sur son visage.

– C'est terminé, mon chou.

– C'est elle, n'est-ce pas ?

Elle parla d'une voix sifflante, toute tentative de jouer les dames élégantes disparaissant en un instant.

Il haussa les épaules, le geste indiquant clairement qu'il ne jugeait pas cela important.

– J'ignore de qui vous parlez.

– Oh oui ; vous le savez, milord. Cette pleurnicharde invitée séjournant chez lady Lansdowne. Je vous ai vu la dévorer des yeux à l'opéra hier soir. Mais vous pouvez l'oublier. C'est une innocente, et comme vous êtes *marié,* ce que vous semblez avoir oublié, elle est tout à fait hors de votre portée.

Elle retourna à son canapé et croisa les jambes, ce qui fit s'entrouvrir sa robe, dévoilant de longues jambes minces, dont une qu'elle balançait d'avant en arrière dans son émoi.

– Mon statut matrimonial n'est pas un sujet de discussion.

Seigneur, comment avait-il pu un jour trouver cette mégère désirable ? Son corps suintait la sensualité, mais au-delà de cela, c'était une vache sournoise et égoïste.

Réarrangeant son visage sous des traits plus agréables, elle le rejoignit d'un pas nonchalant.

— Je suis désolée, Coventry, sûrement, vous ne comptez pas mettre fin si vite à notre relation ?

Elle courba la main autour de son cou et attira sa tête en bas, vers sa bouche.

Jason sentit le désespoir dans le baiser de Selena, ce qui ne fit que le repousser davantage. Il leva la tête et il retira ses bras autour de son cou une seconde fois.

— J'ai quelque chose pour vous.

Elle croisa les bras sur sa poitrine, une expression têtue sur le visage.

— Un cadeau d'adieu, milord ?

Il tendit la main dans la poche de son manteau et en sortit une boîte à bijoux en velours noir. Les yeux de Selena s'illuminèrent de plaisir quand elle l'ouvrit pour découvrir un beau bracelet de saphirs et de diamants.

— Merci, milord. C'est réellement une belle pièce.

En le contemplant sous des paupières à moitié fermées, elle ajouta :

— Êtes-vous certain de ne pas vouloir rester un peu plus longtemps ? Je dois réellement vous remercier pour ce cadeau si attentionné. Nous pourrions nous retirer à l'étage.

— Non, ma douce, je dois partir.

Il fit glisser ses jointures sur sa joue.

Selena se redressa et l'accompagna à la porte.

— Alors, je vais vous souhaiter une bonne journée.

Jason lui embrassa la main et partit. Il descendit les marches quatre à quatre en se sentant le cœur léger, pas comme lorsqu'il avait mis fin à ses précédentes liaisons. Cette fois, il avait quelque chose à espérer. Une fois que le parlement lui accorderait son annulation, il avait toutes les intentions de courtiser la belle lady Olivia. Pas à des fins infâmes, mais avec le mariage en tête. Si seulement le vieux comte avait patienté quelques mois avant de lever l'ancre, son fils et lui auraient été tous les deux satisfaits.

En sifflotant, il se mit en route vers sa maison.

Chapitre 10

Olivia s'étendit dans la baignoire, savourant la détente fournie par l'eau chaude et parfumée. Dans la lettre de ses avocats, ils lui garantissaient qu'on veillerait à un règlement généreux une fois que le parlement accorderait l'annulation. Olivia pressa le chiffon pour laisser l'eau couler goutte à goutte sur sa jambe allongée. Avec l'argent de Coventry et l'héritage de son père, elle pourrait poursuivre son étude de la musique, ce qui signifierait fort probablement un retour en Italie. Ou bien elle pourrait acheter une petite maison ici, à Londres, mais la tournée incessante des fêtes, des bals et des raouts année après année ne l'attirait pas. Ni l'air vicié et les foules de la cité. Évidemment, elle pouvait prendre en considération une offre de l'un des gentlemen qui se rassemblaient autour d'elle tous les soirs. N'ayant aucun membre masculin dans sa famille, ce serait elle qui accepterait ou déclinerait toute offre présentée. Elle sourit pendant qu'elle s'imaginait envoyant des prétendants potentiels à Jason pour son approbation ou son refus des offres. Il pouvait aussi négocier les arrangements en son nom.

Olivia soupira et regarda par la fenêtre à l'autre extrémité de la pièce le tourbillon de nuages filant dans le ciel. Malheureusement, de tous ses prétendants, le seul qui lui enflammait le sang et augmentait sa sensibilité était le mari qui ne voulait pas d'elle.

Elle ravala sa peine et sortit de la baignoire pour se sécher. N'étant pas accoutumée à se retrouver nue devant quelqu'un d'autre, elle n'utilisait pas les services de sa femme de chambre pour l'assister pour son bain. Elle s'était débrouillée seule presque toute sa vie, de toute façon. Elle se glissa dans un peignoir et s'assit devant la cheminée en se séchant les cheveux.

Comme toujours, ses pensées revinrent à sa situation embarrassante avec lord Coventry. Comment auraient-ils évolué ensemble s'il ne l'avait pas quittée le matin suivant leur mariage ? Comme il semblait aujourd'hui attiré par elle, ils auraient pu très bien s'entendre. Elle l'imagina lui faisant l'amour. Malgré le désir qu'elle ressentait en sa présence, en raison de leur passé, elle ne comptait nullement encourager ses avances. Plus elle se tiendrait loin de lord Arrogant, mieux cela vaudrait pour sa paix d'esprit.

Mettant ses inquiétudes de côté, elle sonna la femme de chambre pour qu'elle l'aide à s'habiller, indubitablement pour une autre de ses longues et inintéressantes soirées. Lord et lady Banbury seraient leurs hôtes pour cette soirée musicale. Malgré sa faible tentative pour convaincre Elizabeth qu'elle préférerait rester à la maison avec un bon livre, la déception sur le visage de son amie l'avait vite persuadée de changer d'avis.

La soirée musicale des Banbury fut immensément plus agréable que ne s'y était attendue Olivia. Elle s'assit dans la première rangée, laissant la musique apaisante l'envelopper. Trois musiciens professionnels engagés pour la soirée avaient interprété plusieurs morceaux familiers. Après un court entracte, quelques jeunes dames avaient pris la relève, faisant étalage de leurs talents sur le pianoforte, la harpe et la flûte. Malheureusement, Olivia ne trouva rien de bien gratifiant dans cette musique pour son oreille exercée.

— Lady Banbury.

Assise à côté d'Olivia, Elizabeth leva la main pour attirer l'attention de leur hôtesse au moment où lady Mary Alice quittait l'estrade.

— On devrait encourager lady Olivia à jouer pour nous. Elle est très talentueuse.

Olivia rougit et pivota vers Elizabeth.

— Je vous en prie, non. Je n'ai pas joué depuis des semaines.

Elizabeth se pencha pour lui murmurer à l'oreille :

— Cela importe peu, ma très chère, vous le savez. Ne soyez pas idiote.

— Ma chérie, j'insiste pour que vous jouiez pour nous.

Lady Banbury vint se poster devant Olivia en lui prenant la main.

— Je vous en prie, nous adorerions vous entendre, n'est-ce pas ?

Elle se tourna et s'adressa au public, qui produisait un mélange de quelques applaudissements et de murmures, signifiant ainsi leur accord quelque peu réticent. Indubitablement, le groupe avait atteint sa tolérance en matière de performances d'amatrices, mais Elizabeth la poussa délicatement dans le dos, et lady Banbury la tira en avant de la salle.

Tandis qu'elle s'installait au pianoforte, elle passa en revue dans sa tête les différentes pièces qu'elle pouvait jouer de mémoire. La foule continua à parler, son agitation rendant Olivia nerveuse. Elle ne pensait vraiment pas que quiconque se montrerait réceptif à sa performance, mais elle opta pour *Quasi una fantasia* de Beethoven, qui commençait d'une manière agréable et lente, puis se transformait pour devenir l'un des plus beaux morceaux qu'elle avait jamais joués de sa vie.

Environ quinze secondes seulement après le début de la pièce, elle se perdit dans la musique, elle devint la musique. Il n'y avait plus de public, plus de salle de musique Banbury, pas de père qui l'avait émotionnellement abandonnée, pas de problèmes avec un mari qui ne voulait pas d'elle. Le silence se fit dans la salle tandis que la haute société de Londres restait assise dans un silence captivé pendant que les doigts d'Olivia glissaient sur les notes, arrachant à l'instrument une réponse sensuelle de plaisir soutenu.

• • •

Jason était assis au fond de la salle, agité par l'impatience, s'ennuyant comme d'habitude à cette sorte de soirée. Son désir de revoir encore une fois lady Olivia rendait sa brève apparition nécessaire. Elle était à présent assise à l'avant avec lady Lansdowne et — ses narines se dilatèrent — lord Carstairs. Avec de la chance, les maudites performances cesseraient bientôt, et il pourrait saisir cette occasion de lui parler.

Il était sur le point de pousser un soupir de soulagement alors qu'il devenait évident que la soirée musicale tirait à sa fin, quand lady Lansdowne suggéra que lady Olivia joue.

Son attention immédiatement engagée, il regarda Olivia prendre place au pianoforte. Elle s'était habillée d'une robe lavande pâle, avec un ruban violet plus foncé sous ses seins avant que la robe ne retombe en plis harmonieux jusqu'au sol. Il sentit son entrejambe se serrer quand elle s'assit, lissant la robe sur son joli derrière. Il se cala sur sa chaise, les bras croisés, se concentrant sur la vision de beauté qu'était lady Olivia, avec ses lèvres retroussées par la concentration pendant qu'elle captivait l'assemblée grâce à son expertise. La femme était réellement remarquable, extrêmement talentueuse. Le public cessa de parler alors que tout un chacun fixait son attention sur la belle dame jouant avec son cœur.

En la fixant sous cet angle, en mesure de voir uniquement son profil, il eut la vague impression de la reconnaître. Quelque chose dans cette image tiraillait sa mémoire. Il ferma les yeux brièvement et laissa la musique le submerger tandis qu'il tentait de capturer la vision qu'il cherchait.

La musique envoûtante se termina, et il ouvrit les yeux pour la regarder au moment où elle se tournait vers le public. Ses yeux croisèrent les siens, ses beaux yeux violets, brillants de larmes.

Jason eut l'impression d'avoir été frappé par l'éclair. Sa bouche se dessécha complètement, et son cœur s'accéléra. Différentes voix résonnaient de manière chaotique dans sa tête.

« Elle joue comme un ange. »

« Oui, milord, c'est ma première saison. »

« J'ai voyagé avec mon père. »

« Le testament de votre père stipule que vous devez épouser lady Jane Grant, qui vivait avec son père en Italie. »

« Lady Olivia Grant, milord. »

« Par l'enfer ! Cette diablesse qui me fait baver d'envie est ma propre femme. Nom de Dieu ! »

Jason se leva brusquement, si vite que le sang n'eut pas le temps de rattraper son cerveau, et il vacilla. Prenant une profonde respiration, il quitta la salle et se dirigea vers la porte d'entrée. Marchant à grandes enjambées vers son carrosse, il bondit à bord et ordonna au cocher de le conduire à la maison de Drake.

• • •

Olivia se leva pendant que les applaudissements enthousiastes de la foule flottaient jusqu'à elle. Des larmes lui emplirent les yeux, ses émotions étant exacerbées. Comme la musique lui manquait. Elle lui avait tenu compagnie pendant de si nombreuses années quand elle n'avait personne d'autre. Les semaines qu'elle avait passées au manoir Coventry étaient devenues supportables grâce au plaisir qu'elle avait éprouvé quand ses doigts volaient sur les notes, libérant l'angoisse, la colère et le chagrin.

Elle tomba sur le visage d'Elizabeth et elle sourit. De là, son regard vagabonda dans la salle jusqu'à l'endroit où Jason était assis, et son sourire vacilla.

Ses narines étaient dilatées ; sa mâchoire, contractée. Son visage était blême comme la mort, et il sembla trébucher quand il se leva. Il irradiait la colère comme elle n'avait jamais vu personne le faire, et elle recula véritablement d'un pas, même s'il était éloigné d'elle par une salle bondée. Respirant profondément, il ferma les mains en poings sur ses flancs, il pivota et il quitta la pièce.

« Qu'est-ce qui ne va pas ? M'a-t-il enfin reconnue ? »

Elle soupira de soulagement alors qu'il s'en allait, mais une confrontation avec lord Arrogant faisait assurément partie de son avenir.

Levant le menton, elle se dit qu'elle était prête.

• • •

Jason entra en trombe dans la bibliothèque de la maison de ville des Stafford et s'arrêta, les pieds écartés, les mains en poings sur ses flancs.

— Nom de Dieu, Drake, c'est elle.

Il jeta un regard noir à son meilleur ami.

Drake mit son livre de côté.

— Qui, elle ?

— Lady Olivia, gronda Jason.

— Vous n'êtes pas clair. Qui ou quoi est lady Olivia ?

Jason fit courir ses doigts dans ses cheveux.

— Suivez-moi, vieux. L'estimée invitée séjournant chez Elizabeth, la belle lady Olivia, n'est nulle autre que lady Jane Grant. Ma femme !

Drake le dévisagea un moment, la mâchoire décrochée.

— Lady Jane et Lady Olivia sont une seule et même femme ?

Jason acquiesça d'un signe de tête, sa mâchoire si contractée qu'elle le faisait souffrir. Jamais dans sa vie il n'avait fait un tel fou de lui.

Drake sourit largement.

— Voyons si je comprends bien. Depuis des semaines, vous vous mettez en quatre pour trouver une femme mystérieuse. Vous ignoriez totalement quand elle était arrivée en ville, avec qui elle demeurait et même à quoi elle ressemblait. Si vous trouviez cette épouse insaisissable, vous comptiez la contraindre à accepter l'annulation, je ne suis même pas certain que vous ayez des motifs pour cela, afin de pouvoir courtiser la dame, il s'avère, que vous aviez déjà épousée. Est-ce que cela résume bien la chose ?

Drake rejeta la tête en arrière et hurla de rire.

En un éclair, Jason frappa aveuglément, son poing atterrissant sur le menton de son ami. Drake et le fauteuil se renversèrent, les pieds dans les airs.

Jason se frotta les jointures et faillit arracher la porte de son cadre quand il l'ouvrit à la volée et quitta la pièce.

— Je suppose que j'ai bien compris, cria Drake dans son dos.

Jason descendit les marches en courant, essayant de maîtriser la colère palpable qui rugissait en lui.

Penser qu'elle était sous son nez depuis tout ce temps et qu'elle n'avait jamais donné d'indication sur son identité. On avait fait un fou de lui, et ce n'était pas acceptable. Apparemment, les Lansdowne étaient aussi au courant du subterfuge.

Bien, il en aurait long à dire à lord Lansdowne la prochaine fois que leurs chemins se croiseraient. Lansdowne gardant son épouse cachée de lui enflammait Jason presque autant que la supercherie de lady Olivia.

Il chassa furieusement toute culpabilité qui tentait de pointer sa méchante tête. Ce qu'il avait fait n'était pas digne d'un gentleman, mais la fureur qu'il ressentait envers elle parce qu'elle était restée là sans rien dire chaque fois qu'ils s'étaient rencontrés, prétendant être quelqu'un d'autre, l'étouffait presque.

Si douce et réservée, ne bronchant pas quand il faisait un fou de lui en la flattant servilement. Et que croyait-elle faire exactement à flirter avec les séducteurs notoires de Londres et à accepter des danses avec tout un chacun ? Et Carstairs baissant les yeux sur sa robe à l'opéra. La prochaine fois qu'il voyait cet homme, il s'assurerait que ses yeux ne pourraient plus plonger dans la robe de n'importe quelle femme pendant un bon moment.

Jason réprima l'envie de confronter immédiatement lady Olivia – lady Coventry, corrigea-t-il. Au lieu de cela, il revint chez lui et se saoula ferme, réfléchissant à toutes les choses qu'il lui dirait le lendemain soir, au bal des Beresford.

« Dormez bien, ma jolie, car nous nous rencontrerons bientôt. »

Chapitre 11

Après avoir salué ses hôtes, Jason descendit les marches de l'immense salle de bal et scruta la foule. Son regard se posa immédiatement sur lady Olivia. Elle était sublime dans une robe en soie de la couleur d'un riche Bordeaux. Le corsage légèrement plissé modelé assez bas pour permettre à son superbe décolleté de se montrer à son avantage. La bande sous ses seins et en bordure des mancherons était rose foncé. La robe retombait en plis souples, couvrant à peine ses chaussons roses. Un large collier de diamants, près de sa gorge, attirait la lumière des centaines de bougies. Les boucles de sa luxuriante chevelure noire étaient rassemblées sur le dessus de sa tête, avec des mèches folles oscillant doucement sur ses tempes. De petites boucles d'oreille en diamant brillaient à chacun de ses lobes délicats. Elle lui coupait le souffle.

« Et elle est entièrement à moi. »

La duperie était finie. Il lui dirait ce soir qu'il voyait clair dans son jeu et exigerait qu'elle déménage de la maison de ville des Lansdowne et fixe sa résidence là où était sa place, dans la maison Coventry. Son sang s'activa, imaginant sa magnifique chevelure étalée sur son oreiller à lui, ses yeux violets brûlant de passion tandis qu'il faisait courir ses mains sur son corps exquis, découvrant chaque point sensible avec ses lèvres.

Les musiciens finirent d'accorder leurs instruments, et les accords de la première valse attirèrent l'attention de la foule. Complètement centré sur une seule femme, Jason traversa l'assemblée à grands pas, ignorant les dames qui jetaient des regards vers lui derrière leurs éventails peints. Il réussit à rejoindre Olivia avant son partenaire. Il s'inclina légèrement devant elle, lui prit la main et la guida vers le plancher de danse.

— Excusez-moi, milord, mais ce n'est pas votre danse.

Olivia libéra sa main en tirant doucement.

Il récupéra sa main avec la colère brillant dans ses yeux.

— En fait, ce l'est, *lady Coventry.*

Jason jeta un regard mauvais à lord Fairfax au moment où le dandy arrivait à leur hauteur et tentait de réclamer Olivia. Un regard, et Fairfax abaissa la main et recula.

Jason fit tourner Olivia dans ses bras, et la valse commença. Olivia leva le menton et garda les yeux fixés sur un point à gauche de son épaule. Il l'observa comme un chat avec une souris, les yeux plissés, les lèvres pressées. Et son sang pompa pour rejoindre l'endroit le plus ému par le doux parfum de lavande se dégageant de sa chevelure. De la *lavande*!

— Vous êtes belle ce soir, *lady Jane.*

Il se pencha près de son oreille.

Les yeux d'Olivia lancèrent des éclairs, et ses joues rosirent.

— Donc, vous savez. Félicitations pour votre intuition. Il vous a fallu seulement des semaines pour me reconnaître, dit-elle sèchement.

Elle tenta de s'écarter de lui, mais il la retint fermement, la collant davantage sur son corps.

— Je ne peux pas respirer, milord.

Il desserra sa prise.

— Ne songez pas à me laisser en plan, ma chère. Nous allons terminer cette danse et nous allons nous promener dans les jardins. Entre-temps, vous allez sourire et agir comme si cette danse était la plus merveilleuse de votre vie.

— Et pourquoi, par le ciel, ferais-je une chose semblable ?

— Parce que, mon amour, toute la haute société nous observe, et nous ne voulons pas lui donner de raison de cancaner, n'est-ce pas ?

Olivia détourna légèrement la tête, examinant le nœud complexe de sa cravate, son échine aussi raide qu'une planche.

Les dernières notes s'étaient à peine tues quand il posa la paume d'Olivia sur son bras, couvrant sa main de la sienne.

— Une promenade dans le jardin, lady Olivia ? dit-il assez fort pour que tout le monde à proximité l'entende.

Olivia sourit gracieusement et dit dans sa barbe :

— Allez en enfer, milord.

— Ah, c'est donc commencé, rétorqua-t-il.

• • •

Les nerfs d'Olivia avaient été tendus comme un arc toute la journée alors qu'elle se demandait si le départ brusque de Jason le soir précédent avait réellement quelque chose à voir avec son subterfuge. Elle avait passé beaucoup de temps à choisir la bonne robe et les accessoires appropriés pour rencontrer son adversaire. Sa confiance en elle s'était renforcée quand elle avait contemplé son reflet dans la glace.

Mais à présent qu'elle était réellement en face de lui, à cause du choc et de la colère devant sa référence nonchalante à son nom exact, sa main lui démangeait de l'envie de gifler son visage arrogant. Quelle était la raison de cette promenade et quelles étaient ses intentions ?

Ils errèrent sur le sentier du jardin, hochant la tête en direction des autres promeneurs. À un moment donné, Jason l'entraîna sur une piste s'éloignant de la maison. Ils marchèrent plusieurs minutes, sans voir personne, quand il la guida sur un petit banc de pierre. Après qu'elle se fut assise, il se plaça en face d'elle, posant un pied sur le banc, appuyant son coude sur son genou. Elle leva les yeux vers lui, et son cœur commença à battre si violemment qu'elle fut certaine qu'il pouvait l'entendre. Il avait l'air si mâle, un véritable prédateur. Elle sentit une émotion forte quitter le corps de Jason par vagues. Incapable de retenir sa langue plus longtemps, de peur de s'évanouir sous la tension, elle lança le combat.

— Que désirez-vous me dire, milord ?

— Vous avez fait un fou de moi, madame.

Il parla avec une intensité maîtrisée.

Elle leva le menton.

— Vraiment ? Puis-je vous rappeler votre état à notre *mariage* ? Toute apparence de folie repose uniquement sur vous, milord.

Jason changea de position, puis, posant les paumes sur le banc, de chaque côté des hanches d'Olivia, il se pencha vers elle.

— Pourquoi ne m'avez-vous pas dit qui vous étiez ?

— Encore mieux, milord.

Elle pencha la tête en arrière pour mettre plus de distance entre eux.

— Pourquoi ne saviez-vous pas qui j'étais ?

Il se redressa et passa des doigts raides dans sa chevelure.

— Je ne m'en souvenais pas, car j'étais ivre.

— Ah.

Elle prononça le mot dans un souffle.

— Votre état d'ébriété à notre mariage était éloquent quant à votre respect à mon égard et envers les vœux que vous avez prononcés.

— Je ne vous connaissais pas, à ce moment-là.

Elle se leva et tenta de le contourner.

— Vous ne me connaissez pas aujourd'hui, milord.

Il agrippa son avant-bras et se pencha plus près.

— J'insiste pour que vous déménagiez vos effets de chez lord Lansdowne et les transfériez dans la maison Coventry. Je vais envoyer un carrosse demain matin.

Olivia l'observa, ses yeux s'arrondissant, ses sourcils s'arquant vers le ciel.

— Pardonnez-moi, monsieur, mais je ne ferai rien de tel.

— Vous êtes ma femme, Olivia, et vous allez emménager dans ma maison.

Un muscle joua sous sa mâchoire.

Les yeux d'Olivia brillèrent de colère.

— Je ne vous ai pas accordé la permission de m'appeler par mon prénom. Et si ma mémoire m'est fidèle, milord, je ne suis plus votre femme puisque vous avez présenté une demande d'annulation.

Elle n'arrivait pas à croire à l'arrogance de cet homme. Comme si elle allait simplement lui tomber dans les bras de gratitude et sangloter de reconnaissance. Il agita la main pour chasser cela.

– Il n'y aura *pas* d'annulation.

– J'ai déjà signé le formulaire de consentement et l'ai renvoyé à mes avocats.

Elle se drapa dans sa détermination.

– Il n'y aura pas d'annulation. Ni maintenant, ni jamais. Vous allez emménager chez moi demain.

– Comment osez-vous ! Vous pensez que je suis un genre de marionnette que l'on place ici, puis là, que l'on met de côté, puis que l'on reprend ?

Avant même de réfléchir, elle leva la main et le gifla.

– Je vous déteste. Je n'emménagerai jamais dans votre maison et je ne vous adresserai plus jamais la parole.

Elle pivota et marcha d'un pas raide pour retourner dans la maison.

Olivia tenta de calmer son cœur battant avant de pénétrer dans la salle de bal. Cela ne serait pas convenable qu'elle semble agitée. On avait pu remarquer que Jason et elle étaient sortis ensemble, et il s'ensuivrait des potins si elle revenait seule dans un état de panique.

Elle se frotta les mains ensemble pour diminuer la brûlure dans sa paume, qu'elle sentait même à travers son gant. Jamais de toute sa vie elle n'avait ainsi perdu la maîtrise d'elle-même. Oh, que l'homme était arrogant ! Lui ordonner, tout simplement, d'emménager dans sa demeure et d'assumer ses responsabilités d'épouse. Bien, elle n'avait nullement l'intention de déménager dans la maison Coventry. Une fois l'annulation prononcée, elle quitterait Londres et rentrerait en Italie.

• • •

Jason se frotta le visage et s'assit sur le banc de pierre.

« Cela s'est bien passé, non ? »

Être témoin de la fureur d'Olivia, ressentir sa haine et son chagrin, cela fit un grand trou dans sa confiance en lui. Il détestait admettre combien son dégoût et sa répugnance l'avaient bouleversé.

« Dieu que je peux être idiot. »

Le souvenir d'Olivia en proie à la colère resserra ses hauts-de-chausse. Il inspira profondément. Le violet de ses yeux s'était assombri jusqu'à devenir presque noir. Prendraient-ils cette couleur, quand la passion la gagnerait ?

Elle était véritablement splendide dans sa fureur. Non habitué à autre chose qu'à l'admiration de toutes les femmes dans sa vie, il avait été piqué par Olivia. Il comprenait à présent l'expression « fou de rage ». Il se frotta la joue une autre fois et sourit largement en se remémorant comme il avait été soupe au lait. Et c'est elle qui l'avait enflammé.

Cependant, le problème demeurait quant à la façon dont il pouvait régler cela. Et il le ferait. Une chose était claire : il ne comptait nullement poursuivre la demande d'annulation. Cela prendrait un certain effort, mais il avait l'intention de ravaler sa fierté et de gagner le cœur de sa femme.

• • •

Le corset d'Olivia l'empêchait d'inspirer profondément, et des points noirs dansaient devant ses yeux. Elle devait faire peur à voir. Son cœur battait encore la chamade, son visage lui semblait chaud, et des larmes emplissaient ses yeux.

«Je ne vais pas pleurer. Cet imbécile prétentieux ne m'incitera pas à m'embarrasser moi-même devant tout le monde.»

Après s'être glissée discrètement à l'intérieur par les portes françaises, elle s'assit sur une chaise à proximité pour reprendre son souffle. Elle s'éventa vigoureusement, et son cœur commença à ralentir et sa respiration redevint normale. L'épuisement causé par sa rencontre avec Jason la submergea. Dès qu'elle se sentit suffisamment remise, elle se leva pour chercher Elizabeth. Ses pas s'arrêtèrent brusquement quand lord Fairfax lui agrippa le bras.

— Vous portez-vous bien, lady Olivia?

Ses yeux étaient chaleureux et doux.

Olivia tourna un faible sourire vers lui.

— Je ne me sens pas tout à fait bien, milord, et quelque peu déshydratée. Auriez-vous l'amabilité de m'escorter?

— Mais bien sûr, milady.

Il posa une main possessive sur celle d'Olivia posée sur son bras à lui et il la guida vers la table des rafraîchissements. Olivia continua à chercher son amie, sans la repérer.

Fairfax lui remit un verre de limonade et commença une dissertation sur l'inquiétude qu'il ressentait à propos de différentes maladies de sa mère.

Olivia hochait la tête, impatiente de s'éloigner de lui et de son bavardage incessant.

— Lady Olivia, c'est notre danse, je crois?

Elle se tourna avec reconnaissance pour voir Drake debout avec la main tendue, un pétillement dans ses yeux brillants.

— Oui, en effet, milord.

Elle sourit à lord Fairfax, puis elle se joignit à son partenaire pour le quadrille. Elle se sentit beaucoup mieux après la danse entraînante avec Drake. Quelque chose dans son comportement lui indiqua qu'il était au courant de son subterfuge, mais qu'il trouvait cela amusant. Le reste de la soirée se passa agréablement, et elle ne revit pas lord Arrogant. Avec de la chance, il était rentré chez lui et la laisserait maintenant en paix pour toujours.

• • •

Le lendemain après-midi, Olivia était debout à fixer le foyer du salon, quelques minutes avant que des visiteurs attendus n'arrivent à la maison de ville Lansdowne.

— Il sait.

— Oh, mon doux.

De sa position sur le canapé, Elizabeth croisa les mains sur ses cuisses et la considéra du regard.

— Je me disais qu'il devait s'être passé quelque chose de semblable quand je vous ai vus ensemble tous les deux hier soir. Je voulais vous interroger là-dessus ce matin, mais je savais que vous m'en parleriez lorsque le moment serait bon selon vous.

Olivia arpenta la pièce, son visage rougissant alors qu'elle se remémorait leur conversation.

— Son intention est que nous restions mariés.

Elle s'arrêta devant Elizabeth et croisa les bras.

— Il m'a presque ordonné de déménager mes effets dans la maison Coventry pour le reste de la saison.

— Doux Jésus.

Elizabeth scruta les yeux de son amie.

— Et que voulez-vous, Olivia ?

Elle leva le menton.

— Je ne veux plus jamais poser les yeux sur ce maudit homme de ma vie.

Avant qu'elle puisse poursuivre, un valet de pied annonça le premier de leurs invités, et Olivia sourit.

Moins d'une heure plus tard, lord Fairfax s'assit à côté d'Olivia sur le canapé et s'excusa au nom de sa mère absente, puisqu'elle devait se remettre des divertissements de la soirée précédente.

Lord Carstairs venait de s'installer dans le petit fauteuil en face d'Elizabeth, quand Staunton entra.

— Lord Coventry, annonça-t-il.

Jason entra à grands pas dans la pièce, prenant plus de place que ne le devrait tout homme. Les poumons d'Olivia cessèrent de fonctionner, et elle trouva difficile de respirer. Il portait un manteau bleu foncé épousant ses formes sur lequel un tailleur n'avait pas besoin d'ajouter de rembourrage. Sa culotte brun clair et ajustée mettait en évidence ses cuisses musclées, et ses bottes noires d'Hesse brillaient si vivement qu'elles pouvaient remplacer une glace. Cependant, la partie la plus impressionnante de lord Coventry était ses yeux bleus perçants et la mèche noire qui retombait d'une manière canaille sur son front.

Il s'inclina légèrement devant Elizabeth et embrassa la main qu'elle lui présentait. Seules des années de bienséance obligèrent Olivia à tendre la main quand Jason s'inclina devant elle. Il tendit la main vers la sienne et, la regardant directement dans les yeux, il lui décocha un sourire malicieux. Elle se raidit. Il semblait que son mari venait de lui lancer un défi.

— Lord Coventry, cela fait bien longtemps que vous nous avez rendu visite.

Les cils d'Elizabeth papillotèrent.

— Beaucoup trop longtemps, milady. Je vous présente mes excuses pour cette grossière négligence envers une si bonne amie.

Olivia grogna pour exprimer son opinion, puis elle ravala en s'apercevant qu'elle avait fait une chose aussi inélégante. Elle reporta rapidement son attention sur lord Fairfax.

— Je vous prie de présenter mes hommages à votre mère. J'espère qu'elle se remettra vite d'hier soir.

Lord Fairfax rougit comme une pivoine et sourit avidement. Olivia jeta un coup d'œil à Jason, dont les yeux brillaient d'hilarité contenue. Elle se renfrogna.

— Lady *Olivia*.

Jason insista sur son nom.

— Je vous ai entendue jouer à la soirée musicale des Banbury l'autre soir. Puis-je vous dire comme j'ai été totalement surpris devant votre talent inattendu ?

— Merci, milord.

Sa mâchoire vibrait sous la tension.

Ramassant une poussière invisible sur son manteau, il ajouta :

— Je suis certain qu'une belle dame comme vous a de nombreux secrets cachés.

— Ma musique n'est pas un secret, milord.

Son menton se releva, et elle sentit la chaleur lui monter au visage.

Jason se pencha en avant, un sourire malicieux sur le visage.

— Sûrement, vous avez d'autres secrets ?

Elizabeth se leva si brusquement qu'on aurait dit qu'elle avait été propulsée hors de son fauteuil par un pied invisible.

— Je vais sonner pour le thé, messieurs.

Elle se hâta vers la cloche et donna des instructions quand la domestique apparut.

Le cœur d'Olivia battait violemment dans sa poitrine. Pour qui se prenait-il ? Elle lui avait dit la veille qu'elle ne voulait rien avoir à faire avec lui, et il était ici, assis dans le salon d'Elizabeth, l'air du plus affable des seigneurs. En vérité, elle avait du plaisir à se disputer avec lui. Un digne adversaire, il était aussi beau comme le péché et dangereux comme un tigre. Il serait dans son intérêt le plus fondamental de se rappeler ce dernier fait.

— Je viens de prendre livraison d'une magnifique jument de chez Tattersall's et je me demandais si cela vous tenterait de vous joindre à moi pour une promenade demain matin.

Lord Carstairs regarda directement Olivia au moment où il acceptait une tasse de thé des mains d'Elizabeth.

Alors qu'Olivia ouvrait la bouche pour répondre, Jason dit doucement :

— Nous adorerions faire de l'équitation avec vous demain matin, n'est-ce pas, lady *Olivia* ?

Lord Carstairs jeta un regard à Jason, puis à Olivia.

— Hum, oui, je crois qu'une chevauchée en groupe serait juste ce qu'il faut. Et vous, lady Lansdowne ? Et bien sûr, lord Fairfax, vous seriez extrêmement bienvenus, vous aussi.

Olivia jeta un regard noir à Jason, sa bouche pressée en une ligne fine.

— Je ne suis pas certaine de posséder la tenue appropriée pour une promenade à cheval, milord.

— Oh non, ma très chère ; souvenez-vous que mademoiselle DuBois vous a envoyé votre tenue d'équitation il y a quelques jours.

Elizabeth s'adressa aux gentlemen.

— Lady Olivia s'est occupée de refaire sa garde-robe pendant son séjour chez moi.

— Ah, une nouvelle garde-robe, dit paresseusement Jason. Un passe-temps favori des femmes. Je peux réellement imaginer à quoi ressemblent les factures.

Olivia le contempla dans un silence de mort. Tournant la tête, elle regarda lord Carstairs avec insistance.

— Néanmoins, je serai heureuse de me joindre à vous pour une promenade à cheval le matin.

— Formidable.

Jason sourit largement.

— À quelle heure allons-nous tous nous rencontrer ?

Lord Carstairs s'éclaircit la gorge et survola le groupe du regard.

— Huit heures serait-il satisfaisant ? Nous pourrions nous promener sur Rotten Row.

— Je crains de devoir tirer ma révérence.

Lord Fairfax soupira.

— Mère prend son petit déjeuner chaque jour à huit heures trente précisément et elle attend toujours avec impatience ma compagnie. Une autre fois, peut-être.

— J'ai bien peur de devoir aussi décliner, intervint Elizabeth. J'ai un rendez-vous avec mademoiselle DuBois le matin pour quelques essayages. Cependant, je suis convaincue que les deux gentlemen prendront plaisir à la compagnie de lady Olivia.

Olivia gémit intérieurement. Lord Arrogant l'avait battue à plate couture.

Fairfax se leva.

— Je crains de devoir quitter cette charmante compagnie. Mère m'attend sous peu pour l'aider avec ses arrangements floraux.

Jason s'étrangla de rire, et Olivia se leva.

— Je vais vous raccompagner, milord.

Elle accepta son bras et, quand elle passa devant Jason, elle marcha directement et fermement sur la cambrure de son pied, bondissant un peu pour plus d'effet. Il grimaça, mais il ne dit rien alors qu'elle tirait sa jupe vers son corps pour éviter de le toucher. Elle leva le menton et redressa les épaules pendant que Fairfax et elle sortaient de la pièce. Quand elle jeta un regard en arrière, elle sourit devant la vision de Jason se frottant le pied contre son autre jambe, hochant la tête en réponse à quelque chose dit par Elizabeth.

« Défi lancé, en effet ! »

Chapitre 12

Jason rejoignit son carrosse à grandes enjambées et cria au cocher de le conduire chez White's. Il sourit largement tandis que le véhicule démarrait. Quelle petite mégère que son Olivia ! Elle était loin d'être timide, celle-là. Il rit doucement. Cet affrontement de deux volontés pouvait devenir très intéressant, c'est le moins qu'on puisse dire.

Elle avait une telle difficulté à maîtriser sa colère, cela l'incitait encore plus à la taquiner. Il savait que la main devait lui démanger de l'envie de le gifler encore une fois, mais ce pas sur son pied avait dû soulager un peu de sa tension. Il adorait sa nature passionnée et comptait en profiter pleinement lorsque le moment viendrait.

En très peu de temps, il s'était installé dans un confortable fauteuil en cuir en face de Drake.

— Vous m'avez manqué à Tattersall's ce matin. J'avais les yeux sur une belle pièce de cheval.

Jason survola la pièce du regard et fit signe à un valet de lui apporter un whisky.

— Comment va votre menton ?

Drake le toucha du bout du doigt.

— Bien. J'ai vu pire.

Il se cala dans son fauteuil et allongea les jambes.

— Alors, qu'allez-vous faire ?

— À quel propos ?

— À propos de la belle lady Olivia.

Jason fixa le vide un moment.

— Ah, vous voulez dire, la belle lady Coventry ? *Ma femme.* La femme à qui je suis marié légalement et légitimement. Cette lady Coventry ?

Drake secoua la tête et sourit largement.

— Mais la belle lady Coventry voudra-t-elle de vous ?

— Bien sûr que non. Elle me déteste. Elle me l'a dit hier soir. Ce qui explique pourquoi je crée une campagne pour regagner son cœur.

— Désolé, mon vieux ; mais vous ne l'avez jamais eu en premier lieu. Vous avez rejeté la dame. Qu'est-ce qui vous fait penser que vous pouvez la séduire aujourd'hui ?

— Un Coventry n'abandonne jamais. Rappelez-vous de cela, Drake. Je n'ai nullement l'intention de laisser ce corps exquis aller où que ce soit, sauf dans mon lit.

• • •

Olivia jura dans sa barbe alors qu'elle redressait son chapeau d'équitation devant la glace. La plume coquine entourait son visage, lui touchant presque la lèvre. La tenue d'équitation azur en laine légère rehaussait ses yeux, éclaircissant le violet foncé. Elle se mordit les lèvres et se pinça les joues pour ajouter de la couleur.

« Pourquoi est-ce que je fais cela ? J'aurais dû laisser un mot pour dire que j'avais un mal de tête et étais incapable de monter à cheval. »

Toutefois, elle n'avait pas l'intention de laisser le comte Arrogant avoir le dessus sur elle. Il avait bien pu manipuler Carstairs pour l'inclure dans sa chevauchée matinale, mais elle n'allait lui montrer aucune pitié. Ses yeux pétillèrent quand elle pensa à quel genre d'ennuis elle pourrait lui causer aujourd'hui. Soudainement, elle attendait la promenade avec impatience.

Le premier gentleman arriva à huit heures tapantes. Olivia enroula le bas de sa tenue d'équitation par-dessus son bras et descendit les marches jusqu'au vestibule, où lord Carstairs parlait doucement avec Staunton. Carstairs leva les yeux quand elle apparut, un sourire illuminant son visage.

— Bonjour, lady Olivia. Vous êtes magnifique, comme toujours.

Elle le rejoignit et lui présenta la main pour qu'il l'embrasse.

— Lord Coventry est dehors avec nos chevaux, je crois donc que nous sommes tous prêts à partir.

Il offrit le bras à Olivia, et ils s'avancèrent dans ce matin de fin de printemps. Elle inspira profondément l'air parfumé par les fleurs du jardin sur le côté de la maison. Une journée sans nuages, assez rare à Londres. Et l'heure matinale garantissait que l'air de la ville resterait sain.

En bas des marches, un palefrenier serrait les rênes de deux chevaux. Jason était à côté de lui, tenant le troisième animal. Olivia cessa de respirer en voyant l'homme. Grand, musclé et suintant la confiance en lui ; lord Arrogant était un mâle dans toute sa splendeur. Maudit soit cet homme pour ce qu'il lui avait fait. Il lui offrit ce sourire à vous couper le souffle, et ce simple geste fit voleter les papillons dans son ventre. Elle se raidit.

« Pas de pitié. C'est la guerre. »

Puis, elle remarqua sa monture.

— Quelle beauté, s'exclama-t-elle.

Le splendide étalon se tenait fièrement à côté de son propriétaire content de lui.

Elle fit courir sa main gantée sur le nez doux comme du velours de la bête.

— Comment s'appelle-t-il ?

— Apollo.

Jason sourit affectueusement au cheval. Son corps noir charbon scintillait presque comme s'il était bleu avec le soleil se reflétant dessus. D'allure majestueuse, l'animal rejeta la tête en arrière comme s'il savait qu'il méritait l'admiration de tous.

— C'est approprié. Il est de toute beauté.

Elle tâta son épaisse crinière, laissant les poils glisser entre ses doigts.

— Ma jument, Honor, me manque. Je l'ai laissée avec des amis en Italie, mais j'espère la récupérer un jour.

Avant que Carstairs ne puisse bouger, Jason s'avança jusqu'à Olivia et il mit ses grandes mains autour de sa taille, la soulevant ensuite sans effort sur la selle de sa jument. Elle lui jeta un regard noir tandis qu'elle ajustait ses jupes pour couvrir ses jambes. Il rit doucement pendant qu'elle se tortillait en s'installant.

Tous les trois trottèrent vers Hyde Park. Ils montaient leurs chevaux à un rythme de promenade, conversant surtout sur la température, les potins de la haute société et les plans pour le reste de la semaine. Olivia restait sur ses gardes, en attente. De quoi ? Elle l'ignorait, convaincue seulement que Jason avait quelque chose en tête. Il était beaucoup trop agréable et inoffensif.

Il ne mit pas longtemps à dévoiler son jeu. Ils étaient bien à l'intérieur du parc quand elle remarqua que sa selle ne semblait pas assez solide sous ses fesses. Elle ne cessait de modifier sa position, mais elle n'arrivait quand même pas à trouver son confort. Jason finit par lui dire :

— Y a-t-il quelque chose qui cloche, lady Olivia ?

Il avait l'air bien trop innocent, les traits neutres.

— Je ne suis pas sûre, milord, je semble avoir un problème avec ma selle.

Tous les trois s'arrêtèrent, et Jason descendit de sa monture et, encore une fois, il tendit les mains et la souleva, cette fois pour la poser au sol, s'attardant un peu trop longtemps sur sa taille, son pouce s'aventurant vers son sein. Elle battit l'air pour chasser sa main et recula. Il examina sa selle.

— Dites donc, mon vieux, tout va-t-il bien de ce côté-là ?

Carstairs l'observait du haut de son cheval.

— En fait, non.

Jason s'accroupit, regardant sous le poitrail du cheval.

— Cette lanière est usée à la corde et ne retiendra pas longtemps lady Olivia.

— Faites-moi voir.

Elle le poussa d'un coup de coude et se pencha en avant.

— Ce n'est pas la selle que j'utilise habituellement, dit-elle laconiquement. Quelqu'un a installé la mauvaise selle sur ma jument.

Elle jeta un regard mauvais à Jason.

Il se releva, levant les mains en signe de capitulation.

— Je ne selle pas les chevaux, milady.

Avant qu'elle puisse même penser à une réplique, il la souleva dans ses bras et la déposa sur son cheval à lui. Ensuite, il balança la jambe par-dessus et s'assit derrière elle.

— Qu'est-ce que vous croyez faire, exactement ?

Elle tenta de couvrir sa jambe exposée avec ses jupes.

— Vous ne pouvez pas monter ce cheval, milady.

Se tournant vers Carstairs, il lui dit :

— Je vais raccompagner lady Olivia chez les Lansdowne, si vous voulez prendre les rênes de sa jument et la guider pour le retour.

L'air d'avoir les idées complètement brouillées, Carstairs sauta en bas de son cheval et attrapa les rênes de la jument au moment où Jason se mettait en route, enroulant ses bras autour de la taille d'Olivia.

Olivia était assise avec raideur devant Jason, refusant de toucher quelque partie de son corps. Lentement, il déplaça sa main en remontant sa taille jusqu'à ce que son pouce repose sous son sein. Elle chassa sa main d'une claque. Ensuite, il descendit sa main jusqu'à ce qu'elle soit sur sa cuisse. Olivia émit un petit bruit de dégoût.

— Je vous prie de retirer vos mains de sur ma personne, dit-elle avec une grimace de mépris.

— J'essaie simplement d'assurer votre sécurité, milady, murmura-t-il.

— Ha. Je n'ai jamais de ma vie été plus en danger.

Elle tira sur sa jupe d'une main et menotta la main vagabonde dans l'autre.

Il se pencha en avant et lui murmura à l'oreille :

— Je vous veux, Olivia. Cependant, même si je suis votre mari, je ne vous obligerai pas. Gardez en tête, par contre, que j'ai l'intention de gagner, et vous viendrez dans mon lit.

— Jamais. Et vous n'êtes plus mon mari. J'ai signé les papiers d'annulation.

— Je les ai déchirés.

Jason grogna quand elle lui donna un coup de coude dans le ventre. Il pencha encore une fois la tête et mordilla la peau tendre sous l'oreille d'Olivia. Elle rejeta la tête en arrière et le frappa sur le nez.

— Aïe. Espèce de petite diablesse.

— Vous devez vous rappeler cela, milord. Je ne vous permettrai pas de me caresser.

— Oh, je compte faire bien plus que vous caresser, mon amour.

La voix de Jason coula sur elle comme du miel chaud.

— Je vais lentement retirer vos vêtements et, ensuite, je vais détacher les épingles retenant votre magnifique chevelure. En commençant par vos lèvres, je vais vous embrasser, puis descendre…

— Arrêtez cela.

Elle lança tout son poids d'un côté, les déséquilibrant. Ils tombèrent tous les deux au sol dans un amas de jupes, de manteaux et de chapeaux. Avant que Jason ne puisse même remuer, Olivia se releva d'un bond et monta rapidement en selle, sans se soucier de ses membres exposés pendant qu'elle pressait les flancs du cheval. Elle sourit largement dans la direction de Jason tandis qu'il était assis bouche bée dans la poussière.

Olivia pressa l'étalon pour rentrer chez les Lansdowne, le son de son rire voyageant dans le vent.

• • •

« Comment diable a-t-elle pu faire cela ? Les dames ne montent pas seules les chevaux. »

Jason se leva et frappa son chapeau contre sa culotte pour s'épousseter. Puisque Carstairs n'était nulle part en vue, l'homme avait dû emprunter un autre sentier du parc pour rejoindre la maison de ville Lansdowne. Essayant de retrouver sa dignité, Jason retourna aux écuries à pied.

Plus il passait de temps avec Olivia, plus il était déterminé à la posséder. Le corps chaud de sa femme semblait à sa place pressé contre le sien. Courbé à tous les bons endroits, avec des hanches et des seins généreux, la pensée d'elle nue et gémissante sous lui le tint occupé pendant son retour aux écuries.

Sa nature impétueuse l'attirait presque autant que sa beauté. Comme elle lui échauffait le sang. Même avant qu'il endosse le titre de comte, Jason avait intimidé la plupart des hommes par sa seule présence. Depuis qu'il avait quitté les culottes courtes, les femmes étaient tombées à ses pieds. Ce n'était pas le cas de sa femme.

Elle avait indiqué clairement qu'elle n'avait que faire de lui, ce qui ne faisait que renforcer sa détermination. Le prix était trop important pour qu'il batte en retraite. Il la posséderait, et elle le voudrait, elle le supplierait de lui en donner plus. Des visions de ses yeux lançant des éclairs et de son visage rougi le consumaient. Il resta inconfortablement gonflé pendant la plus grande partie de sa promenade de retour.

« Un autre point dans la colonne de lady Olivia. »

• • •

— Comment était votre promenade avec les lords ce matin ?

Elizabeth versa une tasse de thé pour elle et une seconde pour Olivia dans le salon ce même après-midi. Comme ce n'était pas un jour pour les visites à domicile, les dames profitaient du calme et de la paix de leur compagnie mutuelle.

— Assez bien, en fait.

Olivia reporta son attention sur Elizabeth, un léger sourire aux lèvres.

— Ah, je détecte une histoire derrière ce regard.

Elizabeth sourit en grand.

Olivia déposa sa tasse de thé et tendit la main vers une tartelette.

— Pour une raison étrange, mon cheval avait été équipé de la mauvaise selle.

Elle leva la main alors qu'Elizabeth s'apprêtait à parler.

— Avant que vous ne disiez quelque chose, je suis certaine que votre palefrenier avait installé la bonne et que lord Arrogant les a interchangées.

— Dans quel but ?

Les sourcils d'Elizabeth se rapprochèrent.

— Dans l'intention qu'il soit impossible pour moi de continuer sur mon propre cheval. Et bien sûr, une fois cela établi, Jason m'a rapidement installée devant lui, sur son cheval.

Elizabeth se couvrit la bouche, les yeux ronds tandis qu'elle riait.

— Ce n'était pas amusant quand il a commencé à mettre ses mains sur différentes parties de ma personne.

Elizabeth l'étudia un moment, les sourcils arqués.

— Où était Carstairs quand lord Coventry se comportait d'une manière aussi inadéquate ?

— Oh, lord Arrogant a très bien géré tout cela. Il l'a renvoyé aux écuries en traînant mon cheval derrière lui.

C'était un complot brillant, elle devait l'admettre.

— Avez-vous réussi efficacement à le dissuader de poursuivre ce comportement ?

— Bien, cela dépend de ce que vous considérez comme « efficacement ». Voyez-vous, je l'ai découragé à un tel point que nous avons tous les deux fini au sol.

— Oh, non !

— Cependant, continua Olivia en souriant largement, je suis remontée à cheval pendant qu'il reprenait son souffle et je l'ai laissé assis là.

Cela lui donnait encore une grande satisfaction de se remémorer Sa Seigneurie assise sur le derrière, une expression abasourdie sur son beau visage tandis qu'elle s'en allait à cheval.

— Comment avez-vous réussi à monter sur son étalon sans aide ? demanda Elizabeth.

— Père n'a jamais employé de nombreux domestiques. Je monte sur mon propre cheval depuis des années et pas sur une selle d'amazone non plus, puis-je ajouter. Très peu digne d'une dame, je sais, mais voilà un moment où cela s'est avéré assez pratique.

Elle sentit une douce chaleur pour avoir retourné le jeu contre Jason. Torturer son mari pouvait devenir un passe-temps amusant, une chose pour retenir son intérêt jusqu'à la fin de la saison et son retour en Italie. Tous les bals, les raouts et les dîners étaient devenus ennuyeux.

— Olivia, que prévoyez-vous faire exactement à propos de cette situation ? À présent que Coventry connaît votre identité, sûrement, il voudra un véritable mariage. Il est évident qu'il a été attiré par vous depuis le début.

Elizabeth reposa sa tasse de thé sur le plateau et se tapota la bouche avec une serviette.

— S'il avait réellement été attiré par moi depuis le début, nous ne serions pas dans ce gâchis en ce moment. Il m'a repoussée sans même me prévenir. Cependant, pour répondre à votre question, j'ai décidé de retourner en Italie à la fin de la saison mondaine.

Olivia se leva et marcha jusqu'au foyer, serrant ses bras autour de sa taille.

— En Italie ? Pourquoi ?

Les sourcils d'Elizabeth se froncèrent.

— Je pensais que vous comptiez établir votre foyer ici, en Angleterre.

Olivia hésita un moment, puis retourna à sa place et serra les mains ensemble, examinant ses doigts avant de parler.

— C'était mon intention, quand j'ai quitté l'Italie. Cependant, je n'escomptais pas avoir un mari qui me mépriserait au point où il se présenterait ivre à notre mariage avant de me chasser promptement de son esprit.

Elle soupira et regarda par la fenêtre l'après-midi pluvieux.

— J'ai reçu une offre de l'une des plus prestigieuses écoles de musique à Rome pour poursuivre mes études là-bas. J'ai de l'argent provenant de l'héritage de mon père que j'utiliserai pour mes besoins pendant que j'étudierai.

Elizabeth poussa un immense soupir et s'appuya contre le dossier de son fauteuil.

— Qu'en est-il de lord Coventry ?

— C'est-à-dire ?

Olivia haussa le menton d'un cran.

— Que vous aimiez cela ou non, ma très chère, il est votre mari, et il aura son mot à dire sur ce que vous faites.

— Il a fait une demande d'annulation. J'ai consenti et j'ai renvoyé mon approbation.

Cela la blessait encore de se remémorer ce jour où elle avait reçu le formulaire de son avocat.

— Vous voulez dire qu'il compte poursuivre cette démarche ?

Elizabeth tendit la main vers celle d'Olivia.

— En fait, non.

Elle hésita.

— Il m'a dit qu'il n'y aurait pas d'annulation.

— Bien, voilà. S'il ne compte pas procéder avec l'annulation, alors il a l'intention de vous garder comme épouse.

Olivia se leva et arpenta le sol, le visage rougi.

— Je ne me soucie pas du tout de ce que compte faire lord Arrogant. Je vais retourner en Italie pour étudier la musique, et il peut aller en enfer !

— Olivia ! dit Elizabeth, horrifiée.

S'effondrant à nouveau dans son fauteuil, Olivia tenta de maîtriser sa colère.

Si elle pouvait ne plus rien avoir à faire avec aucun homme pour le reste de ses jours, cela lui allait très bien.

Nonobstant toute l'affection qu'elle avait eue pour son père, il l'avait quasiment abandonnée après le décès de sa mère. Ensuite, sans en discuter avec elle, il avait pris des dispositions pour la marier à un homme qui s'était comporté à la manière d'un lâche. Non. Elle en avait assez. Elle étudierait la musique, deviendrait une pianiste célèbre se produisant partout sur le continent et elle resterait loin des hommes.

— Olivia, soyez raisonnable.

Elizabeth hésita.

— Coventry aura besoin d'un héritier.

— Alors, il ferait mieux d'aller de l'avant avec l'annulation.

Elizabeth secoua la tête.

— Non, chérie, son attirance pour vous est trop évidente. Je pense qu'il y a toute une bataille qui vous attend si vous comptez réaliser votre plan.

— J'ai déjà gagné la bataille, renifla Olivia.

— Oui, ma très chère ; mais gagner une bataille ne vous fait pas remporter la guerre, et je pense que lord Coventry mène une guerre.

• • •

Jason faisait les cent pas.

— Je vous le dis, Drake, c'est la guerre.

— Dans ce cas, mon vieux, on dirait qu'elle a gagné la première bataille, dit gaiement Drake tandis qu'il regardait Jason marcher de long en large devant lui.

— Je ne peux pas vous dire à quel point il est satisfaisant de savoir que vous vous amusez de ma vie, gronda Jason.

— Elle est extrêmement divertissante.

Drake sourit largement.

— Deux fois plus divertissante que la saison.

La foule chez White's s'était amoindrie à mesure qu'approchait l'heure du dîner. Jason était encore piqué au vif par les manigances de lady Olivia — non, bon sang — de lady Coventry. Il sourit, pensant encore une fois à sa manière totalement inélégante de monter Apollo. Dieu que la femme était splendide. Le feu et la passion réunis. Il voulait sentir cette passion directement sous lui.

— Que comptez-vous faire, exactement ?

Drake interrompit ses réflexions.

— Je compte faire d'elle véritablement ma femme.

Jason ouvrit brusquement sa montre-gousset et vérifia l'heure.

— Je suis désolé si je ne parais pas encourageant, mais il ne semble pas que la belle lady Olivia soit d'accord avec vos plans.

Drake se leva et s'étira.

— Toutefois, je dois maintenant retourner à mes appartements pour m'habiller pour le dîner chez les Cummings. Y serez-vous ?

Jason hocha la tête distraitement.

— Oui, j'ai bien prévu d'y assister. Je me demande si ma femme sera présente.

— Il n'y a qu'une façon de le découvrir.

Drake prit la direction de la porte.

— Je l'espère, ne serait-ce que pour le simple plaisir de voir lady Olivia avoir encore une fois le dessus sur vous.

Jason dédaigna le commentaire, puis il resta assis une minute et il sourit en direction du feu brûlant brillamment. La soirée à venir pouvait présenter de nombreuses possibilités de faire progresser sa campagne si en effet, elle était là-bas. Que ferait l'impertinente demoiselle pour le contrer quand elle devait bien se comporter parmi une foule de gens ? Des visions de boissons renversées sur ses cuisses, de coudes dans son ventre et de piques discrètes murmurées dans son oreille le firent sourire tandis qu'il se levait et passait la porte à grandes enjambées, hochant la tête vers le portier en partant.

Chapitre 13

Olivia soupira en examinant son reflet dans la glace pendant que Rose mettait la touche finale à sa coiffure. Ce soir, Olivia avait choisi une robe de satin vert pomme avec un jupon en brocart blanc, festonné dans le bas. Le décolleté était probablement le plus plongeant qu'elle avait jamais porté, et elle résistait difficilement à l'envie de tirer dessus pour le remonter. Le corset poussait ses seins au point où elle craignait que ses charmes se répandent dans sa soupe.

Rose avait tiré sa chevelure en arrière jusqu'au sommet de son crâne, avec des boucles cascadant dans son dos. Le ruban de velours vert attaché autour de son cou retenait le médaillon qu'elle chérissait, un cadeau de mariage de son père à sa mère. Le simple geste de le caresser lui apportait du réconfort. Elle enfila ses gants en satin crème et se rendit au rez-de-chaussée, son étole en dentelle pliée sur son bras.

Un dîner typique de la haute société servait davantage d'outil social que de moyen pour des amis de partager un repas. Lord et lady Cummings passeraient la soirée à tenter d'impressionner leurs invités avec l'importance de leurs autres invités.

Grif était debout en bas des marches, attendant les deux femmes.

— Aimeriez-vous un xérès avant notre départ, lady Olivia ? demanda-t-il en s'inclinant légèrement.

Elle admirait cet homme merveilleux que son amie avait épousé. Bien qu'il ne possédât pas la beauté sombre de lord Coventry, rien ne plaisait davantage à une femme qu'un homme qui l'adorait ouvertement. Si seulement elle pouvait trouver ce genre d'amour pour elle-même. Repoussant fermement cette pensée, elle lui dit :

— Si vous pensez que nous avons le temps avant qu'Elizabeth soit prête, alors j'aimerais bien un xérès.

Grif sourit et lui fit signe de le précéder dans le salon, où il lui versa un petit verre du liquide ambre.

— J'ai jeté un coup d'œil à ma femme, qui a changé de robe trois fois, alors je présume que nous avons le temps de savourer un apéritif avant de partir.

Un autre point pour son hôte. Dans une société où les maris et les épouses avaient généralement très peu de contact entre eux, Grif et Elizabeth partageaient tout, même le nombre de robes qu'elle avait mises de côté. Olivia s'assit sur le canapé, et Grif opta pour le fauteuil en face d'elle. Il se cala confortablement, puis croisa son pied sur son genou opposé. Il sirota son brandy en examinant Olivia un moment.

— Je comprends que lord Coventry sera à la soirée des Cummings ce soir, dit-il.

— Vraiment ?

Pourquoi son cœur accélérait-il chaque fois que l'on mentionnait le nom de ce démon ?

— En êtes-vous tous les deux arrivés à un arrangement ?

Elle se tortilla sous son examen approfondi et bienveillant.

— Il n'y a pas d'arrangement qui tienne. Je compte retourner en Italie à la fin de la saison mondaine pour poursuivre mes études en musique. Je ne suis pas au courant des plans de lord Coventry.

Comme tout bon hôte le ferait, Grif passa à un sujet moins gênant, et ils bavardèrent dans une atmosphère d'agréable compagnie pendant plusieurs minutes.

— Je suis enfin prête.

Elizabeth entra dans la pièce, gracieuse et en beauté. Les yeux de Grif s'illuminèrent à l'apparition de sa femme.

Une pointe de jalousie piqua Olivia avant qu'elle ne réfléchisse.

Lord Lansdowne les escorta hors de la maison et dans le carrosse. Une fois en route, Grif jeta un coup d'œil à Elizabeth.

— Avez-vous annoncé votre nouvelle à lady Olivia, ma chérie ?

— Non, pas encore.

Elle rougit joliment et serra la main de son mari.

— Il semble que notre cher Ethan aura un frère ou une sœur un peu avant Noël.

Grif rayonnait en regardant sa femme faire son annonce.

— Elizabeth, c'est merveilleux. Je suis si heureuse pour vous deux.

La voix d'Olivia tremblait tandis qu'elle retenait ses larmes. De joie pour son amie ou de chagrin pour elle-même, elle ne le savait pas trop.

— Merci.

Elizabeth accepta chaleureusement ses félicitations.

— Nous adorerions vous recevoir après la saison dans notre maison du Devonshire. C'est là que je passerai mon temps avant mon accouchement.

Elizabeth tendit la main vers celle d'Olivia et la pressa.

— J'apprécie votre offre, vraiment, mais je pense que retourner en Italie est le meilleur choix pour moi.

Elle lâcha la main de son amie et se cala dans son siège pour regarder par la petite vitre les boutiques et les entreprises fermées pour la soirée et plongées dans l'obscurité.

• • •

Jason remit son chapeau et ses gants au majordome à la résidence des Cummings et il monta les marches jusqu'au salon où les autres convives du dîner s'étaient rassemblés. Il survola la pièce du regard et poussa un soupir de soulagement quand il repéra Olivia. Elle se tenait entre lady Lansdowne et un gentleman qui lui tournait le dos. Il était difficile d'obtenir une vue d'ensemble d'Olivia avec le gentleman lui bloquant la vue, alors Jason se déplaça sur un côté, et son cœur faillit s'arrêter, puis il accéléra.

Olivia était spectaculaire. Sa peau laiteuse brillait, sa chevelure était une masse sauvage de boucles. La robe qu'elle portait était une autre nuance parfaite pour son teint. Il la dévora des yeux. Tandis qu'il se rapprochait, son regard quitta son visage et s'aventura en bas sur le corsage de sa robe. Un coup de poing dans le ventre n'aurait pas eu plus d'effet sur lui. Il aspira l'air, et les muscles de sa mâchoire se contractèrent.

« Pourquoi diable porte-t-elle cette robe ? Une respiration profonde, et tout sortira hors du vêtement. »

Ce fut à ce moment-là qu'il remarqua que l'homme debout devant elle n'était nul autre que Carstairs, qui bavait quasiment dans son décolleté. Avant qu'il n'ait eu le temps de réfléchir à la question, Jason traversa la pièce à grandes enjambées, se dirigeant tout droit sur sa femme et son compagnon qui salivait.

• • •

Olivia leva les yeux en voyant Jason charger à travers le salon, les yeux brillants de colère. Sa mâchoire était serrée, et il paraissait avoir envie de tabasser quelqu'un.

« Doux Jésus, est-il encore furieux à cause de l'affaire de Hyde Park ? »

En voyant son regard abasourdi, Carstairs se retourna et il déglutit. Ses yeux se promenèrent de tous les côtés, comme s'il cherchait une issue.

— Lord Coventry, dit Olivia de sa voix la plus douce en effectuant une petite révérence gracieuse.

Jason hocha la tête et, lui saisissant le coude, il la redressa.

— Tenez-vous droite, siffla-t-il à son oreille.

Il se tourna vers Carstairs, qui avalait rapidement.

— Remettez vos yeux dans leurs orbites, mon vieux.

— Je suis sûr de ne pas savoir ce que vous voulez dire, Coventry.

Il fit courir un doigt à l'intérieur de sa cravate.

— Réfléchissez.

Jason se tourna vers Olivia.

— Me feriez-vous l'honneur de votre présence en vous joignant à moi pour une promenade dans la galerie ? Lady Cummings me dit que les portraits de ses fils viennent tout juste d'y être suspendus.

Il tendit le bras et la défia du regard.

— Cela me ferait plaisir, Mon Seigneur.

Elle accepta le défi, son estomac se nouant d'anticipation. Ciel, le regard qu'il lui lança augmenta considérablement la chaleur dans la pièce. Elle ne satisferait pas son ego en se servant de son éventail, cependant. Elle pouvait sentir la tension dans son bras et se demanda s'il était encore en colère.

Ils pénétrèrent dans la galerie et s'arrêtèrent devant le premier portrait. Jason se pencha près d'elle, ses yeux lançant des éclairs.

— Avez-vous un peu froid ce soir, lady Coventry ?

— En fait, non, Mon Seigneur ; pourquoi cette question ?

Ses lèvres se serrèrent, entraînant à nouveau le cœur d'Olivia dans une course.

— Parce qu'on voit une bonne proportion de votre peau, et je tremble à l'idée que vous puissiez attraper une pneumonie.

Il fit lentement glisser son regard de son visage à son corsage.

Olivia pouvait sentir la rougeur naître dans ses orteils et remonter jusqu'à la racine de ses cheveux. Encore une fois, la forte envie de tirer sur son corsage lui démangea les doigts.

— Je vous assure, Mon Seigneur, ma robe est à la toute dernière mode, et le décolleté n'est pas plus plongeant que celui de toute autre femme ici ce soir.

Elle se redressa.

— Aucune de ces autres femmes présentes ce soir n'est la mienne, et je m'offusque que Carstairs tombe pratiquement dans votre corsage.

Sa mâchoire remua quand il serra les dents ; ses narines se dilatèrent.

— Je vous demande pardon, Mon Seigneur. Tout d'abord, je ne suis pas votre femme, et ensuite, lord Carstairs est toujours le plus parfait des gentlemen en ma présence.

L'arrogance de cet homme était vraiment sans égal.

— N'y a-t-il pas un fichu que vous auriez pu porter avec cela, madame ?

Il agita la main en direction de son décolleté dévoilé. Olivia lui tapa la main.

— Pas sans gâcher l'apparence de cette robe, monsieur.

Elle s'écarta en tirant discrètement sur le décolleté.

Jason la fit pivoter et lui prit le visage en coupe entre ses mains.

— Je vous veux, dit-il à voix basse, comme mon épouse légitime, et peu importe les autres idées que vous avez dans votre charmante tête, c'est ce qui se produira.

Il frotta son pouce sur sa peau en parlant.

Olivia écarta sa tête de sa caresse.

— Jamais, Mon Seigneur. Je ne serai pas votre épouse légitime ou autrement.

Elle était convaincue qu'il pouvait entendre son cœur battre. Son simple contact provoquait des frissons le long de sa colonne vertébrale et transformait ses membres en chiffes molles. L'homme était trop beau pour son propre bien et il se servait de ses yeux bleus perçants comme d'une arme.

— Je crois qu'on nous appelle pour le dîner.

Elle prit une grande respiration pour se calmer.

• • •

Jason était fasciné par ses seins qui montaient et descendaient. Toute cette peau crémeuse couvrant ses courbes attirantes l'avait ramené à l'état d'un jeunot libidineux. Il posa la main d'Olivia sur son bras. Juste avant qu'ils ne rejoignent les autres, il lui murmura :

— Ne prenez plus de profondes respirations ce soir.

Elle lui jeta un regard noir.

Jason tenta de dissimuler son agacement en voyant la place qu'on lui avait assignée entre lady Cecily Lyons, une jeune débutante, et la duchesse douairière de Northumberland. Son soulagement de constater que Carstairs était à l'opposé de la place d'Olivia à la table accueillant quinze couples fut de courte durée quand Fairfax s'installa sur la chaise à sa droite. Lord Garland, un débauché bien connu, occupait le siège à sa gauche. Si Garland regardait dans le corsage d'Olivia une fois de plus, il allait traverser la table d'un bond et l'étouffer.

— Lord Coventry, maman croit que je m'en sors très bien cette saison. J'ai déjà reçu quatre offres.

La demoiselle minaudière à côté de lui rougit et gloussa en relayant ce morceau d'information essentiel qui l'aurait empêché, à n'en pas douter, de vivre une vie satisfaisante s'il avait continué à l'ignorer.

Néanmoins, Jason sourit à la jeune fille.

— Vraiment. Je suis certain que les gentlemen de la haute société sont ravis au-delà de toute expression que vous vous soyez jointe à nous cette année.

Il but lentement son vin et regarda Olivia sourire gaiement à Fairfax.

« Où diable est l'autre main de Fairfax ? »

— Oui, maman dit qu'elle ne s'attend à rien de moins que six offres, et comme il reste encore quelques semaines, je suis certaine que je satisferai ses ambitions.

Jason jeta un bref coup d'œil dans sa direction et hocha la tête.

« Je jure que Garland vient de déplacer sa chaise plus près d'Olivia. Bon sang, est-elle obligée de lui sourire si diablement souvent ? »

— Qu'en pensez-vous, lord Coventry ?

L'agaçante gamine continuait à jacasser à propos de quelque chose.

Jason se retourna vers elle.

— À quel sujet, milady ?

— Mes offres. Selon vous, vais-je en recevoir deux autres afin de pouvoir satisfaire les attentes de maman ?

Elle gloussa et rougit.

Juste ciel. Était-ce le genre de choix qu'y attendaient les jeunes gentlemen ?

— Je suis certain que vous rendrez votre maman fière.

La soupe déjà mangée et retirée, les domestiques offraient à présent le plat principal composé de dinde, de bœuf, de pois, d'asperges, de salade, d'anchois et d'autres mets variés. Un valet de pied versait un vin plus corsé pour les invités afin d'accompagner le deuxième service.

— Qui est la nouvelle venue ? dit la duchesse douairière de Northumberland d'une voix forte en donnant un coup de coude à Jason.

Il leva la tête et vit que la vieille femme désignait l'extrémité de la table où se trouvait Olivia.

— C'est lady Olivia, Votre Seigneurie. Elle rend visite à lord et lady Lansdowne pour la saison.

— Bon. Jolie petite chose ; mais il lui faut plus de tissu pour cette robe.

Elle contempla Jason d'un regard amusé.

— Je remarque que vous semblez beaucoup regarder dans sa direction. Elle a attiré votre regard, hein ?

Sa voix résonnait un peu trop fortement au goût de Jason.

Un tapotement sur son bras l'incita à se tourner, et il découvrit lady Cecily lui donnant de petits coups avec son éventail.

— Milady ?

Il se pencha vers elle.

— Je me demande pourquoi je ne vous ai pas vu chez Almacks ?

Elle bougea ses lèvres pour faire ce qu'il soupçonnait être une moue bien pratiquée.

— Je n'y suis pas allé cette saison.

Il changea de position pour ajuster sa culotte tandis qu'il regardait Olivia passer sa langue autour de ses lèvres.

— Bien, je vous aurais certainement réservé une valse si vous y étiez venu, Mon Seigneur, puisque j'ai reçu la permission des patronnesses de participer à cette danse des plus scandaleuses.

Elle battit des cils.

« Bonté divine. Est-ce que cette gamine flirte avec moi ? Elle ne peut pas avoir plus de dix-sept ans. »

— Si jamais j'y vais un jour, milady, je serais honoré de valser avec vous.

Les lèvres de lady Cecily se serrèrent pendant qu'il lui donnait la réponse convenue avant de se tourner pour regarder à nouveau lady Olivia. Son estomac se noua d'agacement, quand un éventail lui tapota encore le bras.

— Lord Coventry, je me sens un peu faible, je pense avoir besoin d'air. Voudriez-vous m'accompagner dans le jardin pour une courte promenade ?

— Bien sûr.

Il déposa sa serviette sur la table et, se levant, il tira la chaise de la fille. Il jeta un bref regard à la douairière, qui lui lança un sourire entendu.

Il tendit le bras, et la gamine posa sa main dessus.

— Je pense qu'avant que nous ne partions, je devrais demander à votre mère de nous accompagner. Je ne désire pas causer d'ennuis.

Il connaissait plus d'un homme qui avait été pris au piège du mariage par une jeune dame ayant *besoin d'air*. Il n'allait pas se laisser surprendre seul dans le jardin avec cette fille à peine sortie des salles de cours. Particulièrement parce qu'il n'était pas libre de réparer sa faute, de toute façon. Dieu merci, il avait déjà une femme.

Une femme, remarqua-t-il, à qui l'on devait remonter le décolleté de sa robe. Bonté divine, ne savait-elle pas qu'elle ne devait pas se pencher ainsi ? Fairfax zieutait les seins d'Olivia avec un sourire idiot sur le visage, que Jason mourait d'envie d'écraser avec son poing.

Lady Cecily ferma sa bouche, qui forma une ligne droite.

— Bien sûr, Mon Seigneur, comme vous êtes attentionné de le suggérer.

Avec un sourire crispé elle se tourna vers une femme plus âgée avec un turban vert foncé sur la tête.

— Maman, voudriez-vous nous accompagner, lord Coventry et moi, dans le jardin ?

— Évidemment, ma chérie ; est-ce que tout va bien ?

Lady Lyons se leva.

— La petite a besoin d'un peu d'air, dit la duchesse douairière avec un petit sourire narquois. Et lord Coventry a offert de l'accompagner.

Lady Cecily avait à présent l'attention de toute la tablée, ce qui ne parut pas la perturber le moindrement. Elle sourit dans la direction d'Olivia et prit encore une fois le bras de lord Coventry en faisant la belle pendant que, tous les trois, ils quittaient la salle à manger.

• • •

Olivia poussa un soupir de soulagement, quand elle regarda Jason partir avec la jeune fille et sa mère. Il l'avait regardée d'un air mauvais pendant tout le dîner, au point où cela était devenu visible. Elle avait rougi furieusement, quand elle avait entendu la duchesse douairière de Northumberland interroger Jason sur l'attention qu'il fixait sur elle. Et elle rangerait assurément cette robe pour toujours afin qu'elle ne revoie plus jamais la lumière du jour. Non parce que Jason l'avait commentée, bien sûr, mais parce qu'elle était réellement lasse que ses partenaires de dîner la lorgnent.

Lord Garland à côté d'elle s'enivrait lentement, et ses commentaires devenaient de plus en plus scandaleux. Le pauvre Fairfax sur son autre flanc tentait continuellement de lui faire la conversation, mais il était constamment interrompu par les demandes de sa mère. Elle avait besoin qu'il lui tende ses sels. Elle aimerait un peu plus de bœuf. Elle préférerait plus d'eau et pas de vin. Qu'on lui apporte son châle, elle avait trop froid ; qu'on le lui retire, elle avait trop chaud. Toutes ces demandes auraient dû être adressées au valet de pied, mais il semblait que seul son fils pouvait la satisfaire. *Pauvre homme.*

Elle sourit pour elle-même en constatant dans quel embarras s'était retrouvé Jason. Pendant qu'il était occupé à l'observer, elle avait ri en elle-même en voyant lady Cecily faire de son mieux pour attirer son attention. Étant un beau jeune homme riche et titré de la haute société, cela plaçait Jason sur le chemin de toutes les débutantes et des mères avec le mariage en vue dans cette ville. Et sa réputation de séducteur attirait l'attention de toutes ces femmes qui cherchaient un amant expérimenté pour réchauffer leur lit pendant que leur mari était occupé ailleurs — dans la plupart des cas, avec leur maîtresse.

C'était cela qu'elle abhorrait de la société. Si peu se mariaient pour autre chose que le rang et la richesse. Une fois que l'héritier et son remplaçant occupaient la chambre d'enfants, mari et femme allaient chacun de leur côté. C'était triste, en fait. Si elle ne pouvait pas avoir un mari qui l'adorait comme Grif aimait sa femme, alors elle s'en passerait. Elle serait heureuse lorsque cette fatigante saison se terminerait et qu'elle pourrait fuir en Italie, où des projets qui en valaient la peine occuperaient son temps, au lieu d'une journée après l'autre d'activités frivoles.

Les valets de pied déposaient des plateaux de sucreries, de fruits et de fromages au centre de la table, au moment où Jason, lady Cecily et lady Lyons revenaient dans la pièce. La jeune fille s'accrochait au bras de Jason en bavardant. La mâchoire contractée et les lèvres formant une ligne fine, il faisait de son mieux pour lui sourire. Olivia se mordit la lèvre pour retenir son rire.

Après le dessert, les dames se retirèrent dans le salon pour le thé, laissant les hommes savourer leur porto. Lady Cecily parla sans cesse de lord Coventry et dit à quel point il avait été attentif pendant le dîner et si attentionné de l'accompagner dans le jardin quand elle s'était sentie faible. Puis, lady Lyons prit la vedette pour régaler les dames avec le récit des nombreuses offres que la jolie Cecily avait reçues jusqu'ici et l'impression qu'avaient faite ses débuts dans la société.

Heureusement, les gentlemen revinrent, et la conversation se détourna de lady Cecily et ses conquêtes pour passer aux nouvelles générales et aux potins de la haute société. Jason s'adressa brièvement à lord Stafford et se dirigea ensuite tout droit vers Olivia. Il lui toucha brièvement le coude, mais avant qu'il puisse parler, lady Cummings se leva.

— Lady Olivia, nous avons tellement entendu parler de votre merveilleux talent au pianoforte. Je me demande si vous accepteriez de jouer pour nous ?

Olivia rougit et jeta un regard à Jason, étonnée de voir son air encourageant et la fierté dans ses yeux.

Perplexe, elle se fraya un chemin jusqu'à l'avant de la pièce.

Elle s'assit et respira profondément pendant un moment pour s'éclaircir les idées, puis elle commença *Für Elise* de Beethoven, un autre de ses morceaux préférés. Encore une fois, le silence tomba sur la pièce alors que son interprétation captivait son public.

Quand elle termina, lady Lyons applaudit brièvement, puis elle s'adressa au groupe.

— C'était charmant, lady Olivia, mais je dois insister pour que ma fille joue aussi pour nous. Elle a tant de talent qu'il attire toujours les commentaires.

Olivia retourna vite au fond de la pièce alors que lady Cecily s'installait sur le banc du pianoforte. Jason se dirigeait vers Olivia quand lady Cecily lui dit :

— Lord Coventry, pourriez-vous, je vous prie, tourner les pages pour moi ?

Roulant les yeux dans la direction d'Olivia, il se tourna vers lady Cecily.

— Bien sûr, milady, j'en serais honoré.

La jeune fille minauda et changea de position sur le banc du pianoforte.

C'était réellement très amusant de regarder Jason prétendre être « honoré » de tourner les pages pour lady Cecily.

« Dommage que ces manières n'aient pas été en vedette le jour de notre mariage. »

La fille jouait bien, Olivia dut l'admettre, ce qui était un soulagement puisque de si nombreuses jeunes dames à qui l'on ne devrait jamais permettre d'approcher un instrument étaient obligées de jouer pendant ces réunions.

Quand lady Cecily conclut, Olivia se hâta vers Elizabeth, qui agitait la main vers elle.

— Grif et moi partons, ma chérie, je ne me sens pas tout à fait bien.

— Oh, je suis vraiment désolée, Elizabeth.

Olivia glissa son bras sous celui de son amie et marcha avec elle vers la porte.

— Non, ma chérie, vous devez rester et profiter du reste de la soirée ; lord Coventry a offert de vous raccompagner à la maison.

Olivia leva le menton.

— Cela est très courtois de sa part, mais je suis prête à prendre congé. Il n'y a aucun besoin que Sa Seigneurie agisse autrement qu'à l'accoutumée.

— Cela ne cause pas de problèmes, milady. J'insiste pour que vous restiez. Je serais honoré d'assurer votre retour chez vous.

Jason était arrivé derrière elle et lui avait pris le coude avec légèreté. Sa peau brûlait là où sa main était posée. Elle pouvait sentir le parfum entêtant de *Bay Rum and Leather*, et la chaleur qui irradiait de lui. Son corps réagit immédiatement, son cœur accélérant.

Grif apparut avec l'étole d'Elizabeth.

— Je vous en prie, Olivia, permettez à Jason de vous raccompagner. Elizabeth et moi serions bouleversés si vous coupiez court à votre soirée à cause de nous.

— Lady Olivia, vous devez rester.

Lady Cummings s'approcha du groupe à la porte.

— Nous sommes sur le point de jouer au whist et nous avons besoin d'un nombre égal de joueurs.

— Très bien, j'aimerais bien moi-même jouer une partie de whist.

Elle sourit à son hôtesse.

La voix grave de Jason l'interrompit.

— Excellent, nous allons être partenaires et commencer.

— Lord Coventry, maman et moi adorerions que vous soyez notre quatrième joueur avec lord Phillmore.

Lady Cecily vint se placer à côté de Jason, posant une main sur son bras.

Jason sourit avec éclat à la jeune fille.

— Je suis désolé, lady Cecily, mais je viens à l'instant de promettre de jouer avec lady Olivia.

Il regarda Olivia avec des yeux suppliants.

« Pourquoi devrais-je aider ce diable d'homme à se sortir de là ? »

Puis, elle commit l'erreur fatale de regarder dans ces yeux-là, et toute pensée rationnelle la quitta.

— Oui, je crains de venir tout juste d'accepter d'être la partenaire de Sa Seigneurie.

Lady Cecily sourit d'un air tendu.

— Une autre fois, peut-être.

— Oui, en effet.

Jason s'inclina devant elle. Il prit le bras d'Olivia et l'escorta vers la salle de jeu.

— Merci beaucoup pour cela.

Il se pencha près de son oreille.

Olivia frissonna quand son souffle glissa sur elle, et elle étouffa l'envie de se rapprocher de la chaleur de sa bouche. Puis, elle se raidit devant son audace.

— N'y voyez rien de particulier, Mon Seigneur.

Elle regarda droit devant elle pendant qu'ils se dirigeaient vers les tables de cartes.

• • •

La table de service pour le thé roula dans la pièce après la fin de la dernière main. Jason trouva lady Cecily quasiment assise sur ses cuisses sur le canapé pendant que sa mère s'activait à échanger des potins avec la duchesse douairière de Northumberland et lady Fairfax. L'agacement de Jason augmenta quand Olivia soutint une grande conversation avec Drake. Le regard de son ami s'égara plus d'une fois sur le corsage d'Olivia.

Demain, il allait abattre cet homme.

Jason se leva et s'inclina devant lady Cecily.

— Cela fut un plaisir, milady; à présent, je vous souhaite une bonne fin de soirée.

Elle leva la main et la posa sur Jason.

— Maman adorerait que vous nous rendiez visite à la maison un après-midi, milord.

« N'y a-t-il pas de fin à l'audace de cette gamine ? Elle va directement à la rencontre d'ennuis, si lady Lyons ne la ramène pas à l'ordre. »

— Peut-être; cependant, mes journées sont bien remplies en ce moment.

Sur ce, il se tourna rapidement et se cogna presque contre Olivia.

Elle se raidit quand il lui toucha le coude.

— Hé, mon vieux, je fais conduire mon carrosse à l'entrée.

Jason hocha la tête vers Drake et, prenant la main d'Olivia, il la coinça sous son bras.

Drake eut un petit sourire narquois.

— Pressé, Coventry ? Il est encore tôt.

— Reculez, Stafford; vous êtes trop près de lady Olivia. Donnez un peu d'espace à la femme pour respirer. Et je vois que votre sœur tente d'attirer votre attention.

Jason jeta un regard mauvais à Drake.

— En effet.

Drake sourit.

— Bonsoir à vous deux.

Il exécuta une révérence et se fraya un chemin jusqu'à sa sœur.

Ils gardèrent tous les deux le silence tandis qu'ils descendaient les marches et grimpaient dans le carrosse. Olivia se déplaça dans le coin du carrosse en s'y pressant. Ses mains se tordaient sur ses cuisses, et elle ne cessait de se passer la langue à l'extérieur de la bouche.

Jason la fixa, et une vague de désir le submergea. Son contact, son odeur, son apparence, tout cela le rendait fou. Se rapprochant, il lui saisit les mains.

— Olivia, nous devons discuter.

Chapitre 14

— Oui, milord, c'était un charmant dîner, n'est-ce pas ?

Elle dirigea ses commentaires vers ses cuisses. Jason posa un doigt sous son menton et lui releva la tête.

— C'était charmant, mais vous savez que ce n'est pas de cela dont je veux parler.

Il détourna les yeux avant de s'éclaircir la gorge.

— Nous sommes partis d'un bien mauvais pied.

Elle haussa les sourcils.

— Est-ce ainsi que vous définissez la chose, milord ?

— D'accord. Laissez-moi reformuler cela. Je me suis comporté comme un abruti à notre mariage et je veux faire amende honorable.

Il pencha la tête pour l'étudier.

— Je vous en prie, Olivia, prenons un nouveau départ.

Ses yeux brillèrent de colère.

— Il n'y a pas de départ à prendre ; vous avez demandé une annulation, et j'ai signé les papiers officiels.

— Oubliez l'annulation, Olivia. J'ai dit qu'il n'y en aurait pas, et c'est mon dernier mot.

Elle soupira pour exprimer son opinion et elle regarda la nuit obscure par la vitre.

Jason l'observa dans l'obscurité du carrosse. Considérés séparément, ses traits n'étaient pas remarquables, mais réunis, ils représentaient une jeune femme intelligente et belle. Avec un menton obstiné. Il n'avait jamais douté du vainqueur dans un rapport de forces entre eux, et les affrontements à venir l'excitaient. En ce qui concernait la loi, il pouvait exiger d'exercer ses droits maritaux. Cependant, quand il emmènerait Olivia au lit, ce serait avec son consentement, et elle le désirerait.

La pensée de son abandon total, de ses boucles tombant au-dessus d'eux comme un rideau de soie pendant qu'elle le chevauchait et criait son nom durant son orgasme provoquait de la sueur sur son front et un serrement inconfortable dans sa culotte. Il changea de position au moment où le carrosse s'arrêtait devant la maison Lansdowne juste avant que le cocher ne saute à terre.

— Accordez-nous une minute.

Jason tendit la main pour fermer la portière que le cocher avait ouverte. Il se tourna vers Olivia.

— Pardonnez-moi, milord, il se fait tard, et je suis fatiguée.

La méfiance dans les yeux d'Olivia ne lui procura aucun plaisir. Il ne voulait pas qu'elle le craigne.

Il relâcha sa posture rigide, déplaça doucement sa tête à elle vers lui et prit son visage en coupe entre ses mains.

— Nous ne nous sommes pas correctement embrassés, à notre mariage.

— Il me semble bien me rappeler que vous avez raté mon visage de plusieurs pouces, murmura-t-elle.

Il sourit et baissa la tête. Il toucha légèrement ses lèvres avec les siennes et, ensuite, il les effleura dans un mouvement de va-et-vient. Devant son absence de résistance, il pressa plus fortement, incitant ses lèvres à s'ouvrir avec sa langue. Elle haleta, et il se glissa à l'intérieur, sa langue explorant tous les coins et recoins de sa bouche, ne lui laissant aucun doute qu'elle n'avait jamais été embrassée ainsi. Il rapprocha lentement le corps d'Olivia et sentit ses seins s'écraser contre son torse. Elle sentait la lavande et la femme excitée, et il ne pouvait s'en rassasier. Sa bouche était un nectar qu'il buvait, duquel il pouvait devenir dépendant.

Ses lèvres quittèrent les siennes pour lui mordiller le lobe de l'oreille.

— Je vous veux, Olivia, dit-il d'une voix douce, en tant qu'épouse, dans mon lit.

— Non, milord, j'ai d'autres projets.

Elle le repoussa ; sa voix tremblait. Sa poitrine se soulevait et s'abaissait tandis qu'elle prenait de grandes goulées d'air.

— Je vous prie de m'accompagner à la porte.

Elle continua de le dévisager, la respiration inégale.

La mâchoire serrée, il descendit du carrosse et l'aida ensuite. Ensemble, ils marchèrent en silence jusqu'à la porte. Il posa les mains sur ses épaules et la tourna vers lui.

— Accordez-moi une chance, Olivia. Je sais que j'ai fait une première impression horrible, mais je veux avoir l'occasion de redresser la situation.

Elle secoua brièvement la tête et se détourna de lui pour entrer dans la maison, et referma ensuite doucement la porte. Jason fixa le point où elle s'était tenue avant de grimper dans le carrosse. Ses lèvres formant une ligne sombre, il ordonna au cocher de le ramener chez lui.

• • •

Olivia soupira profondément, puis elle monta les marches avec lassitude. Elle toucha sa bouche là où elle pouvait encore sentir la pression des lèvres de Jason. Son corps ne s'était pas encore calmé après le baiser. La seule chose raisonnable à faire était de l'éviter jusqu'à la fin de la saison. Son cerveau pouvait bien être déterminé à ignorer son contact, mais son corps ne semblait pas d'accord. Elle devait lui enseigner à bien se tenir.

Ayant dit à sa femme de chambre de ne pas l'attendre, elle se changea rapidement pour passer une chemise de nuit et se mit au lit. Elle resta allongée sur le dos, les bras croisés sur la poitrine. Le baiser de Jason l'avait peut-être secouée davantage qu'elle ne l'avait cru. Maudit soit cet homme pour avoir touché quelque chose en elle qu'elle tentait d'ignorer. L'attirance qu'elle avait ressentie lui mettait les nerfs en boule. Mis à part son comportement envers elle le jour de leur mariage, il était arrogant, dominateur et bien trop habitué à obtenir ce qu'il voulait de toutes les femmes à qui il faisait un signe. Une fois qu'il aurait eu son content d'elle, il tournerait le regard vers la femme suivante qui lui lancerait un regard brûlant par-dessus un éventail peint.

Elle avait assez vu de mariages de la haute société pour connaître les attentes de Jason. Et ne l'avait-il pas déjà abandonnée à la campagne une fois ? Non, sa décision de rentrer en Italie et de passer sa vie avec la musique était pour le mieux. Si elle donnait son cœur à lord Coventry, il le lui rendrait indubitablement en miettes.

Plongée dans un livre sur la reine Elizabeth, Olivia n'entendit pas le majordome entrer dans la pièce jusqu'à ce que Staunton s'éclaircisse la gorge.

— Je vous demande pardon, milady.

Elle se tourna et sourit.

Il tenait un gros arrangement floral, les fleurs dissimulant presque son visage à sa vue.

— Elles sont arrivées pour vous.

La chaleur lui monta aux joues.

— Oh, elles sont splendides, n'est-ce pas ?

— En effet, milady. Où dois-je les poser ?

Elizabeth entra dans la pièce, et sa main vola à sa bouche.

— Oh, comme c'est beau ; sont-elles pour vous ?

Elle contempla Olivia.

— Oui, elles viennent d'être livrées. Je me demande où les installer.

Elizabeth survola la pièce du regard.

— Juste sur cette petite table là, près de la fenêtre, je pense, Staunton. Elles seront magnifiques à cet endroit.

Posant les mains sur son cœur, elle demanda :

— Lequel de vos admirateurs vous les a envoyées ?

— Je ne sais trop. Je n'ai pas encore regardé la carte.

Olivia suivit le majordome et retira la petite carte attachée au vase. Elle l'examina et secoua légèrement la tête. Levant les yeux vers Elizabeth, elle lut :

— « Avec mes hommages les plus chaleureux, J. »

Elle poussa un soupir et tourna le regard vers la fenêtre, triturant la petite carte entre ses mains.

— Apparemment, lord Coventry n'est pas du genre à céder si facilement.

Elizabeth fit glisser la carte des mains d'Olivia et l'étudia.

— Que dois-je faire ? Je ne veux pas l'encourager. Comment vais-je convaincre Sa Seigneurie que mon avenir n'est pas ici ?

Elizabeth la guida vers le canapé et s'empara de sa main.

— Êtes-vous absolument certaine de cela, Olivia? Je sais à quel point son comportement initial vous a bouleversée, mais pourquoi ne pas accorder une seconde chance à lord Coventry?

Elle leva la main.

— Non. Avant que vous ne parliez, écoutez-moi jusqu'au bout.

Elle marqua une pause, rassemblant apparemment ses pensées.

— Vous ai-je déjà raconté comment Grif et moi en sommes venus au mariage?

Olivia haussa les sourcils et attendit patiemment.

— Je me croyais follement amoureuse du vicomte Hood.

Elle leva les yeux au ciel.

— Oh, Olivia, il était tellement séduisant. Grand, blond, de profonds yeux verts; le simple fait de le regarder faisait violemment battre mon cœur. Il était très attentionné et charmant.

Olivia observa attentivement son amie.

— Il me paraît merveilleux. Alors, que s'est-il passé?

Elizabeth ferma les yeux et pressa ses doigts dessus.

— Mes parents étaient décidés à me voir épouser Grif. Il était le fils de l'un des amis les plus intimes de père, mais j'étais jeune et idiote et je voulais un beau chevalier. Grif a continué de me courtiser, au grand plaisir de mes parents. Je ne peux pas dire que je l'ai snobé, mais il était visible que mon estime était pour lord Hood.

Elle secoua la tête tandis qu'elle tournait le jonc de mariage parsemé de diamants à son doigt.

— Puis, un jour, j'ai lu l'annonce des fiançailles de lord Hood dans le journal. Il apparaissait que mon preux chevalier était dans la nécessité d'épouser une héritière et, quoique j'aie moi-même une dot intéressante, elle était loin de suffire pour régler ses dettes de jeu et continuer de faire vivre sa maîtresse.

— Oh, non !

La main d'Olivia vola à sa bouche.

— Oui, chérie. Il comptait poursuivre sa liaison avec sa maîtresse, continuer à jouer et tout le reste après son mariage.

Elle réfléchit un moment.

— Grif était là pour soigner mon cœur brisé. Soudainement, cet homme pas assez grand, pas assez beau et pas assez sophistiqué était devenu mon véritable preux chevalier.

Elle sourit avec douceur et posa la main sur son ventre.

— Et l'épouser a été la meilleure chose que j'ai faite de toute ma vie.

Olivia s'essuya discrètement les yeux avec sa jointure.

— C'est une belle histoire. Il est tellement manifeste que Grif vous adore. Vous avez réellement fait un merveilleux mariage.

Elizabeth se pencha en avant et entrelaça ses doigts avec ceux d'Olivia.

— C'est le point que je veux marquer, ma très chère. Si j'avais pu faire à ma guise, j'aurais jeté aux orties un merveilleux mariage et fini avec un scélérat.

— Je comprends, vraiment, c'est vrai.

Olivia soupira et se cala dans le canapé.

— Cependant, dans mon histoire, c'est *lord Coventry*, le scélérat.

— Vous avez rencontré Coventry dans les pires conditions possibles. L'homme que Grif et moi connaissons depuis des années est gentil, attentionné et prévenant. Vous devez comprendre que son père a tenté de le dominer toute sa vie. Et Jason a lutté contre lui pendant tout ce temps. Ce n'était pas vous qu'il a rejetée, c'était son père. Vous avez vu à quel point il était obnubilé par vous quand il ignorait votre identité.

Olivia poussa un immense soupir.

— Je ne sais pas. J'ai vraiment l'impression que nous ne serons jamais bien assortis. Il adore la société, le jeu et toutes les fêtes et les bals. Je suis déjà lasse de tout cela. Je veux seulement une existence paisible ; jouer ma musique et vivre simplement.

— Vous pourriez être étonnée de découvrir ce qu'il veut et ne veut pas. C'est pour cela que je dis que vous devriez lui donner une chance.

Elizabeth se leva.

— Je vais faire une sieste avant le dîner. Grif et moi assistons à une lecture de poésie ce soir chez sir Furlong. Il a les lecteurs les plus intéressants. Vous êtes tout à fait la bienvenue de nous accompagner.

— Merci, Elizabeth, mais je pense que je vais simplement rester à la maison ce soir. Je me sens un peu fatiguée et je crois qu'un livre et une tasse de chocolat près du feu dans ma chambre seront tout à fait ce qu'il me faut.

Rose ouvrit les rideaux, et la lumière du soleil se déversa dans la chambre, chassant les ombres de la nuit.

— Bonjour, milady.

— Bonjour, Rose, marmonna Olivia.

— J'ai vot' chocolat ici pour vous.

La femme de chambre gagna le lit d'un pas affairé et déposa le plateau sur les cuisses d'Olivia.

— Oh, et il y a un message pour vous aussi, m'dame.

Elle tendit à Olivia un morceau de papier vélin portant l'écriture à gros traits distinctifs de lord Coventry.

Je serais honoré de vous escorter au théâtre ce soir. S'il est acceptable pour Sa Seigneurie, j'arriverais à la maison Lansdowne à dix-neuf heures pour le spectacle de vingt heures.

Lord et lady Newbury seront également présents.

Votre serviteur,

J.

Hum. Elle se tapota les lèvres avec la carte.

La dernière chose qu'elle voulait était d'être seule avec Jason. C'était brillant de sa part de mentionner les Newbury. Se calant contre son oreiller, elle regarda fixement par la fenêtre le beau jour de ce début d'été.

Devait-elle lui accorder une seconde chance comme le suggérait Elizabeth, et comme Jason semblait le souhaiter si ardemment ? Elle ne lui faisait pas encore confiance. En plus de la conversation qu'elle avait surprise à propos de Jason et lady Sheridan, différents autres commentaires exprimés à portée de ses oreilles l'avaient convaincue que lord Coventry avait une réputation de séducteur bien méritée. On discutait de ses conquêtes au point où elle ne le pensait pas capable d'avoir du temps pour quoi que ce soit d'autre. Et il n'embrasserait certainement pas la fidélité. C'était la chose qui lui tenait le plus à cœur. Ses parents avaient été dévoués l'un à l'autre, et elle n'avait jamais découvert aucune indiscrétion de leurs parts.

Elle commettait peut-être une erreur, mais elle écrivit son acceptation et elle sonna pour que Rose la fasse livrer.

• • •

Jason feuilleta son courrier et dicta sa correspondance à son secrétaire, Clifton. De temps à autre, il se surprenait à rêvasser, pensant à son invitation à Olivia. Une toux discrète de Clifton le ramena à la réalité.

— Milord, il y a plusieurs missives ici de Dakin, votre intendant à Coventry. Il insiste pour dire qu'il y a des problèmes que vous seul pouvez régler et demande fortement à ce que vous lui rendiez visite dans un proche avenir.

Jason laissa traîner une main sur son visage.

— Oui, je suis au courant de certains problèmes et j'ai été négligent de ne pas m'en occuper.

Ses pensées continuelles pour Olivia et sa cour à cette femme consumaient une grande partie de son temps. Lentement, un sourire s'élargit sur son visage. Pourquoi ne pas prévoir un voyage à Coventry et convaincre Olivia qu'elle devait s'y rendre aussi ? Elle pourrait rendre visite aux locataires et s'entretenir avec le personnel. Et elle serait seule avec lui la nuit. Cette simple vision d'elle étendue sur son lit, nue et excitée, resserra son bas-ventre. Il changea de position dans son fauteuil et s'obligea à centrer son attention sur Clifton.

— Envoyez une lettre à Dakin pour lui dire que j'arriverai dans la semaine.

Clifton commença à écrire furieusement au moment où Barton entrait dans la pièce.

— Milord, une missive vient d'arriver pour vous.

Jason accepta le papier et lut rapidement la note. Brève et sans détour, Olivia écrivait :

Je serai enchantée d'aller au théâtre avec vous ce soir.
Lady Olivia.

Il la relut et sourit largement. Très formel, exactement ce qu'il attendait de sa femme. Elle, évidemment, tentait de le garder à distance raisonnable, mais il avait d'autres projets pour la belle lady Coventry. Il jeta un coup d'œil à l'horloge et souhaita que les heures s'écoulent vite. Ce soir, il lancerait sa campagne au grand jour.

Jason s'habilla d'un manteau de soirée noir épousant ses formes avec un gilet blanc sur blanc. Ses chaussures habillées luisantes pointaient sous un pantalon ajusté en tissu noir. Il chassa finalement Grady d'un geste alors que son homme continuait à faire des chichis autour de sa cravate. Impatient de partir, il enfila ses gants et fit un signe de tête à Barton quand il ouvrit la porte.

Environ quinze minutes plus tard, il s'appuyait sur la table de travail dans la bibliothèque de Grif, savourant un brandy avec son hôte quand Olivia fit irruption dans la pièce. Si, en effet, elle tentait de le décourager, elle avait certainement choisi la mauvaise tenue. La simple robe rose en soie était attachée sous ses seins grâce à une bande de velours d'un rose plus foncé attachée sous la partie d'elle où il avait désespérément envie de poser les lèvres. Le décolleté était juste assez plongeant pour dévoiler sa peau crémeuse, mais pas aussi audacieux que celui de la robe devant laquelle lord Fairfax avait bavé au dîner des Cummings.

Au-dessus de longs gants en satin blancs, quelques bracelets en or encerclaient ses bras, assortis au collier ornant gracieusement sa gorge. Ses luxuriantes boucles sombres avaient été relevées en chignon au-dessus de sa tête, avec des mèches folles flottant autour de ses tempes. S'il y avait de l'air dans ses poumons, Jason ignorait totalement comment y avoir accès.

— Milady, vous êtes absolument éblouissante.

Il porta sa main à ses lèvres et y déposa un baiser. Olivia effectua une petite révérence en baissant les yeux. Il était heureux de voir la rougeur remonter lentement de son décolleté.

« Donc, la belle lady Olivia n'est pas insensible à moi autant qu'elle le prétend. »

— Milady, aimeriez-vous boire un xérès avant de partir ? demanda Grif.

Elle regarda Jason, les sourcils arqués.

— Nous avons le temps pour un verre, si vous le désirez.

— Alors oui, Grif, j'aimerais un peu de xérès.

Elle se rendit au canapé et se percha au bord. Jason reçut le verre de Grif et le lui tendit, s'installant à côté d'elle.

— Quelle est la pièce de ce soir ? dit Grif en buvant une gorgée de son brandy.

— *Songe d'une nuit d'été.*

— Oh, j'ai toujours voulu la voir.

Les yeux d'Olivia s'illuminèrent.

— Mon père en a abondamment parlé et m'a promis que nous la verrions un jour, mais nous n'avons jamais réussi à le faire.

— Alors, je suis des plus heureux que vous ayez décidé de vous joindre à moi ce soir.

Jason sourit, la chaleur se répandant en lui en voyant l'expression ravie sur le visage d'Olivia.

— J'étais tellement déçu lorsque je suis allée à l'opéra avec lord Carstairs et qu'il a insisté pour que nous partions avant la fin pour assister à une fête.

Elle se leva et posa le verre de xérès sur la table à côté d'elle.

— Maintenant, je suis très impatiente de partir.

Jason se leva.

— Nous avons tout le temps nécessaire, mais nous allons tout de même nous mettre en route.

Il lui tendit le bras, et ils quittèrent la pièce. Staunton tendit l'étole d'Olivia à Jason, qui la posa sur ses épaules, ses mains s'attardant un peu sur sa peau chaude. Incapable de résister, il fit courir sa paume sur son bras, et remarqua son léger frisson. Satisfait de sa réaction, il se sourit à lui-même tandis qu'ils descendaient les marches et montaient dans le carrosse.

• • •

Olivia tenta avec beaucoup d'efforts de contenir son excitation d'être réellement en route pour le théâtre Royal sur la célèbre Drury Lane. Elle aurait l'air d'une provinciale si elle révélait à Jason qu'elle n'avait jamais assisté à une pièce. On interdisait aux étudiantes du pensionnat pour jeunes filles de mademoiselle Emerson d'assister au spectacle. Et toutes les promesses de son père à cet effet avaient été brisées, ses recherches ayant toujours eu la priorité sur tout le reste dans sa vie. Son regard glissa vers Jason, qui l'observait de ses yeux bleus perçants comme si elle était son dîner et qu'il était affamé. Elle frissonna encore une fois, comme lorsqu'il lui avait caressé le bras en lui mettant son étole. Son regard provoquait des papillons dans son ventre. Détournant les yeux de lui, elle tenta de ralentir les battements de son cœur.

Le silence fut rompu quand Jason se pencha en avant.

— Merci d'avoir accepté mon invitation. J'espère que ce soir sera la première sortie d'une série que nous partagerons.

Il tira la main qu'il tenait dans sa paume bien plus large.

— Regardez-moi, Olivia.

Elle se réchauffa sous la chaleur de ses yeux, dont elle se souvenait si bien à cause de son embarrassant mariage. Ces yeux, à ce moment-là, avaient eu de la difficulté à se fixer et, ensuite, même à se rappeler son visage. Elle plissa le front à ce souvenir. Jason frotta le pouce sur les lignes formées entre ses yeux.

— Pas de mauvais souvenirs, mon amour. Nous recommençons à zéro.

— Je n'ai jamais accepté cela, milord.

Elle retira sa main.

— Et pas de « milord », je vous prie. Je préfère que vous m'appeliez « Jason ».

Olivia secoua légèrement la tête et se cala dans son siège, puis ferma les yeux. Elle n'aurait pas dû accepter de venir. Il était difficile de nier la tension qui irradiait entre eux. Il était stupide aussi de prétendre qu'aucune part de cette tension ne venait de son attirance physique envers l'homme assis en face d'elle et ses sentiments de colère qui s'y entremêlaient. Il pouvait bien être prêt à recommencer, mais elle éprouvait de sérieux doutes quant à sa sincérité.

Chapitre 15

— Nous sommes arrivés, mon cœur.

Jason lui toucha la main. Il descendit et se tourna pour l'aider. Souriant chaleureusement, il coinça son bras sous le sien et se pencha vers elle.

— Ne pensez plus à rien, mon amour, je veux que vous ayez du plaisir.

Repoussant ses peurs, elle sourit gaiement.

— Je n'y manquerai pas. J'ai eu très envie de voir ce spectacle presque toute ma vie.

Jason l'attira plus près de lui tandis qu'ils se frayaient un chemin jusqu'à la loge Coventry. Lord et lady Newbury étaient déjà là, et les deux couples se saluèrent tout en s'installant.

— Comme il est agréable de vous voir, lady Olivia.

Lady Newbury l'étreignit chaleureusement.

— J'ignorais que vous seriez présente.

Elle lança un regard accusateur à Jason.

— Sa Seigneurie n'avait pas mentionné son amitié pour vous.

— Ah, la belle lady Olivia et moi nous connaissons, en effet. En fait, notre association remonte à plus loin que son arrivée fort appréciée dans la société de Londres.

Il regarda Olivia, les yeux pleins d'humour.

— Vraiment ?

Lady Newbury regarda Olivia.

— Où vous êtes-vous rencontrés ?

Olivia regarda Jason avec panique, et il répondit facilement :

— Lady Olivia est la filleule du vieux comte.

— J'ignorais cela.

Lady Newbury renifla. Apparemment, la femme avait de la difficulté à accepter de n'avoir pas été au courant de ce potin particulier.

Olivia admira le théâtre depuis sa place à l'avant de la loge de Jason. Elle était tellement excitée qu'elle aurait pu bondir sur sa chaise comme une enfant. Elle regarda du côté de Jason, qui l'étudiait comme un parent indulgent.

Le rideau se leva, et l'agacement envahit Olivia en constatant que le bruit de la foule était assourdissant alors que le public continuait de bavarder.

— Pourquoi ne cessent-ils pas de parler ?

— Ah, mon cœur, comme tout le reste dans la société, ils viennent pour voir et être vus. Le spectacle n'est pas la principale raison de leur présence ici.

L'attirant encore plus près de lui, il ajouta :

— Mais Shakespeare était un type intelligent. Il a écrit au début de toutes ses pièces des scènes sans importance pour l'intrigue, puisque les foules au Globe Theatre ne se comportaient pas mieux que ce groupe aujourd'hui.

Il utilisa le prétexte de ses commentaires pour rapprocher sa chaise, puis il entrelaça leurs doigts ensemble d'un geste possessif, faisant courir son pouce sur les jointures d'Olivia. Mais bientôt, même la fascinante présence de Jason devint secondaire derrière le plaisir que prenait Olivia à la pièce. La magie du spectacle, les costumes colorés et l'odeur du théâtre marquaient véritablement ce moment comme le meilleur pour elle depuis son arrivée à Londres. Tous les bals, les soirées, les fêtes et les dîners ne pouvaient pas se comparer au fait de voir une pièce de Shakespeare prendre vie devant elle.

Les mots qu'elle avait lus et relus éclataient de la bouche des acteurs. Le décor et les mouvements des personnages la captivaient. Ses yeux restaient rivés sur la scène, assimilant chaque mot, chaque geste. Elle fut abasourdie de voir le rideau descendre pour l'entracte. Il lui semblait que seules quelques minutes s'étaient écoulées. Olivia se cala dans sa chaise, ses muscles raides après une si longue période d'immobilité.

— N'était-ce pas absolument merveilleux ?

— Oui, ce l'était certainement, répondit Jason en tenant encore sa main. Aimeriez-vous vous promener un peu dans le foyer des spectateurs et boire un rafraîchissement ?

— Oui, j'aimerais saisir l'occasion de bouger.

Elle se tourna vers lady Newbury.

— Pouvons-nous vous rapporter quelque chose, milady ?

— Non, ma chère, ça va. Je vais simplement rester ici et observer les allées et venues.

Lady Newbury agita la main en direction des autres loges, où la crème de la société se rendait visite et partageait des potins.

Jason aida Olivia à se lever et, posant doucement la main dans le creux de son dos, il l'escorta hors de la loge. La lumière de centaines de bougies se reflétait sur les bijoux enroulés dans les coiffures élaborées et sur les délicats colliers et bracelets aux bras et aux cous des dames de la haute société.

Olivia parla encore et encore de la pièce avec bonheur. Elle remarqua plusieurs personnes regardant dans leur direction, qui se retournaient ensuite pour discuter entre elles. Jason ne les remarqua pas ou ne s'en soucia pas, ce qui convenait très bien à Olivia. Elle était tout simplement trop excitée par la pièce pour s'inquiéter d'être la source du plus récent potin de la haute société. Jason lui tendit un verre de limonade chaude, qu'elle déposa, incapable d'arrêter de parler assez longtemps pour le boire.

— Coventry.

Un grand gentleman avança dans la foule, s'excusant tandis qu'il passait tout à côté de couples en conversation. Il s'arrêta à côté d'eux et il s'inclina vers Olivia, la détaillant avec plus qu'un intérêt léger tandis qu'il dirigeait son commentaire vers Jason.

— Qui avons-nous ici ? Comment est-il possible que cette beauté m'ait échappé jusqu'ici cette saison ?

Ses yeux brun foncé la balayèrent d'une manière qui lui dressa les poils sur la nuque.

— Milady.

Jason désigna l'homme d'un coup de tête, ses épaules se raidissant.

— Puis-je vous présenter lord Bristol, lady Olivia… Grant.

— Milady, je suis votre serviteur.

Il porta sa main à ses lèvres. Elle lutta contre l'envie de la lui arracher. Elle jeta un coup d'œil à Jason ; son attitude était passée de raide à hostile.

— Depuis combien de temps êtes-vous à Londres, milady ?

Bristol se rapprocha, incitant Olivia à reculer d'un pas. L'audace de l'homme la troublait.

— Quelques semaines.

Elle dirigea son attention vers Jason.

— Milord, je crois que la pièce est sur le point de reprendre.

Jason lui prit le bras et hocha la tête.

— Bristol.

— Lady Olivia ? appela Bristol alors qu'ils se tournaient pour partir. J'espère sincèrement que nous nous rencontrerons encore.

Puis, il fit une révérence et disparut dans la foule.

— Je ne l'aime pas.

Olivia frissonna.

— Bien. Je ne l'aime pas non plus. En fait, restez aussi loin que possible de Bristol. C'est un infâme séducteur.

— Vous êtes bien placé pour le savoir, milord.

Elle adoucit ses paroles avec un léger sourire.

Ils avancèrent dans la foule retournant aux loges du théâtre. Elle surprit Jason à l'observer avec amusement tandis qu'elle le pressait d'aller plus vite, ne voulant pas rater même une seule minute du spectacle. Sa raideur avait disparu avec lord Bristol.

Ils s'installèrent à leurs places au moment où le rideau se levait, et Olivia se perdit encore une fois dans la magie de la pièce. Trop tôt, les dernières répliques furent prononcées, le spectacle terminé. Olivia poussa un petit soupir de plaisir.

Elle regarda derrière elle.

— Où sont lord et lady Newbury ?

— Ils sont partis pendant le quatrième acte. Ils avaient le projet de rejoindre des amis aux Vauxhall Gardens.

— Oh, comment ont-ils pu partir avant la fin ? C'était une si merveilleuse pièce.

Jason lui sourit largement.

— Venez, mon amour, le spectacle est terminé.

La prenant par le coude, ils se frayèrent un chemin en bas et attendirent patiemment que leur carrosse soit conduit devant l'entrée. Peu après qu'ils furent installés dedans et que Jason eut tapé sur le toit pour indiquer au cocher qu'ils étaient prêts, il croisa son pied sur le genou opposé et s'appuya contre le cuir doux de la banquette.

— Je veux vous parler de quelque chose.

Olivia se raidit immédiatement le dos. Il semblait si sérieux, et elle n'était pas encore prête à ternir l'éclat de cette soirée. Elle le contempla, les sourcils levés.

— N'ayez pas l'air si soupçonneux, mon amour. Je veux simplement vous demander de m'accompagner pour un séjour au manoir Coventry.

Il se redressa et serra ses deux mains dans les siennes.

— Avant que vous ne répondiez non, écoutez-moi.

Elle tenta de tirer pour libérer ses mains, mais il les retint fermement.

— Il est nécessaire pour moi de me rendre à Coventry pour rencontrer mon intendant, car il y a certaines questions dont il ne peut s'occuper. Quand j'ai fait une visite à Coventry il y a quelques semaines, j'ai découvert que le personnel et les locataires étaient tombés sous votre charme. Il me faut quelqu'un pour prendre des nouvelles de mes locataires et rencontrer le personnel pour régler les problèmes à résoudre. Comme tout le monde semble tellement vous adorer, dit-il en souriant largement, j'ai pensé qu'il serait agréable pour vous de leur rendre visite.

— Oh, je ne pense pas.

Olivia secoua la tête.

— Ce ne serait pas pour longtemps. Je planifie partir tôt après-demain et rester deux jours, peut-être. Nous serons de retour avant la fin de la semaine.

Quand elle continua à secouer la tête, il lui fit un clin d'œil.

— Je ne pense pas que je pourrais affronter mon personnel, si j'arrivais sans vous.

— Non, dit-elle. Absolument pas. Et rien de ce que vous pourrez dire ne me fera changer d'avis. Ce n'est pas une bonne idée.

• • •

Olivia se couvrit la bouche dans une tentative d'étouffer un bâillement tandis qu'elle s'installait dans le carrosse de lord Coventry. Assister au bal des Underwood hier soir n'avait pas été la meilleure de ses décisions. Quand Jason avait dit qu'ils partiraient tôt pour Coventry, elle ne savait pas du tout qu'il voulait dire avant le lever du soleil. Il aurait été plus sage de passer la nuit blanche, tout simplement, puisque deux heures de sommeil ne faisaient qu'exacerber sa fatigue.

L'air retenait encore le froid de la nuit, et elle se frotta les bras avec ses paumes pendant qu'elle attendait que Jason donne ses dernières instructions au cocher. Une légère bruine ajoutait à la misère de ce matin. S'abandonnant aux exigences de son corps, elle bâilla sans retenue, contente qu'il n'y ait personne pour voir son comportement si contraire à celui d'une dame.

Même si elle était un peu vexée parce qu'il avait réussi à la contraindre à faire ce voyage, elle avait hâte de revoir les locataires pour lesquels elle avait développé beaucoup d'affection. Et elle jouerait du pianoforte pour divertir le personnel, dont les membres avaient été ses seuls amis après l'abandon de Jason.

Une froide humidité annonça l'arrivée de Jason au moment où la portière s'ouvrait et qu'il entrait dans le carrosse, son grand corps semblant occuper tout l'espace et vider l'air. Elle frissonna, autant à cause de sa présence écrasante que du froid.

Il tendit la main sous le siège et en sortit une couverture de fourrure.

– Je ne veux pas vous offenser, mon amour, mais on dirait que vous auriez bien besoin de reprendre du sommeil.

– Ça va, je me suis reposée un peu.

– Olivia, je vous en prie. Ce voyage sera pénible, et je préfère que nous soyons tous les deux confortables et que nous prenions plaisir à notre compagnie mutuelle.

Il secoua la couverture au moment où le carrosse s'ébranlait.

– Vous frissonnez, et vos yeux sont injectés de sang.

Il s'empara de sa main pour la tirer en avant, et elle fut prise de court par le mouvement et atterrit à côté de lui.

– Maintenant, allongez-vous à côté de moi et dormez un peu. C'est ce que je compte faire.

Il tourna les épaules d'Olivia, ignorant son regard fixe et son air stupéfait. Posant la tête de la femme sur son torse, il arrangea la couverture autour de leurs corps et il mit un bras autour de sa taille.

– Endormez-vous, mon amour, le voyage ne sera pas aussi fatigant si vous dormez pendant une partie du trajet.

Olivia était encore sous le choc. Une minute, elle regardait Jason de l'autre côté du carrosse et, la minute suivante, il l'avait prise contre son imposant torse chaud et les avait recouverts tous les deux d'une couverture. Cela n'allait pas du tout. Son avant-bras était beaucoup trop près de ses seins. Dès qu'elle aurait plus chaud, elle retournerait de l'autre côté du carrosse et ferait comprendre à lord Arrogant que ses manigances n'étaient pas les bienvenues. En ce qui la concernait, rien n'avait changé. Une fois la saison terminée, elle partirait pour l'Italie.

Elle ouvrit les yeux pour découvrir le soleil haut dans le ciel. Elle s'était endormie et, d'après la position de l'astre, apparemment pendant plusieurs heures. Elle était encore collée contre le torse de Jason et mortifiée de découvrir sa main en coupe sur son sein.

– Milord ! dit-elle en se redressant brusquement en position assise et en ajustant son chapeau pendant.

– Quoi ?

Jason sursauta, à l'évidence sortant d'un profond sommeil.

– Vous me touchez d'une manière des plus inappropriées.

Elle lissa sa robe, puis elle repoussa la couverture. La chaleur lui monta au visage, et son cœur résonna violemment tandis qu'elle se précipitait de l'autre côté du véhicule.

Jason s'étira paresseusement.

— Mon regret vient de l'avoir fait en dormant. Je suppose que vous n'avez pas envie de me faire la démonstration de la manière dont je vous touchais ?

Il tendit la main en souriant malicieusement.

— En effet, non.

Olivia grogna.

Jason sourit largement tandis qu'il pliait la couverture et la remettait dans le coffre de rangement sous la banquette. Le jour s'était dégagé et, à présent, un soleil timide brillait par la vitre du carrosse.

Il se servit de sa canne pour taper sur le toit du carrosse, le signal indiquant à son cocher de s'arrêter à la prochaine auberge de relais.

— Ce serait un bon moment pour que nous nous étirions les jambes et mangions un morceau.

— Oui, je crois que je pourrais bien manger. Je n'ai bu qu'une tasse de thé ce matin.

Elle continua à redresser ses vêtements, faisant des chichis autour de sa chevelure et essayant de calmer son cœur.

« Sa main était sur mon sein ! Était-ce réellement un accident ou simplement un autre de ses stratagèmes de séducteur ? »

Elle le contempla à travers ses deux yeux en fentes, et il lui rendit son regard avec un sourire envoûtant. On ne pouvait assurément pas lui faire confiance. Non, il valait mieux qu'elle garde sa personne loin de cet homme. Son esprit pouvait bien savoir ce qu'il était, mais il semblait que son corps continuait à ignorer le message.

Mais quelles magnifiques sensations son mauvais comportement avait suscitées en elle ! Son cœur battait encore la chamade, et une douce vibration s'était installée dans un point entre ses jambes. Comment ce serait si elle lui permettait toutes les libertés qu'un mari pouvait exiger de sa femme ? Elle le regarda sous de lourdes paupières. Il continua de l'étudier, comme un scientifique examinant un spécimen sous du verre. Elle poussa un soupir de soulagement quand le carrosse s'arrêta et que le cocher ouvrit la portière.

Cette auberge était agréable, avec de l'excellente nourriture. Jason leur procura une salle à manger privée, et ils savourèrent un déjeuner composé d'une épaisse crème de morue, de bœuf rôti aux légumes et de pain frais.

Après sa longue sieste et le repas copieux, Olivia se sentait tout à fait remise, particulièrement pendant qu'elle buvait son thé. Le léger mal de tête avec lequel elle s'était réveillée avait disparu, et elle était à présent impatiente de voir la campagne et de revoir les locataires.

— Combien de temps durera encore notre voyage, milord ?

Olivia se tapota la bouche avec sa serviette.

— Pas plus de quelques heures, si tout se passe bien. Nous devrions être là à temps pour un dîner tardif, quoiqu'après ce repas, je ne peux pas imaginer avoir à nouveau faim avant un bon moment.

— Nous sommes d'accord sur ce point, milord. J'ai également l'impression que je ne pourrai avoir envie d'un autre repas un jour.

Jason s'empara de la main d'Olivia.

— Je vous en prie, je vous le redemande : j'aimerais mieux que vous m'appeliez « Jason ». Sûrement, vous pouvez m'accorder cet unique caprice ?

— Très bien, mi… désolée… Jason.

Jason fit paresseusement courir son pouce sur les jointures d'Olivia. Elle fixa la main chaude couvrant la sienne et put sentir la chaleur se frayer un chemin dans son corps et remonter jusqu'à son visage. Elle devait apprendre à maîtriser la réaction qu'il provoquait chez elle. Ses méthodes avaient été bien rodées, et elle n'allait pas tomber sous son charme.

Retirant sa main dans la sienne, elle se leva.

— Je dois me prévaloir des installations nécessaires avant notre départ.

Jason se leva et s'écarta de la table.

— Je vais aller m'occuper de notre carrosse. Revenez dans cette pièce et attendez-moi ici lorsque vous aurez terminé. Je ne veux pas vous voir dans l'autre pièce. Je vais appeler la femme de l'aubergiste afin qu'elle vous accompagne au cabinet d'aisances.

— Est-ce vraiment nécessaire ? dit-elle, amusée.

— Croyez-moi, vous ne voulez pas vous exposer aux clients de la salle commune, et j'insiste pour que vous attendiez la femme de l'aubergiste.

Il quitta la pièce, ne donnant pas l'occasion à Olivia de discuter ses ordres.

« Bien ! Il semble que lord Arrogant ait parlé. »

Le reste de l'après-midi s'écoula rapidement. Jason passa une partie du temps à monter Apollo, qui avait été attaché à l'arrière du carrosse. Olivia profita de la vue des belles collines ondulées et du ciel de plus en plus bleu et dégagé tandis qu'ils laissaient la ville plus loin derrière eux. Sans la distraction de la présence de Jason, elle était capable de se détendre et de profiter du voyage.

Même si elle avait été malheureuse lors de son dernier séjour là-bas, elle avait adoré le manoir Coventry. Quand elle était arrivée la première fois, sa façon de s'élever majestueusement du sol quand on descendait une colline et tournait à un virage dans la route lui avait coupé le souffle. Des kilomètres sans fin de pelouse et d'arbres autour de la maison, avec un jardin parfaitement aménagé encerclant le bâtiment, qui allait présenter aujourd'hui une collection de fleurs éclatantes de couleurs et parfumées. Elle avait très hâte de le revoir.

Olivia soupira et appuya sa tête contre le carrosse. Si seulement Jason n'était pas une fripouille. Elle pourrait être confortable dans son domaine sans aucun effort. Les locataires étaient amicaux et joyeux, l'intendant de Jason ayant établi une bonne relation avec eux. Dakin avait passé du temps avec Olivia, lui décrivant avec enthousiasme les nouvelles méthodes d'agriculture que Jason lui avait permis d'introduire. Il était convaincu qu'elles avaient eu pour résultat une immense augmentation de la production ce qui, en retour, avait fait le bonheur des locataires.

Les locataires, et particulièrement les enfants, avaient conquis son cœur. Ils l'avaient accueillie sans retenue et avaient toujours exprimé leur sincère reconnaissance pour ses visites. Elle avait également été impressionnée par la régularité avec laquelle ils s'informaient de Jason.

Évidemment, quand elle s'était trouvée la dernière fois au manoir Coventry, elle avait eu très peu d'information sur son mari à partager avec eux.

Cependant, il valait mieux mettre fin à ces réflexions. Elles ne faisaient qu'assombrir son humeur.

Elle regardait par la vitre quand elle sentit le ralentissement du carrosse. Ce n'était pas le manoir Coventry, mais une auberge émergeant de l'obscurité, ses fenêtres éclairées d'une présence invitante. La portière s'ouvrit dès que le carrosse s'arrêta complètement.

— Nous ne sommes pas très loin de la maison.

Jason appuya son bras contre la portière.

— Cependant, il semble que l'un des chevaux ait perdu un sabot, alors le cocher va s'en occuper ici au lieu de faire souffrir le pauvre animal.

— Sortons-nous un peu ?

Elle se rapprocha du bord de la banquette.

— Oui. Même si nous étions bien repus après notre dernier repas, vous aimeriez peut-être une tasse de thé chaud ? Je suis déjà venu dans cette auberge, et la nourriture est acceptable.

Il tendit la main pour l'aider à descendre.

Jason l'escorta dans une salle à manger privée et partit à la recherche de l'aubergiste pour faire allumer un feu dans la pièce froide. Il avait laissé la porte de la salle commune entrouverte pour permettre à la chaleur d'entrer dans la pièce qu'elle occupait et la réchauffer. Olivia marcha dans l'espace, donnant un peu d'exercice à ses muscles raides.

— Milord !

Olivia se tourna vers la porte ouverte pour voir une jeune serveuse se précipiter vers Jason et se lancer contre lui pour enrouler ses bras autour de sa taille. Au début, Jason garda ses mains sur son flanc, mais il se libéra ensuite très vite de ses bras.

Elle leva les yeux vers lui en souriant gaiement.

— Vous avez dit que vous reviendriez. Je suis tellement heureuse de vous voir.

Chapitre 16

Jason jeta un regard vers la porte partiellement ouverte.

— Mary, ma femme m'accompagne.

— Oh, désolée, milord, je l'ignorais.

Elle lui fit un énorme clin d'œil.

— La prochaine fois, hein ?

— Ah, peux-tu voir à ce qu'un feu soit allumé dans la salle à manger privée ?

Sa voix était haut perchée.

La serveuse de taverne exécuta une petite révérence et fit courir sa langue autour de sa bouche d'une manière des plus suggestives.

— Bien sûr, milord.

Elle tourna et s'éloigna, ses hanches se balançant de façon séduisante.

La main d'Olivia vola à sa poitrine, où son cœur s'était presque arrêté avant d'accélérer. Le débauché ! L'espèce de pervers ! Elle se creusa la tête, insistant pour trouver les pires qualificatifs pour décrire cet homme méprisable.

La fille entra dans la pièce, portant du bois pour allumer le feu.

— Bonsoir, milady, dit-elle gentiment.

Jason avait disparu par la porte d'entrée de l'auberge après l'accueil enthousiaste de la fille. Olivia ne savait pas si elle devait arracher les cheveux de la traînée ou partir à la recherche de Jason pour le gifler. Ni l'une ni l'autre de ces réactions n'étaient très dignes d'une dame.

« Pourquoi ai-je pensé, ne serait-ce qu'une minute, lui accorder la chance de recommencer ? L'homme est un goujat de la pire espèce, un scélérat, un roué. »

La fille termina de disposer le bois pour le feu et quitta la pièce. Jason entra par la salle à manger commune en se frottant la nuque.

— Ah, je présume que vous avez vu cela.

Olivia se redressa.

— Je n'ai absolument rien vu qui m'ait surprise.

Elle lissa ses cheveux en arrière.

— Vous ne me donnez aucun motif pour supposer que cette jeune fille n'est pas l'une parmi un défilé d'autres femmes avec qui vous avez batifolé.

Marchant devant lui, elle ajouta :

— Si vous voulez bien m'excuser, milord, je vais vous attendre dans le carrosse.

Jason tendit les bras vers elle et l'enserra dans une étroite étreinte.

— Cette fille n'est pas une parmi plusieurs, et mon batifolage avec elle, comme vous dites, a eu lieu avant notre mariage. Je n'ai pas été un saint, c'est vrai. Cependant, je n'ai rien fait d'inconvenant depuis le jour où nous avons échangé nos vœux.

— Ha !

Elle se tortilla pour se libérer de ses bras puissants. Même en ce moment, elle sentait des papillons prendre leur envol dans son ventre. Malgré le choc et la colère, son corps la trahissait avec sa réaction à sa proximité.

— Vous ne vous rappelez même pas nos vœux, milord.

Se tortillant entre ses bras, elle dit sèchement :

— Lâchez-moi. Je n'ai rien à vous dire et je ne veux plus entendre vos mensonges.

Il la libéra à contrecœur et, après un moment, il la suivit dehors.

— Sommes-nous prêts à partir ? gronda Jason en direction du cocher tandis qu'il claquait la porte de l'auberge.

— Oui, milord. J'ai laissé le cheval ici et emprunté un autre de l'aubergiste.

— Bien, finissons-en avec ce maudit voyage.

Il grimpa dans le carrosse et s'assit en face d'Olivia. Elle détourna le visage et fixa les yeux sur l'obscurité totale.

Ce fut un couple tendu qui arriva à la porte d'entrée du manoir Coventry. Olivia ne voulut même pas prendre son bras, mais elle monta les marches seule, le fuyant presque en courant. Malcolm ouvrit la porte et les accueillit chaleureusement.

— C'est un plaisir de vous avoir tous les deux ici, milord, milady, dit-il en s'inclinant.

— C'est bon d'être à la maison, Malcolm.

Jason retira ses gants et les tendit au majordome.

— Je vous prie de veiller à ce que lady Coventry ait un bain et un léger repas montés dans sa chambre. Je serai dans la bibliothèque. Je vous prie de m'y envoyer Cook.

— Certainement, dit Malcolm.

Olivia se retira dans sa chambre, désolée à présent d'avoir fait déménager ses effets dans la chambre à coucher de la comtesse à côté de celle de Jason. Elle s'avança rapidement jusqu'à la porte qui séparait leurs chambres et coinça une chaise sous le loquet. Elle s'effondra sur le lit, furieuse de découvrir des larmes dans ses yeux. On aurait cru qu'elle aurait déjà eu sa leçon. Débauché un jour, débauché toujours. Avant qu'elle n'ait eu trop de temps pour s'attarder sur sa plus récente débâcle, un léger coup frappé à la porte l'interrompit. Sa baignoire était arrivée, et tremper dans l'eau chaude était des plus tentants.

• • •

Jason s'assit dans une bergère à oreilles et croisa ses pieds sur sa table de travail, fixant ses bottes avec morosité.

La douleur et la colère dans les yeux d'Olivia avaient pratiquement fait tomber Jason à genoux. Juste au moment où il croyait qu'ils faisaient des progrès, cette gamine de l'auberge était apparue. En toute franchise, il ne pouvait pas faire peser tout le blâme sur elle. Il avait été un crétin de la pire espèce la veille de son mariage et il savait à ce moment-là qu'il n'aurait pas dû folâtrer avec la fille.

Il valait probablement mieux laisser Olivia en paix ce soir. Avec de la chance, une bonne nuit de sommeil tempérerait une partie de sa réaction. Lui-même ne dormirait sûrement pas beaucoup, car la culpabilité n'avait pas diminué son désir de la voir étendue sur son lit. En fait, ses yeux brillants de colère n'avaient fait qu'augmenter sa détermination à voir la même intensité provoquée par la passion. Il se passa une main dans le visage et se leva. Quel gâchis !

Jason était assis à la table du petit déjeuner, quand Olivia entra le lendemain matin. Elle ne semblait pas avoir dormi davantage que lui. Par curiosité, il avait essayé d'ouvrir la porte entre leurs chambres la veille et découvert qu'elle était coincée. Comme il n'y avait pas de verrou à la porte, il avait supposé qu'elle avait placé quelque chose dessous pour l'empêcher d'entrer. La vision d'elle dans son lit avait disparu en fumée.

— Bonjour, mon amour.

Il se leva quand elle entra dans la pièce.

— Bonjour, milord, dit-elle doucement en s'assoyant.

De retour à « milord ». Il soupira.

— Aimeriez-vous du thé ?

Il tendit la main vers la théière.

— Merci.

Elle avança sa tasse, mais refusa de croiser ses yeux pendant qu'il lui servait le liquide fumant.

— Je vais rencontrer mon intendant ce matin. Je crois que madame Watkins aimerait passer un peu de temps avec vous pour examiner les comptes de la maison.

Olivia déposa sa tasse de thé et le regarda directement pour la première fois depuis leur visite à l'auberge.

— À quoi cela servirait-il, milord ? Je compte retourner en Italie une fois la saison conclue. Si vous ne demandez pas l'annulation, alors il sera nécessaire que nous vivions comme un couple séparé.

Jason jeta sa serviette et parcourut rapidement la distance entre eux. Il se pencha en avant et appuya ses mains de chaque côté de la chaise d'Olivia.

— Comprenez ceci, milady. Il n'y aura pas d'annulation ni de retour en Italie. Nous allons vivre tous les deux ici, au manoir Coventry, une fois la saison terminée.

Les yeux d'Olivia brillèrent de colère, et elle se redressa.

— Vous ne pouvez pas m'obliger à vivre ici.

— Je le peux et je le ferai. S'il faut que j'attache votre poignet au mien, alors il en sera ainsi. Vous vous êtes tenue dans la pièce juste ici au fond du couloir et avez prononcé les vœux qui ont fait de vous ma femme.

Incapable de se lever, elle se pressa contre le dossier de sa chaise et le fixa dans les yeux.

— Et bien sûr, vous vous rappelez bien cette occasion, milord.

Avec des mains tremblantes, elle lissa les côtés de sa chevelure.

— Et maintenant, vous êtes une brute en plus de tout le reste.

— Quoi, tout le reste ? gronda-t-il.

— Un débauché, un pervers et un scélérat.

Il s'écarta quand elle le repoussa avec ses deux mains sur son torse, puis qu'elle bondit sur ses pieds et le contourna pour se diriger vers la porte.

— Le genre d'homme que je n'accepterai jamais comme mari. J'ai vu les mariages typiques de la haute société, et ce n'est pas ce que je veux pour moi.

Sa voix se brisa, et elle quitta rapidement la pièce.

Il s'effondra sur sa chaise et prit une grande respiration. Il était loin d'être un moine, mais il ne se qualifiait pas non plus comme pervers. En fait, en comparaison de certains de ses pairs, il avait été très modéré.

Une bonne partie de sa réputation avait été bâtie sur des rumeurs plutôt que sur des faits. Drake et lui avaient certainement eu leur part de jeunes femmes faciles pendant qu'ils étaient à l'université et, depuis, il avait toujours eu une maîtresse, mais seulement une à la fois et toujours discrètement. Peut-être bien que certaines de ses compagnes étaient mariées, mais c'était un problème entre cette femme et son mari. Et il n'avait jamais encouragé une innocente ; en fait, il était resté aussi loin d'elles que possible.

Il s'appuya sur le dossier de sa chaise, étira ses longues jambes et croisa ses chevilles. Il lui faudrait un certain temps pour reprendre le terrain perdu hier soir.

Après s'être morigéné un moment, il se leva pour rencontrer son intendant. Un regard par la fenêtre révéla Olivia se promenant dans le jardin en discutant avec animation avec madame Watkins. Il l'étudia par la vitre et remarqua son visage expressif et les courbes qu'il désirait tant caresser de ses mains. Une brise souleva les boucles s'échappant de son chignon et lui chatouilla le visage. Tandis qu'elle levait une main pour les repousser, l'aine de Jason se serra.

• • •

Olivia se réprimanda une fois de plus. Elle n'aurait jamais dû accepter d'accompagner Jason pour sa sortie de visite aux locataires. Seul son amour pour les enfants — et la joie dans leurs yeux quand elle leur donnait des sucreries — la motiva à prendre place aux côtés de Sa Seigneurie dans le phaéton.

Par cette journée splendide, le soleil chaud la détendait tandis qu'ils progressaient. Jason s'était habillé avec décontraction, ce qui était, lui dit-il, son habitude quand il passait du temps à la campagne. Il n'avait pas mis de gilet et avait fait nouer sa cravate dans un style que l'on ne pouvait que qualifier de « lavallière ». Le regard d'Olivia ne cessait de revenir à ses cuisses musclées découpées par sa culotte serrée, ce qui suscitait des palpitations dans son estomac. Comment cet homme pouvait-il la rendre furieuse à en perdre la tête, mais, en même temps, éveiller des visions soudaines du souvenir de sa main sur son sein dans le carrosse la veille ?

Olivia inspira profondément l'air parfumé par le chèvrefeuille. Sa robe beige pâle avec son corsage vert foncé se fondait bien dans les différentes teintes de vert affichées par dame Nature. De petites fleurs couvraient sa charlotte en paille ornée aussi d'un ruban de satin vert noué avec chic sous son menton. Elle tenait un grand panier sur ses cuisses, couvert d'un linge à carreaux et rempli de sucreries, de pains et d'autres friandises de Cook.

— J'ai décidé de donner un petit dîner vers la fin de la semaine.

La voix grave de Jason rompit le silence.

— Qu'en pensez-vous ?

Brusquement, elle détourna la tête de l'image enchanteresse d'une maman oiseau apportant des vers à ses oisillons pour contempler Jason avec un sourcil arqué.

— Vraiment ? Je pensais que vous aviez dit que nous ne resterions ici qu'un ou deux jours et retournerions en ville avant la fin de la semaine ?

Il lui offrit un sourire en coin.

— Je découvre, chaque fois que je reviens à la campagne, que je répugne à revenir trop rapidement au stress et à la pression de la vie en ville.

— Vous sembliez être bien pressé de rentrer en ville le lendemain de notre mariage, dit-elle joyeusement.

Il se renfrogna.

— Néanmoins, j'aimerais recevoir quelques membres de l'aristocratie locale pendant notre séjour ici.

— Comme vous le voulez, milord.

Olivia reporta son attention sur ses cuisses, lissant sa robe devant elle.

Il prit les deux rênes dans une main et tendit l'autre vers celle d'Olivia.

— Si vous ne pouvez trouver la force dans votre cœur de me pardonner, au moins, faisons une trêve pendant que nous sommes ici. La journée est belle, et je sais que vous avez du plaisir à faire ces visites. Nous discuterons du dîner ce soir. Je veux profiter de cette journée et du spectacle de ma belle femme charmant mes locataires.

Il fit briller son sourire gamin qui continuait de provoquer des sensations dans son ventre, malgré sa détermination à lui résister.

Ils s'arrêtèrent devant une maison soignée à côté de champs bien entretenus. Un vigoureux potager de légumes et de fines herbes occupait l'espace d'un côté de la maison, tandis qu'un étalage débridé de fleurs éclatantes envahissait la façade. Deux petits enfants jouaient sur une balançoire suspendue à un grand chêne, l'écho de leurs rires innocents l'incitant à sourire.

— Bonjour, milord, milady.

Une femme corpulente, plutôt jolie, tenant un bébé dans ses bras, les accueillit quand le carrosse stoppa dans la cour avant.

— Bonjour à vous, madame McFarren.

Jason sauta en bas et récupéra le panier sur Olivia avant de se tourner pour l'aider à descendre.

— Monsieur McFarren est à l'intérieur ; il boit son thé. Je serais des plus honorées si vous et votre dame vous joigniez à nous.

Le visage de la femme était rouge de plaisir.

— Ce serait merveilleux, dit Olivia en souriant vivement.

Ils entrèrent dans la maison, et Olivia se rappela sa dernière visite quelques jours après son mariage désastreux. Elle chassa la pensée sombre et tendit les bras vers le bébé.

— Puis-je prendre votre petit, madame McFarren ?

— Oh, milady, elle ruinera votre belle robe.

Madame McFarren fronça les sourcils.

— Pas du tout, dites oui ; je vous en prie.

Olivia blottit le bébé dans ses bras, et une envie écrasante la submergea. Oh, tenir son propre enfant dans ses bras ! Elle fit courir ses mains sur le petit corps chaud et embrassa le dessus de la tête de l'enfant. Ses cheveux doux comme la soie sentait le savon. Olivia ferma les yeux et inspira profondément le parfum.

Quand elle ouvrit les yeux, Jason l'observait, un sourire ravi effleurant ses lèvres. Elle lissa rapidement ses traits et se tourna vers madame McFarren.

— Nous avons apporté quelques sucreries pour vos enfants. Puis-je leur demander d'entrer ?

— Assoyez-vous, et je vais aller les chercher, milady.

Elle désigna une chaise solide à la table où la femme avait à l'évidence sorti ses plus beaux accessoires pour le thé. Jason lui tira sa chaise et, une fois qu'elle fut installée, en tira une autre et s'assit.

— Comment vont les choses, monsieur McFarren ?

Jason se cala dans sa chaise et croisa les bras.

Les hommes se lancèrent dans une conversation intense sur les plantations, la température et les déboires de l'agriculture. Olivia se divertit en parlant avec les enfants et en les bombardant des sucreries emballées par Cook. C'était une famille heureuse avec des enfants polis dont on prenait grand soin. Le bébé était un plaisir, et Olivia se surprit à s'accrocher si fortement à lui que le petit se mit à geindre.

— Tenez, donnez-le-moi, milady, dit madame McFarren.

Olivia soupira et rendit le bébé à la mère de l'enfant. Elle survola la pièce chaleureuse et confortable du regard, avec ses tapis faits main sur les planchers luisants et l'odeur de quelque chose de délicieux bouillonnant sur le feu. De temps à autre, monsieur McFarren tendait la main et tapotait celle de sa femme, ou il la regardait pour obtenir son approbation à propos de quelque chose qu'il venait de dire.

Olivia sentit un pincement dans sa poitrine. Elle échangerait son statut et son argent pour une vie comme celle-ci. Tout ce qu'elle avait toujours voulu était qu'une personne l'aime sans partage. Les bals, les fêtes, décorer des résidences élégantes, les courses et les autres activités inutiles étaient toutes sans but s'il n'y avait pas un être cher avec qui elle pouvait partager sa vie. Il valait bien mieux passer sa vie seule plutôt qu'une autre personne lui rende l'existence misérable.

Bientôt, Jason se leva.

— Merci beaucoup pour votre hospitalité, madame McFarren. Sa Seigneurie et moi devons partir.

Il serra la main de monsieur McFarren et tira la chaise d'Olivia. Elle les remercia aussi, et ils retournèrent à leur carrosse.

— Vous devriez avoir des enfants, Olivia, dit Jason tandis qu'il tournait le véhicule pour s'éloigner de la maison des McFarren.

— Les enfants ne font pas partie de mon avenir, milord.

Que Dieu lui pardonne de mentir, car elle avait toujours fortement désiré des enfants. Cependant, dans ses rêves, leur arrivée suivait un mariage heureux et stable. Une chose qu'Olivia n'avait pas et, considérant sa situation, n'aurait probablement jamais.

— Vous pouvez vous mentir à vous-même, mon amour, mais l'expression dans vos yeux quand vous avez tenu cet enfant là-bas était révélatrice.

Il mit son bras autour de ses épaules et l'attira contre lui.

— J'adorerais voir votre corps gonflé par la maternité. Vous n'avez qu'à le dire, et nous pouvons nous atteler à ce projet.

Il la regarda avec des yeux brûlants.

Olivia se sentit fondre à l'intérieur, et ses mamelons se contracter. Seigneur, si par un simple regard comme celui-là, elle réagissait ainsi, qu'est-ce que ce serait si elle lui permettait un jour de l'embrasser ? Elle secoua la tête et prit une profonde respiration.

— Jason, j'ai accepté une trêve, mais avec la direction que prend cette conversation, la trêve pourrait bien s'interrompre.

Elle se glissa à l'autre extrémité et fixa le paysage qui défilait en essuyant discrètement une larme au coin de son œil.

• • •

Jason se sourit à lui-même. Elle s'était échappée et l'avait appelé par son prénom. Il faisait peut-être des progrès. Puis, une ombre passa sur lui quand il se rappela à quel point ils étaient éloignés. Olivia entretenait encore de mauvais souvenirs de leur mariage, de sorte qu'il devait se montrer très prudent dans sa façon de traiter avec elle. Son introduction dans la société, avec l'attitude de laisser-faire de tant de membres de la haute société pour leurs propres mariages l'avait convaincue qu'il s'attendait au même type de relation. Sa réputation n'avait pas été aidée non plus par la débâcle de l'auberge. Il devait trouver un moyen de convaincre sa femme que ses jours de séducteur étaient terminés.

Il jeta un coup d'œil à Olivia. S'il devait choisir une seule femme qui pouvait l'empêcher de batifoler, ce serait elle. Évidemment, s'il devait tomber amoureux, la question deviendrait théorique. Les hommes amoureux ne rendaient pas visite à des lits autres que celui de leurs femmes. Que ressentait-il exactement pour elle, à part le désir ? Comme elle était une femme intelligente, forte, bien élevée et avenante, il était facile de l'imaginer gérer la maison avec facilité, supervisant son personnel, s'occupant des enfants.

De plus, elle n'avait pas d'intérêt pour la ronde incessante de fêtes et de bals qu'avait à offrir la saison londonienne. Jason devait admettre qu'il s'en était lui-même fortement lassé. Il y avait peut-être davantage de son père en lui qu'il ne souhaitait l'admettre. Il pouvait facilement s'installer dans une vie à la campagne, supervisant ses locataires, donnant des dîners intimes et profitant de sa femme et de ses enfants. Cependant, alors que son père avait dû affronter une épouse très insatisfaite qui se languissait des plaisirs de la ville, Jason avait la très sage Olivia, qui avait déjà admis son dédain pour la société.

Chapitre 17

Les trois jours avant le dîner qu'Olivia avait organisé sur l'insistance de Jason filèrent à toute vitesse. D'une certaine façon, elle trouvait cet événement terrifiant, car son exposition sociale en Italie n'avait pas développé ses talents d'hôtesse. D'un autre côté, elle avait sincèrement pris plaisir à planifier le menu avec Cook et à s'entretenir avec le jardinier sur les fleurs à couper et à disposer dans les vases pour décorer la table.

Olivia passa beaucoup de temps à passer en revue la porcelaine, l'argenterie et le cristal qui, Jason le lui avait assuré, n'avait pas vu la lumière du jour depuis de nombreuses années.

— Votre mère ne donnait-elle pas des dîners ?

Jason et elle étaient assis dans des positions peu dignes sur le plancher à déballer de la délicate porcelaine blanche et dorée.

Il haussa les épaules.

— Mes parents ont vécu séparément pendant presque toute la durée de leur mariage.

Olivia leva les yeux et fronça les sourcils.

— Séparés ?

— Pratiquement. Mon père passait son temps ici, à la campagne, mais mère préférait la vie sociale de Londres. Après qu'il fut devenu évident qu'il n'y aurait pas d'héritier de rechange à ajouter dans la chambre d'enfants, elle a déménagé dans la maison de ville de Londres et passé tout son temps là ou à Bath. Elle revenait au manoir pour la période des fêtes, mais cela demeurait l'étendue de son intérêt pour l'endroit.

Elle inclina légèrement la tête.

— Comme c'est étrange. Penser qu'elle avait une belle demeure comme celle-ci et préférait passer son temps à Londres, si désagréable et sale.

Elle secoua la tête.

Jason rejeta la tête en arrière et rit.

— Vous êtes très différente de ma mère. Elle ne s'intéressait qu'aux robes coûteuses, aux bijoux, aux bals et ne voulait qu'impressionner ses amis.

Il secoua la tête.

— Londres, désagréable et sale, en effet.

— Et votre père ? Était-il satisfait de rester ici pendant que votre mère vivait ailleurs ?

— Père était satisfait de l'arrangement. Il avait autre chose pour occuper son temps.

— Comme ?

Jason la contempla un moment.

— D'autres choses. Rien d'important.

— Des femmes ?

Elle leva le menton d'un cran.

Il rougit légèrement et il s'éclaircit la gorge.

— Oubliez cela, milord, ce ne sont pas mes affaires. Je suis au courant du respect que portent la plupart des membres de la haute société envers leurs vœux de mariage.

Jason poussa un soupir.

— Tout comme vous n'êtes pas ma mère, je ne suis pas mon père. Je ne lui ressemble pas du tout et je ne m'attends pas un jour à lui ressembler. Il était loin de mon idéal.

Olivia se leva et secoua ses jupes.

— Je dois aller m'occuper du thé. Vous joindrez-vous à moi, milord ?

— Olivia, arrêtez avec ces « milords », pour l'amour du ciel. Et non, je pense que je vais aller me promener à cheval. Je vous verrai au déjeuner.

• • •

— Lady Coventry, c'était si gentil de votre part d'organiser ce déjeuner.

La baronne Shaffer prit le bras d'Olivia au moment où elles entreprenaient leur promenade dans le jardin. Les fleurs d'été avaient commencé à éclore. Les ancolies jaunes, les campanules de Canterbury blanches, bleues et roses et un déploiement de roses trémières s'étalaient devant elles, comme un prélude à la magnifique roseraie. Olivia inspira profondément l'air parfumé pendant que la baronne et elle avançaient d'un pas nonchalant.

— Et cela va de soi que c'est un très grand plaisir de faire enfin votre connaissance. Si le baron et moi avions su que vous étiez à domicile en février dernier, nous vous aurions certainement rendu visite.

Elle se tourna vers Jason, qui marchait derrière elles avec le baron Shaffer.

— Et vous, monsieur, n'avez pas daigné présenter votre belle femme à l'aristocratie après votre mariage ?

Une rougeur monta au visage de Jason, et il s'étira le cou, ses yeux se promenant comme s'ils cherchaient une issue de secours.

— Il a été nécessaire de rentrer à Londres peu après notre mariage, répondit rondement Olivia.

Elle s'appuya sur des années d'éducation et de formation pour faire cette déclaration. Jason lui décocha un sourire de gratitude.

— Milord, lord et lady Appleby sont arrivés, annonça Malcolm depuis la terrasse au-dessus du jardin.

Olivia entraîna la baronne vers la maison.

— Comme nous sommes tous ici, nous allons nous retirer dans le salon jusqu'à ce que le dîner soit annoncé.

Au moment où ils entraient dans la maison, Jason porta la main d'Olivia à ses lèvres et l'embrassa.

— Merci pour cela, madame.

Olivia étudia ces yeux ensorcelants, et sa bouche s'assécha.

— Les bonnes manières, milord. Simplement les bonnes manières.

Le pasteur et madame Dunn avaient envoyé leurs regrets en raison d'une urgence, ce qui avait exigé de réorganiser le plan de table à la dernière minute. Lord et lady Appleby, le baron et la baronne et Olivia et Jason s'installèrent tous à leur place.

— Je dois dire que je suis extrêmement contente de découvrir que lord Coventry s'est marié.

Lady Appleby contempla Olivia par-dessus le vin léger que le valet de pied avait versé à chaque convive.

Ne sachant pas trop si cela exigeait même une réponse, Olivia se contenta de sourire et inclina légèrement la tête vers la femme.

Son mari ajouta :

— Évidemment, on caresse l'espoir chez les villageois que Sa Seigneurie passera autant de temps ici que son père à présent que c'est fait.

— Oui, en effet, s'enthousiasma la baronne Shaffer. Nous espérons voir de nombreux enfants remplir la nursery de Sa Seigneurie.

La femme rougit, apparemment consciente de son faux pas ; avoir discuté d'un sujet aussi personnel à la table du dîner. Le baron Shaffer tapota la main de sa femme, fort probablement pour apaiser son angoisse. Un autre mariage chaleureux et aimant.

« Est-ce seulement à la campagne que ce genre de mariage existe ? »

Puis, elle chassa cette pensée, se remémorant l'histoire de Jason à propos de ses parents. Apparemment, l'air de la campagne n'avait pas eu d'effet sur la relation de ses parents. Elle sourit alors que ses pensées s'égaraient vers Grif et Elizabeth. Probablement le seul mariage réussi de la haute société qu'elle avait vu depuis son arrivée. Même si elle aimait son amie et voulait le meilleur pour elle, cela ne l'empêchait pas de ressentir un peu d'envie qui se pointait quand elle s'y attendait le moins ; elle-même voudrait un tel mariage.

— Milord, pouvons-nous nous attendre à ce que vous repreniez l'habitude de tenir un bal pour les fêtes ?

La baronne Shaffer se tourna vers Olivia.

— La précédente lady Coventry organisait toujours les plus merveilleuses fêtes de Noël.

— Oh, mon doux, oui, en effet.

Lady Appleby parla avec animation.

— Sa Seigneurie arrivait de Londres et faisait activement travailler les domestiques pour qu'ils décorent l'intérieur et l'extérieur du manoir. Ensuite, elle était l'hôtesse de nombreuses soirées pendant la période des fêtes, qui se terminait par un bal pour tous les résidents du comté.

Elle se recula dans sa chaise et soupira.

— C'était des jours merveilleux. Vous rappelez-vous ces soirées, milord ?

La mâchoire de Jason s'était contractée, mais comme il se comportait toujours en hôte courtois, il sourit à la femme.

— La plupart du temps, j'étais en pension à l'école. Cependant, je comprends qu'il s'agissait de moments heureux pour les locataires et, en effet, pour tout le monde dans la région.

Personne d'autre ne sembla le remarquer, mais Olivia vit la tension chez lui. Son enfance avait-elle été à ce point malheureuse que les bons souvenirs de ses invités lui en rappelaient de mauvais pour lui ? Voici qu'ils discutaient des fêtes, et Jason avait dit qu'il restait à l'école. Elle connaissait peu de choses de sa jeunesse, sauf ce qu'il lui en avait dit. Ayant été le centre de la vie de ses parents du vivant de sa mère, elle avait été réchauffée par l'ardeur de leur amour et de leur dévouement. Pas de doute que l'existence solitaire de Jason avait fait de lui l'homme qu'il était à présent.

Après le dîner, les dames se retirèrent dans le salon pendant que les gentlemen savouraient leur porto. Olivia versa du thé depuis la table roulante que l'un des valets de pied avait installée pour elles.

— Lady Coventry, nous serions enchantées de vous voir joindre notre petit cercle de couture.

Lady Appleby accepta une tasse de la main d'Olivia.

— Nous cousons des vêtements pour les enfants des locataires qui traversent une période difficile.

— Vraiment ?

Olivia haussa les sourcils.

— Pendant mes visites, les locataires semblaient tous très bien réussir. Sa Seigneurie est-elle au courant de leur détresse ?

La baronne et lady Appleby échangèrent des regards troublés.

— Je ne le crois pas, milady. Sa Seigneurie est à Londres depuis le trépas de son père, et je ne crois pas que le vieux comte gardait l'œil sur ses locataires.

La baronne soupira.

— Il y a une femme qui a besoin de notre assistance. Madame Holland a eu de la difficulté à continuer à s'occuper des enfants et des cultures. Par conséquent, elle n'a pas le temps de coudre ou de voir aux autres tâches ménagères.

Olivia attendit que lady Appleby poursuive et, quand elle garda un silence embarrassé, elle lui demanda :

— Madame Holland est donc veuve ?

Lady Appleby se fit évasive.

— Monsieur Holland aime bien la bouteille.

— Voulez-vous dire que le mari de madame Holland permet à sa femme d'assumer le fardeau de toute la famille pendant qu'il boit ?

Les deux femmes hochèrent la tête.

— Pourquoi ai-je le sentiment qu'il y a autre chose ?

La baronne baissa la voix.

— Plusieurs fois, nous avons vu des ecchymoses sur madame Holland et les enfants.

Olivia recula, les yeux ronds.

— Bien, je vais certainement m'assurer que Sa Seigneurie mettra un frein à cela.

— Merci beaucoup, milady. Il fallait faire quelque chose depuis un bon moment, et je vous suis reconnaissante de vous en occuper. Cependant, nous aimerions tout de même vous voir joindre notre cercle de couture.

— J'adorerais cela ; malheureusement, Sa Seigneurie et moi allons rentrer à Londres jusqu'à ce que le parlement ajourne.

Voyant leurs sourires vaciller, elle ajouta :

— Mais une fois que nous serons de retour à la campagne, je serai honorée de me joindre à vous.

Les deux femmes rayonnèrent.

Par le ciel, que venait-elle de promettre ? Elle n'avait toujours pas l'intention de revenir au manoir Coventry. Si Jason ne voulait pas demander une annulation, ses projets de rentrer en Italie n'avaient pas changé. Se rappeler sa menace de l'attacher à son poignet ramenait les papillons à présent familiers dans son ventre. Sottise. Elle ne permettrait pas à son corps de lui dicter sa conduite. Quand le moment viendrait, elle le persuaderait de la laisser partir.

Environ une heure après que les gentlemen les eurent rejointes, les invités se levèrent pour prendre congé. Elle rit un peu, quand le baron mentionna qu'il se faisait tard. À Londres, il serait encore trop tôt pour qu'ils se mettent en route pour la première soirée ou le premier bal. Après leur avoir souhaité le bonsoir, Olivia s'aperçut qu'elle était épuisée. La tension de la journée, voir à tout et s'assurer que tout se déroulerait à la perfection avait laissé des séquelles. Jason arriva derrière elle et, posant ses mains sur ses épaules, il se pencha très près de son oreille.

— Aimeriez-vous boire un xérès avant d'aller au lit ?

Sa voix grave souffla comme une brise sur sa peau de soie.

Ses nerfs se réveillèrent pour sonner l'alerte rouge. Il l'avait observée toute la soirée avec le regard d'un prédateur. L'odeur unique de Jason — *Bay Rum and Leather* — l'assaillit quand il se pencha vers elle. C'était tentant de simplement poser la tête sur son large torse et d'oublier toutes ses inquiétudes. Oublier qu'elle ne lui faisait pas confiance et que si elle s'abandonnait au désir qui courait dans ses veines, il quitterait un jour son lit et passerait à sa conquête suivante.

Elle secoua la tête pour s'éclaircir les idées. Il prétendait ne pas être son père. Cela restait à voir et, jusqu'ici, il ne l'avait pas convaincue. La scène à l'auberge soulevait encore sa colère et provoqua sa décision.

— Non, je ne pense pas ; je suis très fatiguée.

— Cela vous aidera à dormir.

— Je n'ai besoin de rien pour dormir, milord. Comme je l'ai déclaré, je suis très fatiguée. Maintenant, si vous voulez bien m'excuser.

— Olivia.

Il tendit la main.

— Je vous en prie, restez seulement une minute et bavardons.

Elle ferma les yeux brièvement.

— Très bien ; mais je ne veux pas boire.

Jason la guida dans la bibliothèque, où il se versa un brandy, et il la rejoignit sur le fauteuil à côté de l'endroit où elle s'était assise devant le foyer.

— Avez-vous eu du plaisir à passer du temps avec lady Appleby et la baronne ?

— Oui, vraiment. Ce sont deux femmes charmantes.

Elle se tourna vers lui, sa fatigue oubliée.

— Êtes-vous au courant que l'un de vos locataires boit à longueur de journée pendant que sa femme est obligée de s'occuper des cultures et des enfants, ainsi que de la maison ?

Jason plissa le front.

— Qui ?

— Monsieur Holland. Les femmes m'ont révélé que, non seulement il boit, mais il frappe sa femme et les enfants.

Elle secoua la tête.

— Cette situation est inacceptable. Vous devez parler à cet homme.

— Je le ferai certainement et à la première heure demain, avant notre départ. Un homme qui passe son temps à boire et dépense son argent pour de l'alcool pendant que sa femme s'occupe des affaires d'homme n'est pas un homme du tout. Et de lever sa main furieuse sur ceux qu'il a juré de protéger est impardonnable.

Olivia sourit de sa réponse farouche. Elle réprima son envie de lui demander si un homme qui passait son temps dans des lits autres que celui de sa femme était ce type d'homme. Pas d'humeur à revenir sur les questions dans ce domaine, elle se leva.

— Je crains d'être bien trop lasse pour continuer à bavarder.

Jason se leva.

— Je le vois bien, mon amour. Allez au lit, et nous reprendrons notre conversation demain.

Il esquissa un geste comme pour l'attirer à lui, mais elle s'écarta et quitta la pièce. Prenant une profonde respiration pour calmer son cœur battant, elle monta lentement les marches.

Le soleil venait à peine de s'élever au-dessus de l'horizon quand Olivia s'installa dans le carrosse et lissa ses jupes. Jason fit signe au cocher, et ils partirent. Elle regarda par la vitre tandis que les derniers signes du manoir Coventry disparaissaient à la vue.

Jason s'éclaircit la gorge.

— Nous nous rendrons directement à la maison de lady Lansdowne pour prendre vos effets.

La tête d'Olivia se releva brusquement.

— Que voulez-vous dire : prendre mes effets ?

— Sûrement, vous ne pensez pas que je vais vous permettre de rester dans la maison de Grif ?

Son regard noir, accompagné de sa supposition arrogante qu'il pouvait lui dire quoi faire, suffit à lui raidir l'échine.

— Vous n'avez pas un mot à dire sur l'endroit où je réside, milord.

Les muscles jouèrent sous la mâchoire de Jason, et son visage rougit.

— Oui, j'ai mon mot à dire, *milady,* puisque vous êtes ma femme.

— Je suis une invitée de lord et lady Lansdowne, et cela n'a pas changé.

— Permettez-moi d'être d'un autre avis, ma chère. Il sera fait comme je le dis.

— Oh, espèce d'homme détestable. Après des mois d'abandon parce que vous ne pouviez tout simplement pas vous rappeler la femme avec qui vous aviez échangé des vœux, vous vous attendez aujourd'hui à ce que je respecte vos ordres à présent que la mémoire vous est revenue ?

Elle jeta un regard mauvais par la vitre. Cela avait été une immense erreur de faire ce voyage. Elle lui avait tendu la corde pour qu'il puisse la pendre.

— Néanmoins, nous irons chez les Lansdowne et prendrons vos effets. Grif sera certainement d'accord avec moi que la place d'une femme est avec son mari.

Il tira sur ses manchettes, redressa son manteau et se réinstalla dans son siège avec toute l'arrogance du seigneur du manoir.

— De plus, soyez informée que je ne compte plus conserver le secret sur notre mariage encore très longtemps.

Olivia le dévisagea.

— Notre mariage ne se poursuivra pas après la saison. Je suis certaine de m'être bien fait comprendre à ce sujet.

— Donc, nous sommes au point mort, mon amour. Je ne compte pas vous laisser partir. Vous êtes ma femme, et sous peu, je m'attends à ce que ce soit aussi dans les faits. Il me faut un héritier.

La chaleur monta de son ventre jusqu'à son visage, s'arrêtant en chemin pour faire accélérer son cœur.

À son chagrin, il lui offrit ce sourire nonchalant qui la rendait encore plus sensible à lui.

— N'ayez crainte. Je ne me suis jamais imposé à une femme et je ne commencerai pas par ma propre femme.

— Si vous attendez mon consentement, milord, vous serez certainement trop vieux pour…

Elle avait l'impression que son visage allait s'enflammer devant ce qu'elle avait failli dire. Elle ferma fortement les lèvres en une ligne mince tandis qu'elle se détournait de lui.

Le rire de Jason résonna sur les murs du carrosse.

Chapitre 18

Comme prévu, Lansdowne approuva de tout son cœur l'ordre de Jason qu'Olivia déménage ses effets dans la maison de ville Coventry.

Elizabeth étreignit Olivia pendant que ses derniers effets étaient chargés sur le carrosse de Jason.

— Nous vous verrons à la fête des Markwick chez eux, n'est-ce pas ?

Olivia sourit à son amie.

— Oui, je compte y assister.

— Nous vous y verrons tous les deux.

Jason donna une claque dans le dos de Grif. Il jeta un coup d'œil à Olivia, qui gardait sur son visage un masque de calme, malgré ses dents serrées.

« N'y a-t-il aucun moyen d'échapper à cet homme ? »

— Que comptez-vous dire à votre personnel ?

Olivia serrait les mains sur ses cuisses pendant que Jason et elle roulaient vers sa résidence en ville.

— À moins que vous ne souhaitiez ternir votre réputation, nous devons leur parler de notre mariage.

— Ne jaseront-ils pas ?

— Évidemment. Chacun des membres de mon personnel a le don de la parole.

Il sourit largement, l'hilarité dansant dans ses yeux.

Elle se hérissa.

— Vous savez exactement ce que j'ai voulu dire.

— Mon personnel est loyal et muet comme une carpe. Je le paie assez bien pour qu'il en soit ainsi. Vous n'avez rien à craindre.

Il se pencha en avant.

— Mais encore une fois, je vous préviens, mon amour, la situation actuelle ne peut pas continuer longtemps. Je ne compte pas du tout rester debout sans rien faire pendant que d'autres hommes se battent pour votre attention. Vous m'appartenez, et bientôt, tout le monde le saura. Vous devez vous réconcilier avec cela.

Malgré les protestations de son cerveau, les entrailles d'Olivia se nouèrent devant la puissance de ses paroles. Il la voulait, et autant elle tentait de résister, autant son corps la trahissait. Elle allait devoir prendre des dispositions pour regagner l'Italie plus tôt qu'à la fin de la saison. Si elle passait trop de temps en compagnie de lord Arrogant, il vaincrait sa résistance. Comme il était un séducteur accompli, elle ne doutait pas qu'il arrive à ses fins, mais sa fierté ne lui permettait pas d'être une autre de ces femmes de la haute société, qui chassaient pour trouver un nouveau partenaire de lit pendant que leurs maris faisaient de même.

• • •

Lord et lady Markwick accueillirent Olivia et Jason, sans commenter le fait qu'ils étaient arrivés ensemble.

— Lord et lady Lansdowne sont-ils en route, donc ? s'enquit lady Markwick.

— Oui. Avec tout le bagage nécessaire aux dames, j'ai offert de conduire lady Olivia, dit aisément Jason.

— C'était très attentionné, lord Coventry.

Leur hôtesse appela l'un des valets de pied et lui ordonna de leur montrer leurs chambres.

Jason fut agacé de découvrir que sa chambre était loin d'être située à proximité de celle d'Olivia. Il se hérissa. Toute cette comédie durait depuis trop longtemps et, très vite, elle se terminerait. Il n'était pas homme à faire traîner quand il voulait quelque chose. Avant la fin de cette partie de campagne, Olivia serait dans son lit sinon toute son expérience de séducteur ne vaudrait rien.

Une voix perçante interrompit ses réflexions tandis qu'il suivait le valet de pied dans la chambre.

— Lord Coventry !

Il se tourna et gémit intérieurement lorsque l'agaçante lady Cecily se hâta vers lui.

— Milord, maman et moi avions tellement hâte de vous voir arriver.

Jason se pencha sur sa main tendue et l'embrassa.

— Milady, c'est un plaisir.

— Je vous en prie, joignez-vous à nous dans le salon. On y sert le thé, et je vous ai gardé une place juste à côté de moi sur le canapé.

Elle battit des cils et plissa les lèvres pour se donner ce qu'elle croyait être un air séducteur.

— Il faut que je m'installe, mais ensuite, je serai très heureux de boire un peu de thé.

Il trouverait Olivia dans cette maudite maison et s'assurerait qu'elle resterait collée à ses côtés pendant toute la durée de cette partie. Il évitait les innocentes comploteuses et leurs mamans déterminées depuis des années. Qu'il doive continuer à le faire alors qu'il avait la corde au cou était ridicule.

Après s'être lavé du voyage et avoir passé des vêtements propres, Jason se mit en devoir de trouver Olivia. Il avait demandé à Grady de s'informer discrètement auprès des domestiques pour découvrir l'emplacement de sa chambre, et il était en route pour s'y rendre. Il frappa doucement et, après quelques instants, la porte s'ouvrit. Jason entra vivement et referma la porte.

Olivia le dévisagea.

— Que faites-vous ici ? Si quelqu'un vous voit dans ma chambre, je serai ruinée.

— Ma chère, toute cette comédie devient lassante. Comment pouvez-vous être ruinée parce que votre mari est dans votre chambre ?

Il avança lentement jusqu'à la fenêtre et regarda des invités boire leur thé dehors sur la terrasse.

— Voulez-vous quelque chose ? Ou bien êtes-vous venu ici simplement pour marquer un point ?

Elle haussa les sourcils.

— Je suis venu vous escorter pour le thé. Lady Cecily vient à l'instant de m'aborder dans le couloir et a offert de me garder une place à côté d'elle sur le canapé pendant le thé.

Olivia sourit largement et dit joyeusement :

— Oh, mon doux.

— En effet. Je vais vous persuader de rester à mes côtés pendant cette partie de campagne infernale. Je n'aime pas le regard de cette gamine.

Olivia jeta un coup d'œil dans la glace.

— Pauvre lord Coventry. Les dames vous pourchassent sans cesse, n'est-ce pas ?

— Ne recommençons pas.

Il la rejoignit et l'entoura de ses bras par-derrière, posant son menton sur son épaule. Ils se contemplèrent dans la glace.

— Ou encore, nous pourrions rester ici et nous occuper d'autres façons.

Il eut un petit sourire narquois en constatant le frisson qui la parcourut quand il enfouit son nez contre son cou.

Olivia se tortilla pour se libérer de son étreinte, le visage rougi. Elle tapota sa chevelure et joua avec sa robe.

— Y allons-nous, milord ?

Le service du thé avait été installé dans le salon et sur la terrasse. Lady Cecily était assise dans le salon, de sorte que Jason escorta Olivia sur la terrasse. Ils emportèrent des tasses de thé et des assiettes de sandwichs délicats de concombres et de cresson et se promenèrent sur la terrasse jusqu'à ce qu'il trouve une table inoccupée près des marches menant au jardin. L'air était parfumé par les fleurs sur les parterres bien entretenus. Olivia et Jason bavardèrent avec décontraction en buvant leur thé, s'arrêtant occasionnellement pour parler à des invités qui s'arrêtaient pour les saluer.

— Lord Coventry. Vous voilà. J'étais dans le salon.

Lady Cecily avança d'un pas nonchalant jusqu'à la petite table en faisant tournoyer son ombrelle sur une épaule. Elle lui sourit avec éclat et tourna un visage pincé vers Olivia.

— Lady Olivia. Comme c'est agréable de vous voir.

— Il en va de même pour moi, lady Cecily.

Olivia inclina légèrement la tête avec politesse.

— Lord Coventry, je me demande si vous pourriez m'accompagner pour une promenade dans le jardin. Je comprends que la flore ici est au-delà de toute comparaison.

L'audace de cette fille l'ébahit encore une fois. Elle devenait un peu trop insistante, et Jason allait devoir mettre un terme à cela au plus vite. Il regarda Olivia.

— Milady, aimeriez-vous vous joindre à nous pour une promenade ?

Une légère rougeur remonta sur le visage de lady Cecily, et la main agrippant l'ombrelle devint blanche tandis qu'elle resserrait sa prise.

— Oui, je vous en prie, dit-elle à travers des dents serrées.

Olivia se leva.

— Je pense que ce serait agréable. Merci de le suggérer, lady Cecily.

Jason tendit un bras à chacune des dames, et ils commencèrent leur promenade. Lady Cecily passa la plupart de son temps à diriger ses commentaires vers Jason. Il semblait qu'elle avait reçu les deux demandes supplémentaires pour sa main attendues par sa mère avant la fin de la saison. Cependant, hélas, aucun des gentlemen l'ayant demandée en mariage ne répondait à ses exigences à elle. Nonobstant le fait que personne ne s'était enquis desdites exigences, elle énuméra une liste de « nécessités » qui ressemblait dangereusement à une description de Jason. La main d'Olivia forma un poing là où elle était posée sur le bras de Jason pendant que la fille continuait de jacasser.

Tandis que lady Cecily papotait, Jason planifiait la manière d'entraîner Olivia au lit et d'amener à son terme le désir handicapant qu'il ressentait chaque fois qu'il était près d'elle.

— N'êtes-vous pas d'accord, lord Coventry ?

La voix de lady Cecily interrompit ses pensées. Il baissa un regard fixe sur elle, son visage totalement dénué d'expression.

« De quoi diable parle-t-elle maintenant ? »

Il jeta un coup d'œil à Olivia, qui était occupée à profiter de la nature.

— Oui, en effet, grommela-t-il.

Lady Cecily applaudit et lui offrit un sourire brillant.

— Je savais que vous aimeriez faire du canot avec moi, milord. Je comprends que notre hôtesse a organisé un petit groupe de canotage et un pique-nique demain.

Elle lui pressa le bras.

— Ce sera tellement amusant !

Jason regarda Olivia, qui haussa les épaules et roula les yeux.

— Lady Olivia, je suppose que vous aimez le canotage aussi ? dit-il, la voix rauque.

— Oui, j'aime cela, milord.

Ses yeux brillaient d'humour.

Avant qu'elle puisse ajouter autre chose, lady Cecily intervint.

— Oh, milord, les canots sont petits, seulement assez grands pour deux.

Elle se pencha pour rencontrer le regard d'Olivia.

— Vous ne trouveriez jamais assez de place pour vous avec Sa Seigneurie et moi. J'imagine que quelqu'un de votre âge préfère rester sur la berge et regarder le reste d'entre nous sur l'eau, de toute façon.

Jason fut pris d'une quinte de toux pendant qu'Olivia jetait un regard noir à la jeune fille.

— En effet, lady Cecily, je vais demander au valet de pied de m'apporter mon châle et mon tricot pour me garder au chaud et pour m'occuper pendant que vous autres, les jeunes, profitez de la journée.

Complètement inconsciente du sarcasme, la fille continua à dominer la conversation.

— Si vous voulez bien m'excuser, milady, milord, je constate que j'ai légèrement mal à la tête et j'aimerais me reposer un peu dans ma chambre jusqu'au dîner.

Olivia libéra en douceur son bras sous celui de Jason.

Lady Cecily la salua en agitant la main, mais Jason en avait assez de la présence irritante de la jeune femme.

— Je voulais m'entretenir avec lord Markwick sur un certain sujet. Si vous voulez bien m'excuser, je pense que je vais raccompagner lady Olivia dans la maison.

Il exécuta une révérence et se hâta derrière sa femme.

Malheureusement pour Jason, sa place désignée à la table au dîner le positionnait juste à côté de lady Cecily et en face d'Olivia. Comme si ce n'était pas déjà assez fâchant, il fallait en plus que lord Wesley, un loup déguisé en mouton, s'installe sur la chaise à la droite d'Olivia ; plus d'une fois, Jason regarda la tête de Wesley se pencher vers Olivia, les deux en profonde conversation.

Lansdowne, qui était arrivé juste avant le dîner avec sa femme était, Dieu merci, à la gauche d'Olivia ; attentif à l'humeur sombre de Jason, il tentait d'accaparer tout ce qu'il pouvait du temps d'Olivia.

Les performances des dames suivirent le dîner et, une fois encore, Olivia épata le public avec son talent.

Après la musique s'ensuivirent les jeux de cartes, et Jason se retrouva partenaire de lady Cecily, à jouer contre les parents de cette dernière. Les regards qui passaient entre la mère et la fille commençaient à le rendre nerveux.

Olivia refusa de jouer aux cartes et passa la majorité du temps en grande conversation avec la duchesse douairière d'Edmonstone. La manière qu'avait Olivia de se frotter les tempes convainquit Jason qu'elle ne s'était pas débarrassée de son mal de tête.

Une fois la main en cours terminée, il se leva.

— Le voyage a été long pour moi aujourd'hui ; je vais donc vous souhaiter la bonne nuit.

Il marcha jusqu'à l'endroit où Olivia était assise, arborant des cernes sombres sous ses yeux et des rides de fatigue sur son visage. Olivia sauta sur l'occasion de son interruption pour s'excuser, et elle quitta la pièce. Après avoir brièvement conversé avec la douairière, Jason prit congé et monta les marches en vitesse.

Il rattrapa Olivia, qui entrait dans sa chambre.

— Olivia ? appela-t-il doucement.

Elle pivota et se retrouva en face de lui en refermant la porte. Ses sourcils s'arquèrent pendant qu'il s'approchait.

— Je voulais simplement vous souhaiter une bonne nuit.

Il prit la main de sa femme et déposa un doux baiser sur sa paume. En la retenant, il rapprocha Olivia de lui. Il prit son visage en coupe et baissa lentement sa bouche sur la sienne. Ses lèvres étaient douces et goûtaient le xérès sucré qu'elle avait bu après le dîner.

Quand elle ne s'écarta pas et ne se raidit pas, il taquina ses lèvres avec sa langue jusqu'à ce qu'elles s'ouvrent. Il se glissa dans sa chaleur, et il gémit quand il sentit sa réaction. Il l'attira plus près, et elle remonta lentement les paumes sur son torse et autour de son cou. Son cœur battait rapidement contre lui, en rythme avec le sien.

Jason interrompit le baiser et appuya son front contre le sien pendant qu'il prenait son visage en coupe et caressait sa mâchoire avec ses pouces.

— Invitez-moi dans votre chambre, mon amour.

Ils levèrent tous les deux brusquement la tête quand le bruit de voix masculines et féminines flotta dans le couloir jusqu'à eux. Olivia inspira, ouvrit rapidement la porte et, laissant Jason de l'autre côté, la ferma avec détermination. Il fixa stupidement la porte, encore haletant. Il se passa une main dans le visage et ajusta sa culotte afin de pouvoir marcher.

« J'approche du but. Ce ne sera plus long à présent, et cela vaut mieux, sinon j'ai des chances de devenir handicapé. »

• • •

Olivia s'appuya contre la porte et tenta de maîtriser sa respiration. Ce n'était pas bon. Cela devenait tous les jours plus difficile de résister à son mari, et elle n'avait aucune envie de se retrouver amoureuse de l'homme et ensuite regarder la parade de femmes entrer et sortir de sa vie. Malgré tout son combat contre son attrait, son cœur était en grand danger.

Lasse, elle se déshabilla avec l'aide de sa femme de chambre et se mit au lit. Ses pensées glissèrent vers la lettre qu'elle avait reçue confirmant son acceptation à l'Académie de musique de Rome. Elle soupira et roula sur un côté, fixant sans la voir la garde-robe située devant son lit. Comment la vie était-elle devenue aussi compliquée ? Tout ce qu'elle avait toujours voulu était un mari aimant, en qui elle pouvait avoir confiance, des enfants et une maison confortable. Si elle ne pouvait pas avoir cette vie-là, alors ce serait peut-être une carrière avec un orchestre symphonique et, ensuite, elle s'installerait dans une douillette petite maison où elle pourrait jouer de la musique et accepter un ou deux élèves et avoir un chat à cajoler.

Elle gémit à la pensée d'être cette personne pour le reste de son existence. Pourquoi son père ne s'était-il pas organisé pour la marier à un homme joyeux, grassouillet et perdant ses cheveux avec qui elle n'aurait jamais eu d'inquiétude de libertinage ? Au lieu de cela, elle avait la chance d'être mariée à l'un des séducteurs les plus célèbres de Londres. Grand, large d'épaules, séduisant, riche, titré et possédant un sourire dévastateur, son mari serait toujours la cible des femmes sans scrupules de la haute société qui cherchaient des distractions.

Pouvait-elle faire confiance à Coventry ? Il avait dit clairement qu'il voulait un mariage de confiance et la désirait en tant que partenaire de lit. Cependant, il n'avait jamais parlé de ses sentiments. S'il comptait réellement l'empêcher de rentrer en Italie — et malgré son insistance pour dire qu'elle ferait précisément cela, elle savait que, légalement, il pouvait le lui interdire –, elle allait devoir le faire tomber amoureux d'elle. Un homme amoureux de sa femme ne vagabondait pas. Ni une femme amoureuse de son mari.

« L'amour. »

La peur s'empara d'elle, quand elle prit conscience que c'était ce sentiment qui s'infiltrait lentement dans son cœur. La vision d'elle à son mariage s'estompait, remplacée par l'agacement de Jason devant les avances de lady Cecily et son chagrin très évident à cause de la serveuse de l'auberge. Peut-être, comme l'avait suggéré Elizabeth, lord Coventry n'était pas le scélérat qu'elle avait initialement supposé.

Elle ne doutait pas qu'il avait mené la vie typique des séducteurs pendant des années. Cependant, sa prétention de ne pas être son père et de ne pas avoir l'intention d'avoir le même genre de mariage que ses parents l'avait encouragée.

Jusqu'ici, elle l'avait trouvé charmant, attentionné et soucieux de son bien-être. Cependant, l'aimait-il ou ressentait-il même quelque chose pour elle ? Elle soupira et se tourna encore une fois. Soit il lui fallait emballer ses affaires et partir pour l'Italie très bientôt, soit entreprendre une campagne pour gagner l'amour de lord Arrogant. Autrement, un cœur brisé rôdait dans son avenir.

Chapitre 19

Ordinairement, pendant une partie à la campagne, les femmes restaient dans leurs chambres pour le petit déjeuner et les gentlemen faisaient leur affaire de l'étalage de nourriture offerte dans le salon du petit déjeuner. Cependant, puisque le pique-nique était aujourd'hui et que tout le monde avait hâte de sortir sous cette belle température, les dames se joignirent aux hommes.

Olivia s'assit à côté d'Elizabeth, les assiettes des deux femmes contenant des rôties et des fruits. Olivia sirota son thé pendant qu'Elizabeth la régalait d'histoires à propos de son fils apprises dans une lettre envoyée par sa nurse.

— Oh, Olivia, il me manque tellement. J'ai hâte que la session du parlement soit terminée afin que Grif et moi puissions rentrer à la campagne. Je n'ai qu'une envie : coller son petit corps près du mien.

Elle s'essuya les yeux et tenta de sourire.

— Je pense que le nouveau bébé me transforme en arrosoir, dit-elle en touchant légèrement son ventre.

Olivia l'étreignit.

— Je suis certaine que votre fils vous manque énormément. Je sais que ce serait la même chose pour moi si j'étais assez bénie pour avoir un enfant.

Juste ciel, si cette conversation se poursuivait, elle allait se transformer elle-même en arrosoir.

Les invités avaient un peu de temps après le petit déjeuner pour de petites excursions dans le jardin ou d'autres activités avant le pique-nique. Olivia utilisa ce temps pour explorer la très considérable bibliothèque des Markwick. Elle se promena parmi les étagères, lisant les titres.

— Avez-vous trouvé quelque chose d'intéressant ?

La voix suave et grave provoqua des frissons sur sa peau. Son cœur s'accéléra, et un sourire qu'elle ne ressentait pas orna ses lèvres. Elle pivota, essayant de ne pas montrer sa réaction. En considérant le sourire sur le visage de Jason, il semblait que cela n'avait pas fonctionné.

— Vous cherchez un livre, milord ?

Elle contra sa question avec une autre, agacée de constater qu'elle avait la voix haletante.

— Non. Non, pas du tout. Je cherche ma femme. L'avez-vous vue ?

Il se rapprocha et murmura les derniers mots.

— Jason, je vous en prie. La porte est ouverte, n'importe qui peut passer et nous voir.

Elle recula et se frappa contre le mur de livres derrière elle.

Jason sourit malicieusement.

— Je vais fermer la porte. En fait, je vais la verrouiller.

— Vous voilà, tous les deux, dit lady Markwick en entrant dans la bibliothèque. Nous nous rassemblons dehors pour marcher jusqu'au lac. Les canots sont en préparation pour ceux qui souhaitent s'y adonner.

Se tournant vers Jason, elle sourit.

— Lady Cecily s'est fait un point d'honneur de dire à tout un chacun que vous vous joindrez à elle pour ramer. Elle semble très excitée.

— Je suis sûre qu'elle l'est, marmonna Olivia alors qu'elle passait vivement devant Jason et se dirigeait vers la porte.

Le groupe progressa vers le lac, les dames avec leurs chapeaux et leurs ombrelles pour protéger leur peau claire. Lady Cecily s'était accrochée à Jason et bavardait sans arrêt. Olivia marchait derrière eux, parlant avec lady Lyons.

— Ma Cecily n'a-t-elle pas fière allure au bras de lord Coventry ? minauda-t-elle en s'adressant à Olivia.

— Hum.

— Je suis certain que Sa Seigneurie doit chercher une femme, depuis le décès du vieux comte. Je suis convaincue que ma Cecily ferait une merveilleuse comtesse.

Olivia s'étonna elle-même de la force de la jalousie qui surgit en elle. Les mamans marieuses pouvaient bien converger vers lui maintenant, mais quand on saurait que Jason était marié, elles seraient remplacées par les femmes mariées insatisfaites et les veuves solitaires. Ses dents se serrèrent, et elle prit une profonde respiration. Il lui fallait garder son calme et se concentrer sur son plan d'engager les sentiments de Jason. Pas du simple désir, mais de l'amour.

Les canots furent préparés avec beaucoup de rires et de plaisanteries pendant que les couples grimpaient à bord, s'interpellant d'une embarcation à l'autre. Olivia les observa de sa place près de lady Lyons, qui continuait à ressasser le même sujet avec une seule idée en tête : à quel point Jason et lady Cecily formaient un beau couple.

Olivia sursauta en entendant une voix masculine dans son dos.

— Ma chère, sûrement vous ne planifiez pas rester à terre ?

Elle se tourna pour voir lord Wesley lui souriant vivement. Elle leva une main pour se protéger les yeux du soleil.

— Je comptais bien rester à terre.

Il s'inclina légèrement devant elle.

— Je ne le permettrai pas, milady, vous êtes beaucoup trop jeune pour rester à l'écart et observer les activités.

Il lui tendit le bras.

— Permettez-moi de vous accompagner jusqu'à l'un des canots.

En riant, Olivia accepta son bras et s'avança là où les valets de pied aidaient les couples à monter dans les embarcations. Jason et lady Cecily avaient déjà atteint le milieu du lac. Il avait retiré son manteau et roulé les manches de sa chemise. Un peu scandaleux, c'était certain, mais juste ciel, il était beau avec le soleil luisant sur sa peau, ses muscles saillants pendant qu'il ramait.

Lord Wesley l'aida à monter dans le canot et s'installa en face d'elle. L'embarcation oscilla un peu d'avant en arrière, et Olivia agrippa les bords en regardant l'eau d'un air craintif.

— Aucune inquiétude, ma chère, dit Wesley en retirant lui aussi son manteau et en roulant ses manches. L'eau a juste un peu plus d'un mètre de profondeur à son point le plus élevé.

• • •

Jason avait de la difficulté avec lady Cecily. La fille n'arrêtait jamais de parler, et ses minauderies et ses gloussements lui donnaient une forte envie de la jeter par-dessus bord.

Il regarda autour de lui en tentant de trouver quelque chose pour se distraire jusqu'à ce que cette interminable promenade soit terminée, et il vit Olivia monter à bord d'un canot, aidée par Wesley. Que diable faisait-elle avec ce bon à rien ? Il commença à ramer vers leur bateau. Lady Cecily continuait à jacasser sur toutes les robes qu'elle avait commandées de Paris et à quel point elles étaient coûteuses. Il hochait continuellement la tête dans sa direction tandis qu'il ramait de plus en plus férocement pour se rapprocher d'Olivia.

— Dites donc, Coventry, vous allez embouter notre canot. Regardez où vous allez, mon vieux, bredouilla Wesley au moment où Jason arrivait près d'eux.

— Je n'emboute pas votre bateau, Wesley. Je voulais seulement poser une question à lady Olivia.

Il tendit la main et agrippa le côté du canot du couple.

— Arrêtez, Coventry, vous faites osciller notre bateau, dit Wesley en repoussant la main de Jason.

— Lord Coventry, pour l'amour du ciel, lâchez notre canot, sinon nous tomberons tous à l'eau, dit Olivia frénétiquement.

Lady Cecily tira sur son bras.

— Milord. Je vous en prie, continuons.

Jason se pencha en avant.

— Olivia, je dois vous demander quelque chose.

— Coventry, laissez-nous tranquilles ; et je ne peux pas croire que vous vous adressiez à lady Olivia avec une telle familiarité.

Wesley lui jeta un regard mauvais.

— Donnez-moi juste une minute, vieux, gronda Jason.

Il tira encore une fois sur le bateau, et Wesley frappa sa main avec la rame.

— Aïe ! Êtes-vous fou ?

La force avec laquelle il s'écarta fit osciller dangereusement le bateau de Wesley.

Olivia se leva.

— Assez.

Se tournant vers Wesley, elle lui dit :

— Je vous prie de ramer pour nous ramener sur la berge, milord.

— Lady Olivia, assoyez-vous avant que le bateau ne chavire, s'écria Wesley.

Elle s'assit brusquement juste au moment où le bateau se balançait de ce même côté et elle tomba par-dessus bord.

— Olivia ! cria Jason.

Il se leva et sauta par-dessus bord, faisant assez osciller son bateau pour envoyer lady Cecily voler dans l'eau, sa bouche — comme d'habitude — ouverte et ses yeux ronds.

— Oh, juste ciel, cria lady Lyons depuis la berge. Ma Cecily va se noyer, elle ne sait pas nager.

Lord Wesley sauta dans l'eau pour aider Cecily. Jason avait rejoint Olivia et l'avait remontée, crachant et toussant.

— Lâchez-moi. Je peux me tenir debout, pour l'amour du ciel, il y a peine plus d'un mètre d'eau.

Lady Lyons continuait de gémir sur la berge tandis que Wesley tendait le bras et remontait lady Cecily. La colère brillant dans ses yeux, elle s'écarta de lui et le frappa sur la tête avec son ombrelle trempée.

— Laissez-moi tranquille, monsieur. Lord Coventry va me secourir.

— Lord Coventry, oh, mon doux, vous devez sauver ma fille. Elle va se noyer, cria lady Lyons d'une voix perçante depuis la berge.

Jason regarda du côté de Cecily, qui tentait désespérément de s'extirper de la poigne de Wesley tout en criant que lord Coventry devait la secourir avant qu'elle se noie. Olivia s'écarta violemment de Jason et, jetant un regard dégoûté à la jeune fille, pataugea jusqu'à la berge.

— Lady Cecily, l'eau n'est pas profonde, cria Jason. Vous pouvez marcher jusqu'au rivage.

— Non, milord, je ne sais pas nager. Vous devez venir à mon secours.

Wesley tendit encore une fois la main vers elle, et elle le chassa à nouveau d'une tape.

— Je vous ai dit de me laisser tranquille, dit-elle à travers des dents serrées.

Wesley, apparemment lui aussi dégoûté par toute cette affaire, se dirigea vers la berge, Olivia et lui rejoignant le bord en même temps.

Jason se rendit jusqu'à lady Cecily.

— Madame, il vous suffit de vous lever. Arrêtez de fouetter l'air, pour l'amour du ciel.

Elle lança ses bras autour de son cou.

— Oh, merci de m'avoir secourue, milord. Je me serais sûrement noyée sans votre bravoure.

Jason grogna pour exprimer son opinion sur ces inepties et la tira jusqu'au rivage pendant que sa mère criait et se tordait les mains.

Il la lâcha sur la berge ; tous les deux étaient couverts de la boue du lac.

— Oh, merci infiniment d'avoir sauvé ma petite fille.

Lady Lyons tapota la main de sa fille.

— Vous êtes un homme tellement courageux et aimant.

Jason secoua la tête et s'inclina devant le groupe.

— Si vous voulez bien m'excuser, je vais aller à ma chambre pour me sécher.

Il partit d'un pas lourd sans regarder en arrière.

• • •

Olivia était debout sur la terrasse, sirotant une limonade. Quand elle remarqua Elizabeth et Grif, elle descendit les marches de marbre pour les rejoindre sur un banc de pierre.

— Par tous les saints, quelle était la cause de toute cette hystérie au lac cet après-midi ? dit Elizabeth tandis qu'elle changeait de position pour faire de la place à Olivia.

— J'ignore totalement comment cela a commencé, mais cela s'est terminé avec moi, lord Wesley, Coventry et lady Cecily dans le lac.

Elle sourit légèrement, les sourcils arqués.

— Ne me dites pas que vous avez raté cela ?

— Grif et moi avions décidé de ne pas assister au pique-nique. Mon estomac me cause des soucis.

Elle rougit légèrement.

— Une fois que je me suis sentie mieux, nous avons trouvé des façons plus intéressantes d'occuper notre temps.

Grif toussa et lança à Elizabeth un regard destiné à freiner ses confidences. Olivia sentit le rouge lui monter aux joues. Comme elle aimerait avoir un mariage comme le leur.

— Où est lord Coventry maintenant ?

Grif fit signe à un valet de pied d'apporter des verres de limonade pour eux.

— Je ne l'ai pas vu depuis qu'il est entré en trombe dans la maison, dégoulinant et renfrogné.

Elle sourit largement. Ensuite, un frisson remonta sa colonne vertébrale quand elle entendit la voix de lady Cecily.

— Et sans lord Coventry, je me serais sûrement noyée. Il était tellement inquiet de mon bien-être, c'était chou.

Lady Cecily tenait sa cour, entourée de plusieurs jeunes dames qui soupiraient d'envie.

— Si ces absurdités ne cessent pas bientôt, je ne serai pas responsable de mes actes, dit sèchement Olivia.

— Voici mon héros maintenant, dit lady Cecily, prenant le bras de Jason et le traînant vers le troupeau de demoiselles aux yeux arrondis.

Jason hocha la tête vers le groupe, souriant d'un air tendu.

— Si vous voulez bien m'excuser, lady Cecily, je dois parler à lord Lansdowne.

— Certainement. Je vous verrai au dîner, ronronna-t-elle.

Son corps rigide sous la tension, il approcha les trois personnes assises sur le banc dans le jardin.

— Olivia, une promenade, s'il vous plaît ?

— Êtes-vous sûr que c'est bien une promenade que vous voulez, mon vieux ?

Grif sourit.

— Selon moi, vous avez l'air de quelqu'un qui préférerait un bon combat de rififi.

— Même si c'est possible, je pense qu'une promenade dans le jardin avec ma femme est préférable, étant donné l'endroit, dit-il en baissant la voix.

Olivia se leva et secoua ses jupes. Un mouvement sur le côté attira son attention. Lady Cecily plissa les yeux pendant qu'elle les observait. Son public s'était éloigné, et elle survolait du regard les petits groupes rassemblés sur la terrasse. Repérant sa mère bavardant avec plusieurs de ses pairs, elle la rejoignit rapidement. Après un bref échange de paroles, les deux femmes s'écartèrent du groupe et, bras dessus, bras dessous, entrèrent lentement dans la maison, leurs têtes collées ensemble et en grande conversation.

• • •

Après quatre jours supplémentaires pendant lesquels Jason s'efforça d'éviter lady Cecily et essuya de nombreux refus d'Olivia à ses demandes de la rejoindre dans son lit, et après de nombreuses parties de cartes, de jeux de société et de numéros musicaux, la fin de la partie de campagne approcha. La plupart des invités se retirèrent tôt, puisque le lendemain concluait les festivités, avec un bal très attendu dans la soirée. À part les convives à domicile, de nombreux invités de la région seraient présents.

Une rumeur avait circulé voulant que lord et lady Lyons fassent une annonce au bal. Personne ne savait comment cette rumeur avait pris son envol, mais elle se passa de bouche à oreille. Olivia ne ressentait que du soulagement en sachant que cette affreuse fête allait bientôt prendre fin. Si elle avait un moyen de partir ce soir, elle le ferait. L'ensemble de l'événement avait renforcé son dédain pour tout ce qui touchait la haute société.

Après avoir joué les coquettes avec Jason, Lady Cecily était maintenant carrément devenue son ombre. Apparemment, avec l'approbation de sa mère. Les invitées utilisaient toutes les occasions pour calomnier toute femme qui n'était pas présente dans le groupe du moment. Les gentlemen buvaient et jouaient trop. Et on entendait le son distinct des pas étouffés des membres de l'élite de la société qui changeaient de partenaires de lit monter et descendre les couloirs chaque nuit.

— Pourquoi êtes-vous si songeuse, mon amour ?

Jason parla à voix basse derrière elle, son souffle chaud sur sa peau. Le clair de lune éclairait la terrasse, jetant sur tout une lumière surnaturelle. Olivia s'appuya sur le mur de pierre et enroula ses bras autour d'elle-même.

— Je suis simplement fatiguée. Je ne pense pas m'intégrer très bien dans votre monde. La paix et la tranquillité qui m'étaient si chères à Rome occupent beaucoup mon esprit ces jours-ci.

Elle haussa légèrement les épaules et lui offrit un petit sourire.

— Je comprends, mon cœur. Cette fête a été très éprouvante pour moi aussi.

Remarquant ses sourcils arqués, il continua.

— Malgré ce que vous pensez de moi, Olivia, je ne souhaite pas être chassé et traqué tout le temps.

Il se détourna d'elle et appuya ses avant-bras sur le mur.

— Même si le badinage m'intéressait, dit-il en la regardant rapidement, ce qui n'est pas le cas. Je préférerais certainement être celui qui chasse. Il est très déconcertant d'être la proie.

— Je le suppose, oui.

Olivia pencha légèrement la tête et le contempla. Son évaluation de lord Arrogant était-elle erronée ? Se pouvait-il qu'il dédaigne le vide de l'existence dans laquelle il était né ? Quelque chose dans son cœur se tordit un peu. Peut-être l'avait-elle vraiment vu sous son pire jour, et le véritable Coventry aimait-il les mêmes choses qu'elle ? Il y avait là de quoi réfléchir.

Il se retourna vers elle et haussa légèrement les épaules.

— Et c'est ma plus grande contrariété que la seule femme que je veux, la femme que j'ai tous les droits de désirer, me repousse.

Il était impossible de ne pas reconnaître le désir dans ses yeux quand ses mains chaudes recouvrirent les siennes.

— Que diriez-vous si nous dérobions une bouteille de champagne et noyions nos peines ensemble ?

Il la regarda ostensiblement, son sourire de guingois transformant ses jambes en chiffes molles.

S'échapper avec Jason n'était assurément pas une bonne idée, mais quelque chose dans ses confidences et la rare exposition de sa vulnérabilité tirailla son cœur.

— Et où irions-nous pour cela ?

Il sourit largement.

— Dans votre chambre ?

— Je ne pense pas, milord.

Une fois qu'il aurait accès à sa chambre, il n'y aurait plus moyen de l'en chasser.

— Ma chambre, dit-il avec énergie en lui prenant le bras.

« Cela peut être une meilleure idée. Je partirai, si les choses deviennent trop délicates. »

— Ma chambre est la troisième à gauche, dans l'aile est. Allez-y et faufilez-vous à l'intérieur. Je vais chercher le champagne et je vous rejoins.

Sa voix de velours dans son oreille suscita des émotions coquines, comme la fois où Elizabeth et elle étaient passées par la fenêtre de l'école pour aller vagabonder dans Londres la nuit. Une chaleur se rassembla dans son ventre, et elle réprima un gloussement enfantin tandis qu'elle se hâtait vers la chambre de Jason.

Avec la plupart des invités déjà dans leurs chambres, elle ne vit personne. Elle se sentait le cœur plutôt léger et elle repoussa les doutes tenaces au fond de son esprit. Jason et elle allaient simplement partager une bouteille de champagne et, ensuite, elle partirait pour rejoindre sa chambre.

N'était-ce pas son plan de voir si elle pouvait éveiller des sentiments autres que le désir ? Ceci pouvait être une occasion en or de commencer sa campagne.

À quel point pouvait-elle s'attirer des ennuis de cette façon ?

Chapitre 20

Olivia fit courir ses paumes de haut en bas de ses bras pour chasser le froid de la pièce. La froideur venait peut-être de l'intérieur d'elle. Ou ce n'était peut-être pas du tout le froid, mais l'anticipation. Et elle craignait d'en connaître la cause. Jason soupçonnait que sa résistance envers lui fondait.

Si seulement elle pouvait garder sa colère en avant-plan. Il l'avait épousée et abandonnée à elle-même. D'une certaine manière, cela ne provoquait plus la colère d'autrefois. C'était un séducteur notoire, et il couchait même avec des gueuses de taverne. C'était avant leur mariage. D'après ce qu'elle avait entendu dire, sa maîtresse n'avait aucunement l'intention de le laisser partir. Cependant, la dernière fois qu'elle avait vu lady Sheridan, la femme s'était accrochée à lord Allington et avait complètement ignoré Jason.

Séduisant, charmant et recherché à la fois par les femmes mariées et célibataires, il prétendait être las de tout cela. Et elle ne doutait pas de son désir pour elle. Elle le sentait dans son toucher, le voyait dans ses yeux bleus perçants. Était-elle destinée à être la prochaine femme à réchauffer son lit avant d'être rejetée ? Puisqu'elle était sa femme aux yeux de la loi, le rejet serait différent de celui de l'une de ses maîtresses. Des bijoux, peut-être. Mais son nom, sa fortune, son titre et son héritier resteraient à elle. À l'exception d'un enfant, le reste était une piètre consolation pour un lit froid.

Olivia s'était levée du fauteuil en brocart bleu et vert pour fixer un petit feu quand Jason arriva. Sa présence absorba tout l'air dans la pièce. L'espace qui semblait grand quand elle était entrée avait rapetissé. Elle se raidit légèrement et se demanda si elle devait retourner dans sa propre chambre.

Comme s'il jaugeait son humeur, Jason arriva derrière elle et, posant les mains sur sa taille, il attira son corps déjà sensibilisé contre le sien.

— Vous ne regrettez pas, j'espère ?

Il enfouit son nez dans son cou.

— S'il faut dire la vérité, oui. J'ai des doutes. Ce n'est peut-être pas une bonne idée.

Elle se tourna vers lui, son souffle se coinçant quand ses seins se frottèrent contre son torse dur ; le désir était évident dans les yeux de Jason.

Il la prit dans ses bras.

— Pas de souci. Nous sommes seulement deux amis partageant une bouteille de champagne.

— Sommes-nous amis, Jason ? demanda-t-elle doucement.

Il passa un doigt sur son menton.

— Oui, mon amour. Nous sommes amis ; ainsi que mari et femme, une relation qui m'échappe en ce moment.

Prenant son menton entre son index et son pouce, il pencha la tête et l'embrassa délicatement. Les lèvres de Jason étaient douces et chaudes, et elle pouvait goûter le brandy qu'il avait bu après le dîner. Elle inspira profondément un effluve bienvenu de *Bay Rum and Leather.*

Jason fit glisser sa main pour prendre sa tête en coupe, déplaçant sa bouche tandis qu'il approfondissait son baiser. Elle ouvrit les lèvres sous son insistance, et une bouffée de chaleur l'envahit quand il poussa vivement sa langue à l'intérieur, taquinant toutes les parties sensibles.

Sa réaction instinctive fut puissante, une explosion de désir courant dans son corps. Elle s'écarta en tremblant. Jason baissa le regard vers elle, ses yeux brûlant de désir.

— Je pense que je vais prendre un peu de ce champagne maintenant.

Elle recula quand sa voix se cassa.

Il eut un sourire tendu.

— Lâche.

Ils s'assirent dans les fauteuils devant le feu, buvant le champagne. Jason se leva plusieurs fois pour remplir leurs flûtes. Avec chaque remplissage, elle se réchauffait et se détendait de plus en plus. Elle rit doucement tandis qu'elle se penchait pour dénouer ses chaussures ; elle libéra ses pieds et tortilla ses orteils vers le feu. Non contente de cela, elle releva ses jupes et retira ses bas. Jason observait chacun de ses gestes. Ni l'un ni l'autre ne parla, mais la tension dans la pièce était palpable.

— Essayez-vous de me saouler, monsieur ? dit-elle après la troisième fois où il remplit sa flûte.

— Vous sentez-vous éméchée ?

Son regard balaya paresseusement son corps.

— Hum. J'imagine que je peux dire que je suis très détendue.

Olivia le regarda ; assis là et allongé comme un félin sous le soleil.

Il fixait le feu, paraissant perdu dans ses pensées. Ce n'était pas étonnant qu'il attire autant l'attention. Ses muscles étiraient les coutures de sa chemise de coton fin bien coupée. Après qu'il avait retiré son manteau et sa cravate, elle était restée la bouche sèche pendant qu'il libérait le premier bouton de sa chemise, exposant son cou bronzé, quelques poils sombres visibles. Ses doigts mouraient d'envie de courir dans les poils qui, à n'en pas douter, couvraient son torse puissant.

Elle but une autre gorgée de champagne et réfléchit à la vie avec lui. Était-elle prête à regarder les femmes se jeter sur lui ? Et combien de temps résisterait-il ? La question se posait tout particulièrement parce qu'il faisait partie de la haute société, dont les membres ne faisaient que détourner les yeux de l'infidélité, mais l'acceptaient comme leur dû.

Imprégnée par ses sombres pensées, Olivia jeta un regard à Jason, qui avait reporté son attention sur elle. En silence, il déposa sa flûte et marcha jusqu'à elle. Elle leva les yeux vers lui quand il retira la flûte de champagne de sa main et la mit de côté. L'observant attentivement, il la leva avec ses deux mains. Elle attrapa ses épaules à cause du soudain vertige.

— Oh, je me sens légèrement étourdie.

— Pas de problème, mon cœur.

Sa voix était douce et apaisante tandis qu'il se penchait et la soulevait. Il avança de quelques pas et la déposa sur le lit. Ses yeux bleus assombris rencontrèrent les siens alors qu'il arrachait sa chemise de son pantalon. Il la rejoignit sur le lit et, avec des doigts doux, il lissa le petit pli sur son front. Olivia passa sa langue autour de ses lèvres, et il gémit.

Il tendit la main derrière elle et retira les épingles dans sa chevelure. Ses boucles retombèrent en vagues souples sur ses épaules jusqu'à ses seins. La tirant vers lui, il déposa des baisers légers comme des plumes là où son pouls battait rapidement. Elle soupira devant les sensations parcourant son corps et ramena lentement la tête en arrière pour lui offrir un meilleur accès. Il la roula vers lui et ouvrit rapidement les boutons dans le dos de sa robe. Il fit glisser le vêtement sur ses épaules et délaça son corset. Elle haleta devant la vitesse avec laquelle il le retira et passa ensuite sa chemise par-dessus sa tête.

Une vague d'air froid souffla sur ses seins exposés à son regard. Elle devrait arrêter maintenant, car c'était déjà allé trop loin. Avant qu'elle puisse protester, il avait repris sa bouche avec une possessivité farouche.

Ses dents mordillèrent sa lèvre inférieure, et pendant tout ce temps, ses doigts chauds pinçaient son mamelon. Elle poussa un petit cri.

Jason s'écarta et prit son visage en coupe.

— J'adore les petits miaulements de plaisir que vous faites.

— Nous ne devrions pas faire cela.

Sa voix sortit à peine dans un murmure avant qu'elle disperse des baisers le long de son menton. Comment pouvait-elle résister ? La quantité de champagne qu'elle avait consommée semblait embrouiller son esprit. L'homme était expérimenté et reconnu pour ses talents dans la chambre à coucher. Et elle était devenue tellement lasse de s'obliger à lui résister — et se priver elle-même.

— Oui. Nous devrions. Il est plus que temps, mon cœur. Vous m'appartenez, à moi seulement ; et ce sera toujours ainsi.

Une fois encore, sa bouche couvrit la sienne, et il la serra plus près de lui, faisant glisser sa robe sur le petit creux sous sa taille et par-dessus la rondeur de ses hanches. Jason la retira, puis il fit vite son affaire de ses dessous, laissant son corps nu libre de se presser contre lui. La sensation des vêtements de Jason quand il se frotta contre sa peau exposée lui donna l'impression d'être une dévergondée.

Jason attira un mamelon dans sa bouche et téta. Elle gémit doucement et remua les jambes avec impatience. Il poursuivit avec son autre sein, utilisant ses doigts astucieux sur le mamelon qu'il venait juste de quitter pour l'inciter à pointer avec raideur. Olivia fit courir ses doigts dans ses cheveux, l'attirant plus près tandis que sa bouche jouait de sa magie.

Il leva la tête et parcourut lentement son corps étiré devant lui.

— Vous êtes tellement belle, mon amour. Je vous désire tellement, plus que toute autre femme que j'ai déjà rencontrée.

Il pressa la preuve de son désir contre sa hanche.

— Si nous devons continuer, milord, vous devriez peut-être vous débarrasser de vos vêtements.

Olivia sourit tout en déboutonnant sa chemise. Jason se releva et l'aida à la retirer. Fascinée par les poils sombres sur son torse, elle passa ses paumes en douceur sur les boucles rêches, frottant le bout de ses doigts sur son mamelon plat.

— Une telle force.

Elle dessina ses muscles tandis qu'ils jouaient sous ses mouvements. La peau dorée ondulait sous sa caresse. Il déplaça sa bouche sur son oreille.

— Je suis dur aussi. Laissez-moi vous montrer.

Il tendit la main vers la sienne et la déposa sur le membre raide.

Comme si elle avait été touchée par le feu, elle retira brusquement sa main.

— Non, ne reculez pas. Je veux que vous me touchiez.

Il lui rapprocha la main.

Avec hésitation elle le pressa, s'émerveillant de voir son membre sembler devenir plus gros sous sa caresse.

Étant donné ses gémissements, ce qu'elle faisait lui apportait à l'évidence du plaisir. Adorant le pouvoir qu'elle avait sur cet homme arrogant et sûr de lui, elle ouvrit les boutons de la braguette, et son érection bondit vers le ciel. Quand elle enroula les doigts autour de lui, il fit un mouvement brusque et lui attrapa la main.

— Non, mon cœur ; je suis sur le point d'exploser.

— Vous ai-je fait mal ?

— Non. Je dois seulement m'assurer que vous êtes prête pour moi.

Une fois encore, il remit sa bouche sur ses seins pendant que ses doigts s'activaient autour des replis entre ses jambes et les caressaient. Elle gémit quand il inséra un doigt dans son corps.

— C'est cela, mon amour, allongez-vous et laissez-moi vous donner du plaisir.

Ses lèvres affamées revinrent à sa bouche, l'embrassant profondément, et il inséra lentement un deuxième doigt, puis un troisième.

Son corps n'était que sensations. Il frotta son torse contre ses seins, la friction provoquant des vagues de plaisir ondulant de ses seins jusqu'à son ventre. Ses doigts quittèrent son aine, et sa main remonta pour masser les boucles sombres à la jonction de ses jambes. Incapable de rester immobile, Olivia fit courir ses paumes sur son dos large jusqu'à ses épaules, l'attirant plus près comme pour ramper à l'intérieur de son corps dur et chaud.

Les lèvres de Jason quittèrent les siennes quand il s'éloigna, et il roula en bas du lit. Paniquée par la perte de chaleur, Olivia ouvrit les yeux, le cherchant. Il retira ses bottes, puis ses bas. Son mari la fixa tandis qu'il descendait sa culotte et passait les pieds par-dessus. Son érection s'élevait dans toute sa gloire majestueuse, et le corps d'Olivia se tendit. Son cœur accéléra à la vue de cet homme magnifique, dont la preuve de son désir la fascinait, éveillait sa passion de femme.

Ses sens s'intensifièrent quand il rampa jusqu'à elle avec la vitesse d'un prédateur, puis retourna son corps afin qu'elle soit vautrée par-dessus lui. La soulevant par les aisselles, il la fit glisser vers le haut, et sa bouche attrapa un mamelon ; il se régala, tirant, tiraillant et léchant. Submergée par la sensation, elle se frotta contre lui puis, refermant les poings sur ses cheveux, elle l'attira plus près.

En un seul mouvement rapide, il inversa leur position, puis ouvrit ses jambes avec ses genoux, abaissant sur elle un regard admiratif tandis qu'il était agenouillé au-dessus d'elle.

— Mes rêves les plus fous ne se comparent pas à ce dont mes yeux sont témoins en ce moment.

Elle tendit les mains vers lui.

— Je vous en prie, Jason.

Son corps brûlait, et le point entre ses jambes était gonflé et palpitait. Son regard enflammé plongea en elle, cela seul augmentant la température d'Olivia.

— Je sais, mon amour. Je suis ici et je promets de ne pas vous laisser insatisfaite.

Il s'abaissa et la pénétra lentement. Olivia ferma les yeux quand son membre dur glissa là où son corps pleurait. Une fois encore, il prit possession de sa bouche et lissa en arrière les mèches humides sur son front. Ses hanches cessèrent leur mouvement en avant, et il mit sa bouche contre son oreille.

— Je donnerais tout pour ne pas vous faire mal, mais la douleur ne durera qu'un instant. Je suis désolé.

Il poussa en avant, et Olivia poussa un petit cri perçant sous le pincement aigu.

Jason resta immobile un moment, la mâchoire serrée. Sous peu, la douleur disparut, rapidement remplacée par le sentiment agréable de plénitude.

Tandis que le corps de Jason commençait à bouger, le sentiment de besoin d'Olivia revint en force. Après plusieurs coups de reins, Jason glissa la main entre leurs corps et décrivit des cercles autour de la jonction entre ses cuisses avec son pouce. Elle fit courir ses paumes sur son dos, ses hanches allant à la rencontre des siennes tandis qu'il entrait et sortait. Sa main se déplaça dans ses cheveux, où ses doigts adoraient s'entremêler dans ses cheveux sombres et soyeux.

Elle adorait le poids de son corps sur elle. À présent couverts de sueur, ils glissaient l'un contre l'autre, le son de leurs respirations lourdes remplissant l'air. Quelque chose l'alluma, se serra en boule en elle. Elle étira et contracta les muscles de ses jambes. Jason augmenta le rythme tandis que la plus incroyable des sensations submergeait Olivia, vague après vague, peu de temps avant que la voix rauque de Jason ne crie son nom et qu'il se convulse avant de s'effondrer sur elle.

Olivia avait l'impression que tous ses os avaient fondu. Quelle chose glorieuse ils venaient de partager. Elle ne s'était jamais sentie aussi proche d'un être humain dans sa vie. Elle voulait lever sa main pour lui toucher l'épaule, établir un contact, mais son cerveau ne réussissait pas à faire bouger son corps.

Ils restaient tous les deux allongés, haletants, la bouche de Jason contre son cou.

— Vous êtes extraordinaire, dit-il en prenant une profonde respiration.

Il s'appuya sur un coude et la regarda. Ensuite, il coinça une mèche derrière son oreille et lui embrassa le bout du nez.

— Vous ai-je fait mal ? Je vous désire depuis si longtemps, je crains d'avoir été un peu rude.

— Non, je n'ai pas mal.

Jason se déplaça sur un côté et il l'attira près de son torse. Olivia changea de position pour le regarder.

— Dites-moi : l'union d'un homme et d'une femme est-elle toujours ainsi ?

Il fronça les sourcils.

— Que voulez-vous dire ?

— Ma mère est décédée alors que j'étais si jeune, et personne n'a jamais discuté avec moi du lit conjugal. Les quelques fois où j'ai surpris la conversation d'autres femmes à ce sujet, cela me paraissait si… je ne sais pas… douloureux et désagréable.

Elle sentit la chaleur lui monter au visage, ce qui était idiot puisqu'ils étaient tous les deux allongés complètement nus.

— Non, mon cœur, ce n'est pas obligé d'être douloureux et désagréable. Bien, sauf la première fois. C'est dommage que les jeunes filles soient découragées par des mamans bien intentionnées. Pour une raison inconnue, la fausseté prévaut que les femmes ne devraient pas prendre plaisir à cette intimité, alors que c'est l'opposé qui est vrai.

Tandis qu'il parlait, il passa la main avec légèreté sur ses courbes. L'activité qu'ils venaient de partager, le champagne et sa voix riche et chaude l'enveloppaient dans un cocon chaud et confortable.

— C'est beaucoup plus plaisant pour l'homme, si la femme est une participante active. En fait, dit-il en lui lançant un regard songeur, une raison pour laquelle un homme pourrait avoir une aventure est que sa femme considère d'une manière visible ses attentions comme une chose indésirable.

— Est-ce un avertissement, milord ?

Elle eut un petit sourire narquois.

— Non, mon cœur ; c'est simplement ainsi que va le monde. Une femme pour engendrer un héritier, une maîtresse pour le plaisir.

— Votre monde.

— Notre monde, lady Coventry.

Il fit descendre doucement les jointures sur ses joues.

— Toutefois, le monde du comte de Coventry et de sa comtesse n'a pas besoin d'être comme celui de tous les autres, et je ne souhaite pas qu'il le soit.

— Vraiment ?

— Je n'ai jamais désiré un mariage de la haute société, mon amour. J'ai vu la misère que mes parents se sont infligée. Je veux une femme qui m'accueille dans son lit les bras ouverts. Qui aime ce que nous faisons ensemble ; ne le considère pas comme son « devoir ».

Il changea de position et l'attira près de lui.

— Je désire une femme qui partage tout avec moi : ses peines, ses joies et ses peurs. Malgré notre affreux début de relation, je sais dans mon cœur que vous êtes cette femme.

Elle dessina des cercles sur son torse en réfléchissant à ses paroles. Alors qu'elle avait déjà cru que leur union la rendrait trop vulnérable, ses mots et ses affirmations rassurantes l'apaisaient, permettant au bouclier dont elle avait entouré son cœur de se fissurer.

— Maintenant, comme vous m'avez épuisé, je dois dormir.

Jason bâilla bruyamment et, la réinstallant sur son torse, il lui posa la tête sur son épaule.

En quelques minutes, le rythme régulier des battements de son cœur et de sa respiration profonde apporta la paix à Olivia.

Se pouvait-il que cet homme — ce séducteur — soit véritablement le mari fidèle qu'elle avait toujours voulu ?

Chapitre 21

Jason se redressa brusquement au moment où la porte de sa chambre à coucher s'ouvrait à la volée, accompagnée du gémissement d'une voix féminine.

— Je vous dis que ma petite fille est ici dans cette chambre. Elle est ruinée. Ruinée, je vous dis.

Lady Lyons se tenait à la porte dans sa chemise de nuit, un bonnet fleuri sur la tête, tenant une bougie bien droite dans sa main. Derrière elle, penchés d'un côté de son épaule pour regarder, se tenaient lord et lady Markwick et lord Lyons. Jason secoua la tête pour s'éclaircir les idées, certain que le champagne lui avait embrouillé l'esprit.

— Par le ciel, que faites-vous tous dans ma chambre au milieu de la nuit ?

Il jeta un rapide coup d'œil à lady Olivia alors qu'elle se réveillait, pour s'assurer qu'elle était complètement couverte avant qu'il affronte ses envahisseurs.

Lady Lyons passa le seuil, sa cohorte derrière elle.

— Monsieur, j'ai des raisons de croire que ma fille est dans ce lit avec vous et j'exige que vous fassiez votre devoir.

Elle renifla dans un mouchoir.

— Avez-vous perdu l'esprit, madame ? Votre fille n'est pas au lit avec moi, ne l'a jamais été et ne le sera jamais. À présent, sortez immédiatement de ma chambre.

Lord Markwick s'avança.

— Je déteste jouer les casse-pieds, mon vieux, mais lady Lyons insiste pour dire que sa fille est ici.

Il jeta brièvement un regard sur le lit, son visage rougissant.

— Et il est évident que vous n'êtes pas seul, Mon Seigneur.

— Qui est dans mon lit, c'est l'affaire de personne d'autre que moi. Je peux vous assurer, cependant, que lady Cecily n'y est pas.

Il rugit en direction du groupe tandis que sa mâchoire se contractait et que ses yeux brillaient de cette arrogance qui l'avait si bien servi depuis des années.

— Maintenant, je vous demande à tous de me laisser tranquille.

— Ne le laissez pas s'en tirer comme cela, Mon Seigneur, s'écria lady Lyons en s'adressant à lord Markwick, puis elle tapota ses énormes joues avec un mouchoir. Je suis convaincue que ma Cecily est au lit avec lui. Elle n'est pas dans son propre lit, et lord Coventry, à l'évidence, lui faisait la cour. Ma fille sera ruinée, quand la nouvelle sera divulguée.

Lord Markwick inspira profondément.

— Coventry, encore une fois, je vous présente mes excuses, mais lady Lyons est très bouleversée et maintient fermement que sa fille se trouve dans votre lit. Comme je suis son hôte, je dois insister pour que vous lui permettiez de parler avec la fille.

Jason tenta de sortir du lit jusqu'à ce que les deux femmes crient et détournent la tête quand ses pieds, sous ses jambes nues, atterrirent sur le plancher.

— Au nom de Dieu, nu ou pas, je vais tous vous escorter derrière la porte, même si je dois le faire en vous prenant par la peau du cou. Si lady Lyons souhaite parler à sa fille, je vous assure que cette conversation ne se déroulera pas ici.

— Albert, hurla lady Lyons en se tournant vers son mari. J'exige que vous alliez immédiatement dans ce lit et sauviez votre fille des griffes lubriques de cet homme.

Lord Lyons grimaça quand sa femme lui poussa un coude dans le ventre.

— Vous devez exiger de lui qu'il fasse son devoir et épouse notre Cecily.

— Assez ! cria Olivia en surgissant de sous le drap, le serrant contre sa poitrine. Comme vous pouvez tous le voir, je ne suis pas lady Cecily.

Les quatre personnes encombrant la chambre ouvrirent grand la bouche, tout le monde en même temps.

— Lady Olivia ! haleta lady Markwick.

Jason laissa tomber sa tête dans ses mains et gémit.

— Maman ?

Dans le silence, une voix irritante cria de l'autre côté de la chambre.

— Cecily !

Lady Lyons se précipita vers elle.

— Où êtes-vous ?

— Je me cachais dans la penderie, maman. J'attendais que lord Coventry entre dans sa chambre, mais elle, dit la jeune fille en pointant Olivia, est entrée, alors je me suis cachée.

Elle hésita et se tordit les mains.

— J'ai dû m'endormir. Je suis désolée, maman, j'ai bien essayé.

— De quoi parle-t-elle ?

Lord Markwick jeta un regard noir à lady Lyons en plissant les yeux.

Lady Lyons chassa sa question d'une main.

— Rien. Rien du tout ; ma fille est à l'évidence sur les nerfs parce qu'elle a été invitée dans la chambre à coucher d'un gentleman au milieu de la nuit.

Elle se tourna vers lord Coventry.

— Cependant, monsieur, ma fille est dans votre chambre dans une tenue inappropriée. Elle est résolument ruinée. Vous devez rectifier la situation en l'épousant.

La femme se redressa, son impressionnante poitrine se soulevant.

— Amanda, avez-vous complètement perdu l'esprit ?

Lord Lyons parla pour la première fois.

— L'homme a lady Olivia dans son lit, pourquoi devrait-il épouser Cecily ?

Lady Lyons se tourna vers son mari avec violence.

— Il est évident que cette femme est d'une vertu douteuse. Sa réputation n'a pas d'importance. Cependant, notre fille est une jeune innocente. Il doit l'épouser.

— Madame, si vous étiez un homme, je vous défierais en duel pour cette déclaration.

Jason s'apprêta à se lever, mais Olivia l'attrapa par le bras.

— Nous devrions peut-être tous rentrer dans nos chambres et discuter de cela demain.

S'essuyant le front, lord Markwick tenta de faire sortir tout le monde.

— Non. Je demande réparation pour ma fille.

Lady Lyons poussa son mari en avant, plus près du lit.

— Albert, dites-lui que s'il refuse, vous l'affronterez au champ d'honneur.

Lord Lyons blêmit et avala plusieurs fois.

Se sentant totalement à son désavantage assis nu dans son lit avec des idiots discutant de lui comme s'il était absent, Jason gronda en direction du groupe.

— Tout le monde sort immédiatement !

Puis, d'un ton radouci, il regarda lady Lyons directement.

— Ma femme et moi aimerions nous rendormir.

— Votre femme ! dirent cinq voix en même temps.

Olivia reparut et hocha la tête.

— Je le crains.

— C'est absurde, bredouilla lady Lyons. Tout le monde sait qu'il n'est pas marié. Il dit cela uniquement pour ne pas faire son devoir.

— Il ne peut pas être marié avec elle, gémit lady Cecily, elle est si vieille.

Jason enroula un bras autour des épaules d'Olivia quand elle gronda et s'apprêta à se lever.

— Non, ma chère, vous êtes nue.

— Lady Lyons, soupira lord Markwick, je doute fort que lord Coventry invente une histoire qui peut être si facilement démentie. Je suggère que nous retournions tous dans nos lits.

Il s'inclina légèrement devant le couple.

— Je vous présente mes excuses, lady Coventry. Cette débâcle résulte d'un complet malentendu, et cette nuit ne restera pas dans ma mémoire comme l'une de mes meilleures.

Lady Cecily s'éloigna rapidement de la penderie et rejoignit ses parents, son père hochant la tête pendant que sa femme continuait à vociférer dans son oreille. Lord Markwick tint la porte ouverte jusqu'à ce qu'ils soient passés, puis sur un signe de tête pour Olivia et Jason, il referma doucement la porte.

Jason fit courir ses doigts dans sa chevelure et regarda Olivia. Elle était allongée sur le côté, dos à lui, les épaules tremblantes.

Par l'enfer ! Tout cet épisode l'a réduite aux larmes. Quelqu'un va chèrement payer pour cela.

Il tendit la main et lui toucha l'épaule avec douceur.

— Mon cœur, ne pleurez pas. Tout le monde l'aurait découvert bientôt, de toute façon.

Olivia se tourna, essuyant les larmes dans ses yeux. Elle haleta à la recherche d'une bouffée d'air et se tint le ventre, riant jusqu'à ce que Jason se retrouve à sourire plutôt qu'à froncer les sourcils, puis éclate de rire.

— Cachée dans la penderie ? dit Olivia, la respiration bruyante.

— Lord Lyons me rencontrerait sur le champ d'honneur ? C'est quelque chose que lady Lyons doit avoir lu dans un mauvais roman, dit Jason en haletant.

Elle soupira, essuyant les dernières traces de larmes sur ses joues.

— J'ai entendu parler de jeunes filles faisant des choses semblables pour prendre un gentleman au piège du mariage, mais je ne pensais jamais en être témoin.

Jason contempla sa femme, son corps rougi par le rire, sa chevelure emmêlée autour de son beau visage. Son membre viril se mit au garde-à-vous alors qu'il tendait les bras vers elle et ramenait son doux corps chaud contre le sien.

— Comme nous sommes tous les deux réveillés, de toute façon…

— Milord, vous êtes réellement décadent, murmura-t-elle.

— Vous ignorez à quel point.

• • •

Elizabeth s'empara de la main d'Olivia quand elle entra dans le salon du petit déjeuner.

— Venez dans la bibliothèque.

Elle tourna brusquement, et Olivia la suivit.

— Coventry et vous semblez déterminés à mettre de la vie dans cette partie de campagne, dit-elle, les yeux brillants d'humour. Dites-moi, je vous en prie, ce qui s'est passé au milieu de la nuit. J'ai entendu des histoires ce matin à ne pas en croire mes oreilles.

Olivia avança lentement plus loin dans la pièce, et elles se détendirent toutes les deux sur le canapé. Elle raconta à son amie les événements de la nuit précédente.

— Oh, non.

Elizabeth se couvrit la bouche des deux mains.

— Pensez-vous que lady Cecily et sa mère avaient planifié de piéger Jason ?

— Oh, assurément. Cette petite peste s'est cachée dans la penderie, apparemment prête à bondir dans son lit dès l'instant où il s'endormirait. Sa maman serait alors venue avec les témoins requis et l'annonce des fiançailles aurait été envoyée aux journaux.

Bien qu'elles discutassent d'un événement grave, ni elle ni Elizabeth n'arrivaient à garder leur sérieux.

— C'est complètement scandaleux. Pauvre Coventry. Je n'ose penser à ce qui se serait produit si vous n'aviez pas été là.

— Cela vous intéressera de savoir que la famille Lyons est partie très tôt ce matin.

Elizabeth se leva et lissa ses jupes.

— Lord Markwick nous a dit qu'il y avait une urgence qui nécessitait leur retour à la maison.

Elle gloussa.

— Toutefois, l'histoire avait déjà circulé parmi les invités.

Olivia s'étrangla de rire d'une manière très peu digne d'une dame.

— Allons déjeuner. Tout ce drame m'a ouvert l'appétit.

Déjà assis à la table du petit déjeuner, dévorant une assiette pleine de saucisses, d'œufs et de hareng dans une sauce à la crème, Jason se leva quand les deux femmes entrèrent dans la pièce et indiqua à Olivia qu'elle devait prendre place à côté de lui.

Tandis qu'elle s'installait sur sa chaise, elle dit à voix basse :

— Il semble que la famille Lyons ait fait un départ plutôt précipité.

Jason haussa les sourcils.

— Vraiment ?

— Oui, l'histoire racontée veut que la famille ait eu une urgence dont elle devait s'occuper.

Elle déplia sa serviette et la déposa sur ses cuisses.

— Cela sera probablement la meilleure nouvelle que je recevrai de toute la journée.

Il coupa une saucisse. Mâchant avec soin, il ajouta :

— Comme notre mariage n'est plus un secret, puis-je vous convaincre de porter votre bague ?

Il la contempla avec des sourcils arqués.

— En fait, milord, je serais des plus heureuses de satisfaire votre désir, mais hélas, il semble que mon mari errant ait négligé de m'en offrir une.

Jason fut pris d'une quinte de toux. Olivia continua de grignoter délicatement sa rôtie pendant que son mari tentait de se remettre.

— Qu'avons-nous fait pendant cette partie de la cérémonie ?

Il parla d'une voix sifflante après avoir bu une gorgée d'eau.

— Oubliez cela, ajouta-t-il devant son regard froid. Nous allons régler ce problème immédiatement.

— Lady Olivia !

La duchesse douairière Edmonstone entra dans le salon du petit déjeuner en s'appuyant lourdement sur le bras de lord Markwick.

— Je comprends que nous ne devrions pas du tout vous appeler ainsi.

Elle prit place sur la chaise en face d'Olivia. Elle fit signe au valet de pied de lui remplir une assiette tout en observant soigneusement Olivia.

— C'est donc lady Coventry ? Et puis-je vous demander pourquoi, monsieur, dit-elle en pointant sa fourchette sur Jason, le grand secret ?

Olivia se tourna et sourit à Jason.

— Votre Seigneurie, répondit-il en inclinant légèrement la tête, il y avait différentes raisons pour cette discrétion, mais elles n'existent plus, et je suis heureux de présenter lady Coventry comme ma comtesse.

— Balivernes, jeune homme. Je ne crois pas cela une seule minute. Toutefois, je suppose que c'est à cette histoire que vous vous tiendrez, alors qu'il en soit ainsi.

Elle accepta une tasse de thé d'un valet de pied et fut vite captivée par son petit déjeuner.

Chapitre 22

Jason frappa à la porte de la chambre à coucher d'Olivia peu après le dîner. Elle ouvrit elle-même la porte, la femme de chambre étant déjà partie. Il eut soudainement de la difficulté à avaler. Sa robe de soie bleu de glace, parsemée de fils d'argent, était magnifique. Une mince bande argentée courait sous le corsage au décolleté bas, et la robe avait des mancherons tombant sous les épaules. Elle portait un médaillon d'argent et des boucles d'oreilles simples en diamant.

Sa splendide chevelure noire était remontée sur les côtés jusque sur le dessus de sa tête, et une cascade de boucles dansantes tombait sur son dos. De petites mèches folles et soyeuses reposaient sur ses tempes.

— Vous êtes éblouissante, dit-il, sa bouche sèche incapable de dire autre chose.

— Merci.

Olivia exécuta gracieusement une petite révérence, faisant battre son éventail bleu et argenté sous ses yeux rieurs.

— Si vous êtes venu pour m'escorter, lord Coventry, je suis prête.

Elle passa le seuil alors que Jason se secouait mentalement.

— Non, attendez. J'ai quelque chose pour vous.

Il la ramena à l'intérieur et ferma la porte. Sans jamais la quitter des yeux, il farfouilla dans sa poche jusqu'à ce qu'il trouve la bague. Il tint sa main dans la sienne et il glissa le bijou à son doigt.

— Je vous présente encore une fois mes excuses pour mon grossier comportement à notre mariage. Vous ne me connaissez pas assez bien pour vous rendre compte que toute cette performance était inusitée pour moi. Si vous pouvez trouver la force de me pardonner dans votre cœur, et continuer votre route avec moi à partir d'ici, je serai pour toujours à votre service.

Olivia le dévisagea un moment.

— Je ne ressens plus d'animosité pour vous, mais quant à poursuivre notre route, nous verrons.

Elle leva le menton.

— Je ne vous fais pas encore confiance, milord. Je suis désolée de vous dire cela, mais voilà.

Il fronça les sourcils et leva sa main à ses lèvres.

— Quelles sont vos réserves ?

— Le temps le dira.

Elle sourit légèrement et baissa les yeux sur la nouvelle bague brillant à son doigt.

Jason posa sa main sur son bras, et ils se dirigèrent vers le salon, où les invités au dîner s'étaient rassemblés. Il avait un doute sur ce qu'elle entendait par son absence de confiance en lui. Il s'était forgé une réputation de séducteur, et s'il fallait dire la vérité, c'était une chose à laquelle il n'avait pas beaucoup pensé. Célibataires, riches et titrés, la plupart des hommes de la haute société avec ses recommandations, ceux qui n'avaient pas la corde au cou, avaient la même appellation.

Pouvait-il rester fidèle à une femme ? Il désirait certainement Olivia et, à part cela, il aimait sa compagnie. Il prenait plaisir à parler avec elle, assez soulagé de découvrir qu'elle avait d'autres sujets de discussion que les potins de la haute société et la mode. Il avait perdu son intérêt pour ses dernières amantes après un court laps de temps. Cela se reproduirait-il ? Pour citer sa belle femme, le temps le dirait.

Il n'y avait aucun doute que Jason et Olivia étaient le centre de l'attention en raison de la récente découverte de leur mariage. Les hommes convergèrent vers Olivia dès la minute où ils entrèrent dans le salon, et les femmes affluèrent autour de Jason.

Son estomac se serra tandis qu'il regardait lord Garland et lord Wesley baisser des regards admirateurs sur le haut des seins d'Olivia. Ne savait-elle pas que cette robe avait besoin de plus de tissu sur le corsage ? Devait-il l'accompagner chez la couturière et approuver ses robes ? Et pourquoi, juste ciel, encourageait-elle les idiots en faisant briller ce sourire ? Fronçant les sourcils, il tourna un visage renfrogné vers lady Lawrence, qui lui posait une question.

— Est-ce vrai, milord ?

Après s'être mis dans un pétrin considérable la dernière fois où il avait acquiescé à une question qu'il n'avait pas entendue, il sourit.

— Je suis désolé, lady Lawrence, il semble que j'étais dans la lune.

Elle battit des cils vers lui.

— J'ai dit, milord, que vous allez sûrement rentrer à Londres après la fête, non ?

Elle s'appuya contre lui, ses seins effleurant son bras. Il ne s'agissait pas là d'un hasard. Il l'étudia un moment. Il n'y avait pas d'attirance là, même s'il avait occupé son lit plusieurs fois quand lord Lawrence était autrement engagé. Fort probablement avec sa maîtresse.

Jason se pencha sur sa main et l'embrassa légèrement.

— Je crois que ma femme désire terminer la saison. Cependant, si on me donnait le choix, je préférerais rentrer au manoir Coventry.

Il hocha la tête en direction des autres femmes, quitta leur cercle et se dirigea vers le groupe entourant Olivia.

Juste au moment où il arrivait à ses côtés, un valet de pied annonça le dîner. Lord Garland, le partenaire de table d'Olivia, tendit son bras pour l'escorter alors que Jason marchait lentement avec lady Atherton, une matrone qu'il connaissait depuis des années. Mariée avec bonheur au vicomte Atherton, la vicomtesse faisait une charmante compagne.

Elle le régala avec des histoires à propos de ses enfants que, à rebours de la mode, elle voyait tous les jours. Pas de flirt de ce côté. Lady Atherton était une femme satisfaite de son mari et de ses enfants et souhaitait le faire savoir au monde. Elle était rondelette, joyeuse et très belle. Son mari et elle s'adoraient. Jason sentit un pincement d'envie en l'écoutant et en observant son visage animé pendant qu'elle parlait avec autant d'amour de sa famille.

Puis, son regard glissa à l'autre bout de la table, et sa mâchoire se contracta. Olivia se tenait droite comme un « i », légèrement penchée en arrière, un regard de dégoût lui faisant plisser le front. Lord Garland à sa gauche se penchait en avant, le menton quasiment dans son corsage. S'il éternuait, son nez atterrirait entre ses seins.

— Ah, milord, les gentlemen nouvellement mariés ont tendance à être un peu possessifs, n'est-ce pas ? dit lady Atherton en lui touchant le bras.

Il se tourna vers elle et vit l'hilarité dans ses yeux.

— Vous n'avez pas de souci à vous faire, milord. J'ai vu la manière dont vous observe lady Coventry. Elle n'a d'yeux pour personne d'autre, je vous l'assure. C'est quelque chose que lord Atherton et moi-même avons remarqué dès la première fois, avant même que nous apprenions votre mariage.

« Quel commentaire intéressant ! Donc Olivia m'observe ? »

Il y avait peut-être de l'espoir pour leur union, après tout. Il fronça encore une fois les sourcils en direction de Garland. Le marquis était un homme mort.

• • •

Olivia devint lasse de son compagnon de table. Si lord Garland regardait sa poitrine une autre fois, elle allait poser un geste radical. Lui, comme Wesley, avait été attentif depuis son arrivée, mais il semblait que maintenant qu'ils connaissaient son état de femme mariée, leur intérêt se soit considérablement accru — un concept écœurant.

— Lady Coventry, j'adorerais vous rendre visite une fois que nous rentrerons à Londres. Nous pourrions aller faire une promenade dans Hyde Park ?

Lord Garland livra l'entièreté de son message à ses seins.

— Mes yeux sont sur mon visage, milord.

Il la regarda droit dans les yeux et sourit largement — la réaction d'un véritable séducteur.

— Voilà une merveilleuse idée. Mon mari et moi serions ravis de nous joindre à vous pour une promenade.

Il grimaça.

— Vraiment ?

— Oui. Je crains qu'il insiste pour qu'il en soit ainsi. Vous comprenez, bien sûr ? Nouveaux mariés et tout le reste.

Elle lui offrit un sourire tout en buvant son vin.

— Il y aurait peut-être un moment où votre mari serait à l'extérieur de la ville ?

Apparemment, il était impossible de décourager cet homme. Elle eut un sourire bénin et renversa son verre de vin sur ses cuisses.

— Oh, mon doux, milord, excusez-moi, je vous en prie. Quelle maladresse absolue !

Le crétin prétentieux bondit sur ses pieds en essuyant le devant de sa culotte avec sa serviette.

— Il n'y a pas de mal, lady Coventry.

Il lui offrit un sourire tendu et s'inclina devant elle.

— Si vous voulez bien m'excuser, je vais aller me changer et je vous reverrai dans la salle de bal.

— Pas si c'est moi qui vous repère le premier, milord, marmonna-t-elle.

Olivia survola la pièce du regard de sa position à côté de Jason, Elizabeth et Grif. La salle de bal se remplit au maximum de sa capacité. L'aristocratie rurale, souhaitant apparemment montrer aux Londoniens qu'elle connaissait la mode ici, à la campagne, s'était mise sur son trente-et-un. Des robes de toutes les couleurs et les nuances ornaient les dames. Les gentlemen campagnards, en splendides habits de soirée, réussirent même à attirer l'attention des dames de Londres. Jason resta collé à Olivia, sauf quand elle dansa avec d'autres hommes. Elle avait rempli son carnet de bal avec les noms des hommes de la région et elle prit un plaisir sincère à danser avec ses partenaires. Ils étaient très différents du groupe habituel de Londres. Les hommes respectaient son état de femme mariée. Oui, la vie à la campagne lui conviendrait très bien. Si seulement Jason restait fidèle à sa parole qu'il aimerait, lui aussi, une telle existence.

— Vous me semblez un peu distraite, mon amour, dit Jason en la faisant tournoyer autour du plancher de danse dans une valse.

— Je pense que je suis fatiguée, tout simplement. Cette partie de campagne a été vraiment agréable, mais je crois que je suis prête à partir.

Elle regarda son mari, qui l'observait avec inquiétude. Pouvait-il véritablement être le mari aimant et attentionné qu'il s'efforçait de représenter ? Ou n'était-ce là qu'un jeu qu'il jouait avec toutes les femmes jusqu'à ce qu'il se désintéresse d'elles ? Elle soupira et détourna les yeux. Dans sa tête, ses paroles résonnèrent. *Le temps le dira.*

Jason la fit valser vers les portes françaises et, posant une main au creux de son dos, il l'accompagna dehors sur la terrasse.

— Si vous voulez vous retirer dans notre chambre, je serai heureux de vous y escorter. Moi aussi, j'en ai eu assez et suis prêt à rentrer à Londres.

— Vos compagnes et vos distractions vous manquent, milord ?

Elle se détourna de lui et s'écarta de quelques pas.

— Non, ma chère femme. Mon propre lit me manque, avec vous dedans.

Il avala la distance entre eux et, soulevant son menton d'un doigt, il l'embrassa légèrement sur les lèvres. Quand elle ne se raidit pas, il enroula un bras autour de ses épaules, l'autre autour de sa taille, et l'attira plus près. Il donna de petits coups de langue sur ses lèvres pendant que sa main glissait plus bas pour prendre une fesse en coupe. Il déplaça sa bouche et mordilla son cou, la preuve de son désir titillant Olivia.

Il était assurément doué pour la séduction, aucune surprise là. Il n'avait pas acquis sa réputation pour rien. Elle détestait l'idée de lui donner son cœur, seulement pour être rejetée une fois qu'il se serait lassé d'elle. Rien ne pouvait l'empêcher de la laisser à la campagne pendant qu'il poursuivait diverses activités en ville. Un nuage noir planait au-dessus d'elle. Elle devait s'assurer de protéger son cœur. Lord Coventry incarnait un sérieux danger pour son bien-être émotionnel.

Le son de voix glissa jusqu'à eux depuis les portes. Jason et elle s'éloignèrent l'un de l'autre. À présent que la valse était terminée, les couples quittaient la salle de bal pour profiter de l'air frais sur la terrasse.

— Je pense qu'il est temps de nous retirer.

Jason l'étudia.

Incapable de remplir ses poumons après son baiser, Olivia se contenta de hocher la tête et lui permit de la guider hors de la salle de bal et en haut des marches, à l'endroit où se trouvaient les chambres. Au moment où elle se dirigeait vers la sienne, Jason la tira en arrière.

— Non, mon cœur ; il n'existe plus de raison pour que vous ne partagiez pas ma chambre.

Ils continuèrent jusqu'à sa chambre, où il l'escorta à l'intérieur.

— Aimeriez-vous boire quelque chose ?

Il se dirigea vers la commode, où les hôtes avaient si gentiment équipé la chambre de chaque invité avec des verres et des spiritueux.

— S'il y a du xérès, je vais en prendre un.

Olivia s'installa lentement dans le fauteuil devant le foyer. En gémissant doucement, elle retira ses chaussures.

Jason lui tendit un petit verre de xérès et s'assit dans le fauteuil en face en faisant tournoyer son brandy dans son verre. La respiration d'Olivia eut une ratée quand il retira ses bottes et tira sur sa chemise. Les muscles ondulèrent sous sa peau dorée alors qu'il soulevait sa chemise et la lançait sur le plancher.

« Oh, mon doux, la température monte beaucoup. De quoi discutions-nous, déjà ? »

Avec la rapidité d'un prédateur expérimenté, Jason se déplaça jusqu'à l'endroit où Olivia était assise, souleva le verre dans sa main et se pencha pour lui murmurer à l'oreille.

— Pourquoi ne reprendrions-nous pas là où nous nous sommes interrompus en bas ?

Doucement, il la releva. Il enfouit son nez dans son cou, la mordillant et la léchant, et elle pencha la tête d'un côté. Olivia frissonna, ses sens intensifiés alors qu'il dessinait le tour de son oreille avec sa langue tout en déboutonnant l'arrière de sa robe. Son haleine chaude souffla sur sa peau, entraînant le serrement dans son ventre maintenant familier.

En quelques secondes, la robe tomba en flaque sur le plancher dans un amas de soie. Ensuite, il fit glisser les bretelles de sa chemise vers le bas, libérant ses seins de son corset.

— Vous me coupez le souffle.

Il fit courir avec légèreté ses mains sur ses mamelons.

Elle frissonna alors que la chaleur se répandait de ses doigts pour se rendre jusqu'à l'endroit où elle mourait de désir pour lui. Pour ne pas être en reste, elle glissa les paumes sur la peau chaude et douce de son dos, l'égratignant avec ses ongles.

Avec audace, elle passa les doigts à l'intérieur de sa ceinture et s'arrêta sur le devant pour défaire les boutons de sa braguette. Une fois que son érection pointa dehors, elle prit son membre en coupe, aimant la sensation de satin sur l'acier. Jason gémit et la souleva, franchit les quelques pas jusqu'au lit et la déposa dessus. L'observant à travers des paupières lourdes et avec des yeux enflammés, il se débarrassa vite de son pantalon et la rejoignit.

Il éparpilla rapidement le reste des vêtements d'Olivia sur le plancher. Les mains d'Olivia étaient partout, caressant la peau de son dos musclé, pétrissant son derrière, l'attirant plus près d'elle.

— Ralentissez, mon cœur ; nous avons toute la nuit, marmonna-t-il dans son cou.

Jason pencha la tête et attira un mamelon dans sa bouche. Il téta et, ensuite, il la mordilla avec ses dents. Olivia gémit et rejeta la tête en arrière, ébahie par la vitesse à laquelle son corps répondait à son contact magique. Ses doigts descendirent jusqu'aux boucles entre ses jambes et commencèrent à dessiner un cercle et à la caresser.

— Vous êtes tellement mouillée, si prête pour moi, murmura-t-il. J'adore votre passion, je n'en suis jamais rassasié.

Son corps brûlait de désir pour lui. À présent qu'elle savait à quoi s'attendre, et connaissait la merveilleuse explosion qui l'attendait, elle s'agita.

— Je vous en prie, haleta-t-elle.

— Que voulez-vous, mon cœur ?

Il lâcha son sein, revenant à ses lèvres.

— Dites-moi ce que vous voulez.

L'esprit embrouillé par le désir, elle arqua son corps contre le sien.

— Ne m'obligez pas à vous supplier.

Jason rit doucement et il continua à l'exciter avec des baisers légers et des caresses sur son sexe.

— Êtes-vous encore endolorie à cause de la nuit dernière ? demanda-t-il en lissant en arrière les cheveux sur son front.

— Non, je me sens bien. C'était un peu sensible plus tôt, mais pas maintenant.

— Bien.

Mais au lieu de la pénétrer, il continua à se frayer un chemin à coups de baisers en descendant son corps, prenant son temps, faisant tourner sa langue autour de son nombril. Ensuite, sa mâchoire effleura son ventre tandis qu'il reprenait sa course vers le bas, jusqu'à ce que ses lèvres se posent *là*. Olivia haleta quand sa langue décrivit un cercle, puis lécha le bout de chair qui suppliait d'avoir son attention.

Tout son corps sursauta devant la sensation. Sûrement, sa bouche sur ses replis n'était pas convenable. Mais la sensation était, oh, si bonne. Elle écarta davantage les jambes, et il rigola, glissant les mains sous ses fesses pour la soulever. Son regard rencontra le sien quand il leva les yeux depuis sa place entre ses jambes, ses cheveux retombant sur son front. L'homme était un démon et il l'entraînerait avec lui droit en enfer.

Olivia gémit et tendit les mains pour prendre sa tête, le retenant contre elle. Il continua ses bons soins coquins jusqu'à ce qu'une lumière éclate derrière les paupières d'Olivia et qu'elle serre les poings tandis qu'une vague de plaisir après l'autre la submergeait.

Après la disparition de la dernière ondulation, Jason grimpa sur son corps.

— Mon amour, si vous continuez à émettre ces sons, je ne vais pas durer longtemps. Vous me rendez très difficile la tâche de vous aimer convenablement.

— Vous vous en sortez tout à fait bien, milord.

Elle soupira, les os liquéfiés.

— J'ai besoin que vous me remplissiez.

— Très bien.

Jason prit encore une fois possession de sa bouche et repoussa ses jambes avec son genou. Elle se goûta elle-même sur les lèvres de Jason, ce qui envoya une nouvelle poussée de sang dans son aine. Lentement, il entra dans son passage qui palpitait, élargissant l'espace trempé et chaud, provoquant de petits miaulements qui s'échappèrent des lèvres d'Olivia au moment où il libéra sa bouche. Jason enfouit son nez dans son cou, lui donnant des baisers et murmurant des mots d'amour dans son oreille. Ses hanches bougeaient en rythme, et elle se joignit à ses coups de reins. Il entrait et sortait rapidement, sa respiration s'accélérant, la sueur perlant sur son front.

Olivia sentit encore une fois ses muscles se contracter et se tendit désespérément pour ce qui l'attendait. Jason changea de position afin que son corps presse sur ce point qui lui apporterait la plus grande satisfaction. En quelques secondes, les muscles des jambes d'Olivia se serrèrent, et des vagues de plaisir la submergèrent encore une fois, comme si un barrage s'était ouvert. Jason donna un coup de reins final et gémit son soulagement, l'attirant près de lui.

Ils restèrent allongés dans les bras l'un de l'autre, la respiration lourde. Quand la sueur sur leurs corps eut séché et l'air fut devenu froid, Jason tendit la main et tira une couverture par-dessus eux. Il s'appuya sur un coude et la regarda.

— Quel est votre niveau d'impatience de retourner à Londres ?

— Pas très élevé.

Elle changea de position et le regarda en face.

— Franchement, je suis lasse du tourbillon social. Vous pouvez bien me trouver provinciale, mais je préfère une vie calme. Une chose que, j'en suis sûre, vous ne devez pas favoriser ?

Il coinça une mèche derrière son oreille.

— Au contraire. Avec vous à mes côtés, la vie en province prend une tout autre signification.

— J'aimerais passer en revue les papiers de mon père qui sont rangés au manoir Coventry. Je ne sais pas du tout quoi faire d'eux. En faire don à l'université de Milan, peut-être. Il a travaillé avec tant d'acharnement à ses projets, je déteste les voir se perdre.

Jason la tira contre son torse, l'installant confortablement sur son épaule.

— C'est réglé, donc. Nous allons retourner au manoir Coventry et reprendre notre vie. Vous pouvez joindre le cercle de couture.

Il baissa les yeux sur elle et sourit.

— Et je serai le seigneur et maître.

Il grogna quand elle lui donna un coup de coude.

Sous peu, les légers ronflements de Jason vibrèrent dans son oreille. Pas assez fatiguée pour le rejoindre dans le sommeil, Olivia laissa ses pensées se tourner vers leur conversation.

« Il veut une vie en province ? Pour combien de temps ? À quelle vitesse trouvera-t-il cette existence et moi insuffisantes ? »

Une fois encore, les doutes l'assaillirent. Elle serait folle de croire à ses paroles. L'un de ses professeurs avait enfoncé dans le crâne de ses étudiants la fameuse citation de l'écrivain français du XVIe siècle Michel de Montaigne : « Le dire est autre chose que le faire. » Il serait bon de se rappeler cela et de garder un œil attentif sur les agissements réels de lord Coventry.

Chapitre 23

Malcolm ouvrit la porte avant qu'Olivia et Jason n'aient même quitté le carrosse. Le majordome descendit vitement les marches en tenant un parapluie. La pluie avait commencé à un moment pendant la nuit et semblait n'avoir aucune intention de s'arrêter.

— Bonjour à vous, milord, milady.

Olivia tendit la main au valet de pied et rejoignit Malcolm sous l'immense parapluie, reconnaissante de cette protection contre la pluie froide.

— Olivia, partez devant. Je vais courir jusqu'à l'entrée.

Jason ramassa ses gants et son chapeau avant de sortir. Dès que Malcolm et Olivia furent à la porte, il quitta le carrosse et partit à la course.

— Oh, c'est bon d'être descendue de ce carrosse.

Olivia se tourna pendant que Malcolm l'aidait à retirer son manteau. Elle jeta un regard rapide dans la glace et, après avoir tendu son chapeau au majordome, elle lissa ses cheveux.

— Milady, puis-je vous suggérer de vous retirer dans le salon, car il y a là une joyeuse flambée.

Il aida Jason à enlever son manteau et il le secoua.

— Cela m'apparaît merveilleux. Pourriez-vous, je vous prie, demander à Cook d'envoyer du thé ?

Olivia se frotta les bras dans une tentative pour se réchauffer.

Malcolm s'approcha de Jason et baissa la voix.

— Milord, votre cousin, sir Daniel Cavendish, est à domicile. Il est arrivé il y a deux jours. Madame Watkins a pris la liberté de l'installer dans la chambre verte de l'aile ouest.

Les sourcils de Jason rejoignirent la naissance de ses cheveux.

— Vraiment ? Où est-il en ce moment ?

— Il a mangé son petit déjeuner il y a quelque temps, et je ne l'ai pas vu depuis. Je ne crois pas qu'il ait quitté la maison, par contre. Je présume qu'il descendra pour le déjeuner, que Cook sera prête à servir sous peu.

— Oh, dans ce cas, Malcolm, dit Olivia, ne la dérangez pas pour le thé. Je vais simplement attendre le déjeuner.

Olivia serra ses bras autour d'elle.

— Demandez à Cook d'envoyer du thé, de toute façon. Sa Seigneurie a froid, et cela la réchauffera.

Jason posa la main dans le creux du dos d'Olivia et la guida dans le salon.

Le feu, en effet, flambait, et elle se dirigea droit dessus, tendant les mains pour les réchauffer. Elle pivota quand elle sentit Jason mettre un châle sur ses épaules.

— Vous semblez étonné que votre cousin soit ici. Ne le voyez-vous donc pas régulièrement ?

Se sentant enfin un peu réchauffée, elle s'assit dans le fauteuil devant le feu. Jason marcha jusqu'au buffet et se versa un brandy.

— Je n'ai pas vu sir Daniel depuis plus de dix ans.

Il fronça les sourcils et s'assit en face d'elle, puis déposa un pied botté sur son genou plié.

— Son père et le mien étaient frères, son père étant le second fils.

Il contempla son verre.

— Nos pères n'ont jamais été proches. Je pense qu'il y avait beaucoup de ressentiment, pourquoi, je ne suis pas sûr, puisque tous les deuxièmes fils savent qu'ils n'hériteront pas.

Il se pencha en avant et la regarda.

— Il fut un temps où le père de sir Daniel voulait organiser un mariage entre sa fille, Florence, et moi, mais le vieux comte ne voulait pas en entendre parler.

— Votre cousine?

Olivia le regarda avec des yeux ronds.

La mâchoire de Jason se contracta.

— Cette chère cousine Florence était une fille immature, désireuse d'être aimée de tout un chacun. Elle a depuis épousé lord Donovan, et j'ai entendu dire qu'il ne quitte jamais la ville sans qu'elle n'ait un autre homme pour réchauffer son lit. Je ne peux imaginer la vie avec une telle femme.

Elle réfléchissait à ses paroles, quand Malcolm arriva avec la table roulante pour le thé.

— Merci infiniment; j'ai vraiment besoin d'une tasse de thé.

Jason secoua la tête quand Olivia lui montra la théière.

— C'est gentil à vous, ma chère, mais je préfère l'alcool pour me réchauffer.

— Alors, dites-moi pourquoi vous n'avez pas vu votre cousin depuis plus de dix ans.

— Son père a hérité d'un petit domaine de notre grand-mère. Il était rentable, du moins, quand il en a hérité, mais en peu de temps, il l'a complètement ruiné et il a perdu les profits qu'il avait faits aux tables de jeu.

Il déposa son verre vide à côté de lui.

— Cette situation a motivé la tentative d'arranger un mariage entre Florence et moi. Oncle avait sans doute supposé que le vieux comte ne permettrait pas à sa famille et lui d'être jetés à la rue si sa fille m'épousait.

Il se réinstalla dans son fauteuil.

— Sir Daniel n'a rien hérité de son père, sauf ses dettes. Il a été fait chevalier pour un acte de bravoure quelconque réalisé pour le gouvernement il y a plusieurs années. Aux dernières nouvelles, il avait vendu le domaine et quitté le pays.

Il se leva et fit les cent pas.

— Je me suis toujours attendu à ce qu'il présente une demande de fonds au vieux comte, mais je suppose qu'il était plus avisé. Le vieux comte n'avait pas d'amour pour le père ni pour le fils, qu'il voyait comme un dandy. J'imagine qu'à présent que j'ai hérité, il est ici pour cette raison. Il suppose probablement que je suis plus facile à manier que mon père.

Jason marcha lentement jusqu'à la fenêtre et regarda dehors, les mains serrées derrière le dos.

— Je devrais peut-être commencer à trier les papiers de mon père aujourd'hui.

Olivia sirota son thé et gémit en fermant les yeux de plaisir.

Jason émit un petit bruit et, quand elle ouvrit les yeux, il la fixait du regard, les yeux assombris.

— Je pense qu'après le déjeuner, nous devrions nous retirer à l'étage pour une sieste. Il n'y a pas de meilleure façon de passer un après-midi pluvieux.

La porte du salon s'ouvrit, et un homme entra. Pas aussi grand que son mari, il était néanmoins séduisant dans un genre différent, mais il n'avait pas de ressemblance avec Jason. Sir Daniel était habillé de vêtements qui convenaient tout à fait à la définition de « dandy ». Il portait un manteau bleu pâle avec un gilet mauve brodé de fils argentés. Sa culotte était noire et ses bottes d'Hesse étaient fort probablement cirées au champagne.

— Cousin !

L'homme marcha d'un bon pas jusqu'à Jason, la main tendue.

Jason s'avança et lui serra la main, puis il se tourna vers Olivia.

— Ma chère, puis-je vous présenter mon cousin, sir Daniel Cavendish. Sir Daniel, ma femme, lady Coventry.

Olivia leva la main, que prit sir Daniel et qu'il embrassa.

— C'est vraiment un plaisir de vous rencontrer, milady.

Il se tourna vers Jason et sourit avec éclat.

— Je vois que votre flair pour les belles femmes ne s'est pas estompé avec l'âge, milord. Votre femme est réellement un diamant de la plus belle eau.

— Aimeriez-vous boire un verre, sir Daniel ?

— Oui, certainement, merci, cousin.

Sir Daniel s'installa dans le fauteuil en face d'Olivia que Jason occupait plus tôt.

— Alors, dites-moi, milady : où Jason vous a-t-il trouvée ?

Il la contempla à travers un lorgnon.

Jason fronça les sourcils en direction de l'homme qui s'était approprié son fauteuil et il s'assit sur le canapé, les bras croisés.

— Nos pères étaient amis. En fait, feu le comte était mon parrain.

Olivia termina ce qui restait de son thé.

— Oui, cousin, j'ai été sincèrement peiné d'apprendre le décès du comte.

Sir Daniel secoua la tête et claqua la langue comme si le vieux comte avait été emporté dans la fleur de l'âge.

Jason inclina la tête, au moment où Malcolm entra dans la pièce et annonça le déjeuner.

Sir Daniel bondit vite sur ses pieds et tendit un bras à Olivia.

— Permettez-moi de vous escorter, milady.

La mâchoire de Jason se serra, et il tourna le cou tandis qu'il prenait place à la tête de la table. Sir Daniel tint la chaise d'Olivia et, ensuite, il s'installa en face d'elle.

— Lord Coventry me dit qu'il ne vous a pas vu depuis un moment, sir Daniel.

Elle leva la cuillère à ses lèvres pour prendre un peu de sa soupe de faisan. Aussi merveilleuse qu'eût été la nourriture à la partie de campagne des Markwick, les excellentes soupes de Cook n'avaient pas leur égal.

— Oui, c'est vrai, ma chère. Mon cousin et moi n'avons pas été intimes.

Il regarda Jason et sourit.

— Je pense qu'il y avait un peu d'animosité fraternelle entre nos pères, mais je n'ai jamais eu que la plus haute estime pour Sa Seigneurie.

Jason continua à manger sa soupe, mais il regarda son cousin attentivement.

— Après la mort de mon propre père, j'ai passé du temps à régler ses affaires, puis j'ai voyagé sur le continent. J'ai passé un peu de temps à Rome.

Olivia leva les yeux.

— À Rome ?

— Oui, ma chère, c'est véritablement une belle ville.

Il posa sa cuillère à côté de son bol de soupe vide et il but son vin.

— C'est incroyable. J'ai vécu plusieurs années à Rome. Comme c'est merveilleux d'avoir une personne avec qui partager ces souvenirs !

— Vraiment, vous y avez habité ? Quelle coïncidence ! Nous devons passer du temps ensemble pendant mon séjour ici afin d'échanger nos impressions.

Il prit un morceau de saumon sur le plateau présenté par le valet de pied.

Le reste du repas passa agréablement avec Olivia et sir Daniel bavardant à propos de Rome. Jason garda le silence et but plus qu'à l'habitude.

• • •

Jason vérifia encore une fois sa montre à gousset.

— Ma chère, je crois que vous aviez l'intention de faire une courte sieste avant le dîner.

Ils étaient assis dans le salon depuis plus de deux heures depuis la fin du déjeuner. Sir Daniel et Olivia n'avaient cessé de parler, et Jason s'était fatigué de les écouter. Il y avait plus du vieux comte en lui qu'il ne l'imaginait. Sir Daniel était en effet un dandy, exactement comme son père avant lui. Et s'il n'arrêtait pas de toucher la main d'Olivia pendant qu'ils parlaient, le dandy allait se retrouver sur le plancher, avec du sang coulant sur sa cravate immaculée au nœud compliqué.

Olivia se tourna vers sir Daniel.

— Je crains que Sa Seigneurie n'ait raison. Je suis lasse à cause de nos voyages et j'aimerais me reposer un peu.

Son cousin se leva immédiatement et s'inclina devant elle.

— Je suis sincèrement désolé, milady, je n'aurais pas dû monopoliser ainsi votre temps.

Il se tourna vers Jason.

— Milord, je vous verrai au dîne.

Il quitta la pièce après avoir déposé un baiser d'adieu sur la main d'Olivia. Jason se leva et la tira sur ses pieds.

— Ma chère, je vais vous accompagner à l'étage.

Jason ouvrit la porte de la chambre à coucher d'Olivia et la suivit à l'intérieur. Elle se tourna vers lui avec un sourire éclatant sur le visage.

— Oh, c'était tellement bon de discuter avec quelqu'un qui connaît Rome.

Jason grogna pour exprimer son opinion.

— Je ne lui fais pas confiance.

— Mais pourquoi pas ?

Elle fronça les sourcils tandis qu'elle pivotait pour lui permettre de déboutonner le dos de sa robe.

— C'est un dandy, exactement comme son père. Le vieux comte ne voulait rien avoir à faire avec eux, et je ne vois aucune raison de changer cette opinion.

— C'est ridicule, dit-elle tout en haussant les épaules afin que la robe glisse au sol.

— Il y a quelque chose chez lui que je n'aime pas.

Jason desserra sa cravate et la jeta sur un fauteuil.

— Que faites-vous ?

Olivia se tenait debout, les mains sur les hanches, le contemplant avec des yeux pleins de rires.

— Je me prépare pour une sieste. Tout comme vous.

Elle haussa les sourcils.

— Vous allez faire une sieste au milieu de la journée ?

Il la rejoignit et il fit glisser les bretelles de sa chemise vers le bas.

— Je vais peut-être me déshabiller et vous rejoindre au lit, mais je ne sais pas trop le temps que je passerai à faire la sieste.

Il baissa la tête et il l'embrassa. Elle était douce et chaude et goûtait le miel à cause de la tartelette qu'elle avait mangée au déjeuner. Jason remonta la main pour prendre son sein en coupe. Avec l'autre main, il l'attira plus près, lui montrant avec son corps à quel point il la désirait. Son dandy de cousin pouvait bien être capable de discuter avec sa femme de Rome, mais quand la porte de la chambre à coucher d'Olivia était fermée, c'était Jason qui caressait son beau corps.

• • •

Sir Daniel écouta tandis que la porte de la chambre à coucher d'Olivia se refermait. Il accorda à son cousin Jason quelques minutes pour entreprendre ce qu'il avait qualifié de « sieste », puis il redescendit les marches en se faufilant sans bruit.

« Jason. »

Le nom provoquait une montée d'acidité dans son estomac. L'enfant chéri. Toujours un fils préféré, tandis que Daniel, l'héritier d'un second fils, avait été méprisé par son père. Laissé à ses propres moyens pour se faire une place dans le monde une fois que son paternel avait épuisé le peu d'héritage qu'il avait reçu. Cependant, le vieux comte l'avait-il aidé ? Non ; vraiment pas. Quand son père avait présenté une demande à son frère aîné pour obtenir un peu d'argent, tout ce qu'il avait reçu pour sa peine était un sermon sur le comportement correct et des trucs pour devenir un bon intendant. Bien, il comptait se venger pour ces affronts. Plus d'une fois alors qu'il était ivre, il avait fait des remarques sur le testament qu'il était convaincu que son père avait écrit, lui laissant une fortune plus vaste que son frère plus âgé, le comte, lui avait volée. Avec le seigneur et la dame du manoir occupés à leur sieste, il allait continuer la fouille qu'il avait commencée avant leur arrivée.

• • •

— Puis-je vous aider à trouver quelque chose, sir Daniel ?

Jason s'appuya contre le cadre de la porte, les bras croisés, les yeux plongés dans ceux de son cousin. Sir Daniel se releva brusquement et pivota. Il sourit et descendit de son échelle.

— Je cherchais un livre pour passer le temps, milord.

— Étrange, que cela. Avec tous les livres dans la bibliothèque, vous avez jugé nécessaire de grimper si haut pour trouver du matériel à lire ?

Jason observa son cousin avec des sourcils arqués tandis qu'il s'éloignait du cadre de la porte d'une poussée.

Sir Daniel tira sur les poignets de son manteau et leva les yeux sur son cousin.

— Mes goûts sont très différents de la plupart des gens. J'espérais trouver un ouvrage en italien.

Jason l'étudia une minute.

— Je vous félicite pour votre vivacité d'esprit, cousin.

Il s'avança lentement plus loin dans la pièce et regarda autour de lui.

— J'attends encore d'entendre la raison pour laquelle vous avez décidé de nous faire grâce de votre compagnie. Votre conversation animée avec ma femme a occupé presque tout le temps du déjeuner et au-delà.

— Vous avez une femme des plus charmantes, milord. Je dois encore une fois vous féliciter pour votre choix.

Jason inclina légèrement la tête et attendit.

Sir Daniel s'éclaircit la gorge.

— J'ai toujours regretté la distance entre nos pères. Comme vous et moi sommes tous les deux des fils uniques, j'ai pensé combler ce gouffre.

Jason haussa les sourcils.

— Vraiment. Et pourquoi aujourd'hui ?

— Avec la mort récente de votre père, j'ai senti le besoin de me lier encore une fois avec vous. J'avais espéré que le mépris envers mon paternel et moi ne vous avait pas été légué.

— Je ne vous connais pas, ni vous ni votre paternel. J'étais encore à l'université quand j'ai entendu dire que vous aviez quitté le pays. Et je ne me souviens pas de plus d'une ou deux visites avant cela.

– Et je considère que c'est dommage. Les familles devraient se chérir entre elles.

Tandis qu'il parlait, sir Daniel s'avança vers la porte.

– Je pense que je vais aller faire une promenade dans les jardins avant le dîner.

Il s'inclina légèrement devant Jason et il quitta la pièce. Jason fixa la porte fermée et se passa la paume sur le visage.

« Quelque chose ne sent pas bon, et cette chose vient tout juste de quitter la pièce. »

Chapitre 24

Le lendemain après-midi, sir Daniel répondit à un léger coup frappé à sa porte. Après avoir regardé d'un côté du couloir et de l'autre, il tira rapidement la domestique à l'intérieur.

— Je suis venue dès que j'ai pu, monsieur. Cook m'a trouvé du travail supplémentaire. Elle vieillit; ah, ça oui. Elle ne peut pas rester debout aussi longtemps qu'avant. Ce n'est pas que je ne veuille pas l'aider, remarquez. C'est simplement que je savais que vous attendiez, alors j'ai essayé de me dépêcher.

Il prit son visage en coupe dans ses mains et il l'embrassa. Cela semblait le seul moyen de faire taire la gamine. Son corps fondit contre le sien, et elle tendit les mains sur son torse et s'accrocha à lui. Il se mit immédiatement au garde-à-vous et, avec les lèvres fermées, il la fit reculer vers le lit. Sans même lui retirer ses vêtements, il releva brusquement ses jupes, baissa son sous-vêtement, déboutonna sa braguette et s'enfonça en elle dès qu'il tomba en avant. Comme d'habitude, elle était prête pour lui.

— Vous ne perdez pas de temps, n'est-ce pas, monsieur?

Elle leva un sourire vers lui et battit des cils dans une piètre tentative de séduction.

— Katie, ma fille, c'est l'effet que vous me faites.

Il roula à côté de son corps étendu pour ajuster son pantalon. Ce n'était pas très digne d'un gentleman, mais Katie lui fouettait les sangs comme aucune autre femme. Dommage qu'il n'ait pas les moyens de l'entretenir. Elle ferait une excellente maîtresse.

Puis, il sourit largement. Si les choses se déroulaient comme il l'avait prévu, il aurait tout l'argent dont il avait besoin pour l'installer quelque part et vivre la vie qu'il désirait.

— Katie, il y a quelque chose que vous devez faire pour moi.

Il s'empara de ses mains et la tira debout. Il ne progresserait pas beaucoup dans cette conversation avec elle ouverte et exposée ainsi.

Elle ajusta ses vêtements et se rassit sur le lit.

— Qu'est-ce que c'est ?

Sir Daniel s'assit à côté d'elle et lui tint la main.

— À présent que Ses Seigneuries sont rentrées, j'ai besoin que vous m'informiez des moments où ils s'absentent.

Ses yeux se plissèrent.

— Pourquoi auriez-vous besoin que je fasse cela ?

Pas stupide, la fille. Depuis le moment où il s'était installé à domicile, elle avait réchauffé son lit. Sa belle apparence et ses manières élégantes attiraient de nombreuses femmes prêtes à l'accommoder. Cependant, aucune des femmes de la haute société, plus qu'heureuses de l'avoir dans leurs lits, ne voulait songer à le présenter aux jeunes filles — plusieurs d'entre elles héritières —, afin qu'il puisse s'élever dans la vie. La société acceptait les hommes titrés pauvres, mais les hommes pauvres sans titre n'étaient bons que pour une partie de jambes en l'air.

— Pour une raison que j'ignore, Sa Seigneurie ne m'aime pas, et je préférerais ne pas me mettre sur son chemin pendant que je suis ici.

Il fit briller ce sourire qui avait précédé plus d'une satisfaisante culbute au lit.

— J'ai appris qu'il y a ici des documents qui appartenaient à mon père. Le vieux comte ne voulait pas les lui donner, et comme ils m'appartiennent de droit, je compte les chercher.

— Et comment saurez-vous où se trouvent aujourd'hui ces documents ?

— Ah, ma chère, c'est là que vous entrez en jeu. Je peux effectuer une fouille en règle tant que je suis sûr de pouvoir le faire en toute liberté.

Il se pencha vers elle et commença à mordiller la peau douce derrière son oreille.

— Puis-je compter sur vous ?

Katie gémit et se tourna dans ses bras.

— Oui, monsieur.

• • •

Jason sifflait doucement alors qu'il atteignait la première marche du palier menant aux chambres à coucher. Une jeune et quelque peu échevelée domestique sortait de la chambre de sir Daniel. Aucune surprise là, puisque l'on devait s'occuper de sa chambre, mais son apparence un peu désordonnée et sa manière furtive de regarder d'un côté et de l'autre du couloir troubla Jason. Il n'avait jamais permis à ses invités de batifoler avec les domestiques. Malgré toute la mauvaise conduite du vieux comte, cette règle avait toujours été d'or.

— Vous êtes-vous occupée de la chambre de sir Daniel ?

La domestique sursauta et mit la main sur sa gorge en entendant la voix de Jason derrière elle. Elle pivota rapidement, une profonde rougeur montant du haut de son corsage jusqu'à la racine de ses cheveux.

— Ah, oui, milord.

Elle exécuta une petite révérence et lissa sa chevelure en arrière. Une marque visible sur son cou, derrière son oreille, et ses lèvres gonflées répondirent à sa question inexprimée.

— Est-il absent, donc ?

Il restait là, les bras croisés, les pieds écartés.

— Oui, je veux dire ; non, milord. Il n'est pas dans sa chambre. Non. Pas dans sa chambre.

Elle secoua furieusement la tête et se tordit les mains.

— Dommage. Je voulais lui parler.

Jason continua à dévisager la fille.

Elle inspira profondément. La fille donnait l'impression de vouloir s'effondrer.

— Est-ce que ce sera tout, milord ?

Elle exécuta une nouvelle révérence.

Il n'allait pas passer son mécontentement sur la domestique, bien qu'il s'assurerait qu'elle reçoive un bon sermon de la part de madame Watkins. Ce serait sa responsabilité à lui de voir à ce que sir Daniel comprenne la conduite requise des invités au manoir Coventry. Ne sachant pas encore trop pourquoi son cousin avait décidé de leur rendre visite sans s'annoncer après de si nombreuses années, et ne lui faisant pas encore confiance, il pensait que la meilleure stratégie était d'attendre et de voir venir.

— Oui, c'est tout. Vous pouvez partir.

Il la regarda s'esquiver en vitesse, souriant légèrement quand elle tourna juste au moment où elle atteignait l'escalier de service pour voir s'il était encore devant la porte. Jason poursuivit sa route dans le couloir et entra dans le boudoir d'Olivia.

Sa femme était assise sagement à son bonheur-du-jour, à composer une lettre. De longues fenêtres permettaient à la lumière d'entrer, malgré le temps couvert. C'était une pièce très réconfortante dont elle avait fait peinturer les murs en bleu pâle, le contraste parfait pour les fauteuils aux rayures bleu foncé et blanches devant le foyer. Un long canapé bleu foncé ornait un mur. Cette pièce avait été la seule où Olivia avait refait la décoration pendant le temps où elle avait résidé ici après leur mariage. Ses touches personnelles étaient dans la pièce : l'horloge de porcelaine, les peintures sur les murs et l'odeur de lavande. Un beau bouquet de fleurs sauvages était posé sur une petite table entre les deux fauteuils.

• • •

Olivia leva la tête. Les papillons dans son estomac reprirent leur envol, ce qui semblait se produire chaque fois que son corps sentait la proximité de Jason. Néanmoins, il était difficile de chasser l'impression d'être l'une parmi tant d'autres sur qui il avait jeté son regard sensuel. Elle déposa sa plume sur l'écritoire et pivota sur sa chaise. Jason s'assit sur le bord du bonheur-du-jour, faisant doucement balancer sa jambe tout en la regardant. Ses cuisses puissantes étaient présentées à leur avantage sous le tissu ajusté de sa culotte. Le cœur d'Olivia accéléra, et elle quitta sa chaise précipitamment pour dissimuler son trouble.

Comme son cœur était douloureux à l'occasion. Pendant qu'elle l'observait, des parties de son corps se ramollirent, d'autres se contractèrent. Elle se réprimanda. Cela ne conviendrait pas qu'elle développe des sentiments tendres pour cet homme. Fort probablement, une fois qu'il aurait eu son content d'elle et de cette vie paisible, il partirait pour Londres, la laissant avec son pianoforte, les domestiques et ses visites aux locataires.

— Qu'y a-t-il, mon amour ?

Il la rejoignit et passa son pouce sur sa joue.

— Vous paraissez triste tout à coup.

— Rien. Seulement quelques souvenirs de mon père, mentit-elle.

Il l'attira à lui et posa sa tête contre son torse, lui massant doucement la nuque. Elle s'écarta en douceur et regarda encore une fois dans ces yeux ensorcelants.

— Que voulez-vous de moi ?

Ses sourcils se haussèrent.

— Que voulez-vous dire ?

Olivia glissa loin de lui alors qu'il tentait de la reprendre dans ses bras.

— Est-ce un jeu que vous jouez ?

— Un jeu ?

Il semblait sincèrement perplexe. Elle devait lui accorder cela.

Elle croisa ses bras sur son ventre et recula.

— Je ne sais pas à quoi m'attendre de votre part. Vous m'avez épousée et vous êtes parti. Ensuite, vous m'avez activement courtisée, sans même savoir qui j'étais.

Elle secoua la tête alors qu'il s'apprêtait à répondre.

— Actuellement, vous insistez pour que nous restions mariés, et j'ai l'horrible sentiment qu'une fois que vous en aurez eu assez de tout ceci, dit-elle en agitant la main pour englober le manoir, vous vous sauverez de nouveau à Londres.

Son estomac se noua en entendant sa voix trembler.

« Par tous les saints, qu'est-ce qui ne va pas chez moi ? La dernière chose que j'aurais dû faire est de tendre à Jason le poignard à plonger dans mon cœur. »

Rassemblant toute sa fierté meurtrie, elle leva le menton.

— Pardonnez-moi.

Elle tenta de passer devant lui, mais il lui attrapa le bras et la ramena dans son étreinte.

— Ah, mon cœur. Non, ne faites pas cela.

Il essuya la larme solitaire glissant sur sa joue.

— Il n'y a rien que je ne donnerais pas pour revenir en arrière et effacer le mal que j'ai fait ce jour-là.

• • •

Jason secoua la tête.

— Mon père a passé sa vie entière à tenter de me dicter quoi faire. J'ai vu ses manœuvres non comme un moyen de gagner une merveilleuse, gentille et belle femme, mais comme une façon de devoir encore une fois me plier à ses ordres.

Il souleva Olivia dans ses bras et s'assit dans le fauteuil devant le foyer, l'installant sur ses genoux.

— Qu'est-ce que je veux de vous ? Je veux passer le reste de ma vie à me réveiller à vos côtés. Pas de chambres séparées la nuit pour nous. Je veux l'opposé de ce que mes parents ont eu. Pas de maîtresses ni d'amantes d'un jour. Pas deux résidences, accompagnées de visites de courtoisie pour l'enfant, avec une petite tape sur la tête, et pas de « cours et va chercher ta nounou ». Et je veux des enfants, beaucoup. Pas un héritier et un remplaçant pour nous, mon amour. Je veux du rire et des taquineries. Mais par-dessus tout, dit-il en relevant légèrement la tête d'Olivia et en faisant courir son pouce sur sa lèvre inférieure, je veux que vous m'aimiez autant que je vous aime.

Le souffle d'Olivia se coinça, et son regard passa brusquement des lèvres aux yeux de Jason.

— Aimer ?

— Oh oui, mon cœur.

Il lui offrit un demi-sourire.

— Ce séducteur notoire est tombé amoureux de son épouse insaisissable.

Jason prit ses joues en coupe et il baissa la tête, s'emparant de sa bouche dans une union possessive non seulement de leurs bouches, mais de leurs âmes.

Chapitre 25

Olivia était assise à la table du petit déjeuner, sirotant son thé pendant que Jason brassait des papiers. Il se raidit quand sir Daniel entra dans la pièce.

— Bonjour, cousin.

La voix de sir Daniel résonna alors qu'il s'installait en face d'Olivia, tendant la main vers la théière.

— Bonjour.

Une fois que l'homme eut versé son thé, Jason contempla son invité indésirable.

— Combien de temps pouvons-nous nous attendre à profiter de votre compagnie, *cousin* ?

Jason se cala sur sa chaise et croisa les bras sur son torse.

— Je n'ai pas de plans précis. J'ai pensé que je pouvais inviter votre charmante femme à m'accompagner pour une promenade à cheval dans la propriété aujourd'hui.

Il reporta son attention sur Olivia.

— Ma chère, j'adorerais entendre parler davantage de votre vie en Italie. C'est un si beau pays, n'êtes-vous pas d'accord ? Tellement plus chaud, avec tout ce soleil. Parfois, je sens l'humidité anglaise jusque dans mes os.

Il remplit son assiette de saucisses, d'œufs, de biscuits et de fruits.

— J'aurais plaisir à faire de l'équitation, sir Daniel. Ma jument, Honor, a besoin d'un bon exercice. Elle vient d'arriver d'Italie où des amis prenaient soin d'elle.

Olivia se tapota la bouche avec sa serviette.

— Disons-nous dix heures ?

— Dix heures, c'est parfait, milady.

Olivia jeta un coup d'œil à Jason.

— Vous joindrez-vous à nous, milord ?

— Malheureusement, j'ai une journée chargée, ma chère. Je vais être absent jusqu'au dîner. Ceux d'entre nous qui ont des responsabilités n'ont pas beaucoup de temps pour les randonnées tranquilles.

Il jeta un regard mauvais à sir Daniel, qui remplit sa bouche avec une saucisse.

Sir Daniel avala et secoua la tête.

— Ah, oui. Diriger un domaine peut être pénible, j'en suis sûr.

Olivia se leva.

— Je dois m'occuper de ma correspondance. Je vous verrai à dix heures, sir Daniel.

La bouche pleine encore une fois, sir Daniel hocha la tête et il reporta son attention sur son repas.

Une fois qu'Olivia eut fermé la porte, Jason se pencha en avant.

— Posez votre fourchette, vieux. J'aimerais vous dire un mot.

Les sourcils arqués, sir Daniel s'essuya la bouche et accorda son attention à Jason.

— Oui ?

— Nous ne permettons pas aux invités de batifoler avec les domestiques.

Son cousin se cala sur sa chaise et eut un petit sourire narquois.

— Un principe louable ; et pourquoi ressentez-vous la nécessité de me transmettre cette information ?

— Vous savez pourquoi. J'ai vu la jeune domestique sortir de votre chambre.

Sa mâchoire se contracta. Comme il détestait cet homme. Une des rares choses que le vieux comte et lui avaient en commun.

— Ah, oui. Vous devez parler de la jeune Katie. Charmante fille. Je lui ai simplement demandé de m'aider à retrouver la broche en diamant que je semblais avoir égarée.

Jason grogna devant cette piètre excuse.

— Vous devez laisser tranquilles toutes les domestiques féminines de cette maison. Me fais-je bien comprendre, *cousin* ? Si vous avez besoin d'une assistance, demandez à l'un de nos valets de pied.

— Comme vous le désirez, milord.

Sir Daniel lâcha sa serviette sur son assiette et se leva.

— Si vous voulez bien m'excuser, je dois me préparer pour la randonnée avec votre belle femme.

Jason se leva rapidement et bloqua sa sortie.

— J'ignore totalement le motif de cette visite, mais soyez prévenu : ne tournez pas vos attentions vers ma femme. L'excursion d'aujourd'hui est la seule et unique randonnée que je vous permettrai de faire avec elle, et seulement parce qu'elle semble l'attendre avec impatience. Après cela, si je vous vois ne serait-ce que respirer dans sa direction, je vais personnellement vous faire sortir d'ici sur les fesses.

Sir Daniel contourna Jason et quitta la pièce.

• • •

Olivia mit de côté le livre qu'elle lisait et se leva pour regarder par la fenêtre de sa chambre à coucher. Elle était devenue agitée et elle réfléchissait sur l'étrangeté de la visite de sir Daniel. D'après toutes les actions de Jason, il détestait royalement cet homme. Alors qu'elle trouvait sir Daniel charmant, de bonne compagnie, quelque chose chez lui la poussait elle-même à ne pas lui faire confiance. Leur randonnée s'était bien passée, mais elle ne s'était pas rendu compte à quel point elle était tendue en sa présence jusqu'à ce qu'elle soit revenue en toute sécurité au manoir. En toute sécurité ? Quelle étrange idée.

Nerveuse à cause de ses pensées, Olivia quitta sa chambre. Elle poussa la porte de la bibliothèque pour découvrir sir Daniel dans le fauteuil de Jason, fourrageant parmi les papiers dans un tiroir de la table de travail.

– Que faites-vous ?

Olivia s'avança davantage dans la pièce.

Sir Daniel releva les yeux.

– Fermez la porte, milady.

Instinctivement, elle ferma la porte et se redressa.

– Je vous ai demandé ce que vous faisiez.

Alarmée par l'expression de son visage, elle se tourna pour partir, mais en quelques secondes, sir Daniel avait quitté le fauteuil et serré une paume humide sur sa bouche. Enroulant son bras bien fermement sous ses seins, il la tira en arrière contre son torse.

Il se pencha près de son oreille.

– Ne dites pas un mot, milady. N'appelez personne à l'aide.

Olivia tenta de s'arracher à son emprise. Il resserra son étreinte et la tira plus en avant dans la pièce. Les pieds d'Olivia glissèrent sur une pile de papiers. Il la lâcha, et elle glissa le long de son corps, atterrissant avec une secousse sur son derrière. Libérée de sa poigne, elle s'apprêta à se lever et fixa le pistolet qu'il tenait.

— Oui. J'ai un pistolet et même si je vous aime bien, ma chère, ne doutez pas un instant que je pourrais m'en servir.

Un cri ne lui apporterait qu'une balle entre les deux yeux. Jason était absent de la maison jusqu'au dîner et, à cette heure du jour, la plupart des domestiques étaient au sous-sol.

Elle fit courir sa langue sur ses lèvres sèches.

— Que faites-vous ici ? Que voulez-vous ?

Il haussa les épaules.

— De l'argent. N'est-ce pas toujours à cela qu'on en revient, milady ?

Il se pencha vers elle, murmurant près de son oreille.

— Pendant des années, mon père fulminait à propos de l'argent dont il avait été dépouillé par son frère. Il était certain qu'il existait un testament du grand-père de votre mari qui laissait à mon père une importante somme d'argent que le vieux comte lui avait volée. Son propre frère ! Je veux ce testament.

Sir Daniel recula et s'appuya contre la table de travail.

— J'ai besoin d'argent. Beaucoup d'argent. J'ai des créanciers et j'ai le droit de vivre la vie pour laquelle j'aurais dû naître sans qu'ils me pourchassent sans cesse.

Il agita le pistolet dans sa direction.

Olivia prit une profonde respiration pour se calmer. L'homme était à l'évidence déséquilibré, et elle ne voulait rien faire pour le faire basculer. Elle devait le convaincre que le document qu'il cherchait n'était pas ici. Elle devait le faire sortir de la maison. Tentant de paraître calme, elle se lécha les lèvres.

– Il y a un coffre-fort, dans la maison de ville à Londres. J'ai vu Jason l'ouvrir une ou deux fois. Le testament s'y trouve peut-être.

Sir Daniel se redressa, ses yeux s'illuminant.

– Oui, évidemment. La maison de ville de Londres. J'ai cherché ici pendant des jours sans rien découvrir.

Il agita son pistolet autour de lui, et le cœur d'Olivia remonta dans sa gorge.

Il l'étudia une minute, ses yeux se promenant d'un côté et de l'autre.

– Levez-vous. Vous venez avec moi.

La main d'Olivia vola à sa gorge.

– Mais que voulez-vous dire ? Je ne peux pas vous accompagner à Londres.

Elle avala plusieurs fois.

– Pourquoi auriez-vous besoin de moi ?

– Malgré l'opinion de votre mari, je ne suis pas idiot. Dès l'instant où je partirai, il lâchera ses chiens à mes trousses.

Il secoua la tête.

– Non, vous venez avec moi.

Elle serra ses mains ensemble pour les empêcher de s'agiter.

– On notera mon absence. Pensez-vous que je peux simplement passer la porte ? Que mon mari ne se demandera pas où je suis, ce qui m'est arrivé ? Il enverra ses chiens, de toute façon.

Sir Daniel la dévisagea un moment.

– Vous lui laisserez une note. Et la note doit être convaincante afin qu'il ne se précipite pas derrière vous.

Autant elle ne souhaitait pas partir avec ce méchant homme, plus ils restaient longtemps ici, plus élevées étaient les chances que Jason rentre à la maison et la cherche. La vie de son mari était en danger. Sir Daniel le tuerait en un clin d'œil et la traînerait tout de même à Londres.

— Sonnez pour appeler une domestique. Demandez-lui de vous apporter du papier et une plume et d'emballer quelques effets pour un voyage.

Quand elle hésita, il pressa le pistolet sur son flanc.

— Faites vite. Dites-lui aussi de faire préparer le carrosse Coventry pour un voyage à Londres. Faites-le.

Sur des jambes chancelantes, Olivia sonna la domestique et, avec le pistolet de sir Daniel dans son dos, elle donna ses ordres. Doux Jésus, comment se sortir de cela ? Une fois que sir Daniel constaterait qu'il n'y avait pas de testament, elle ne lui serait plus utile. Il la tuerait.

Après le départ de la domestique, qui avait froncé les sourcils devant cette étrange demande, sir Daniel poussa Olivia avec son pistolet.

— Écrivez une lettre pour mon cher cousin. Il est temps qu'il paie pour tous les affronts contre moi et mon paternel. Dites-lui que vous vous enfuyez avec moi et assurez-vous qu'il le croira. Dites que nous étions amants et rendez cela crédible.

Ses yeux débordant de larmes, certaine qu'il la tuerait en effet, elle écrivit ce que voulait sir Daniel et lui tendit le papier. Il le lut, un large sourire s'étirant sur son visage.

— Bien. Maintenant, partons. Et si vous sonnez l'alarme, je vais tuer l'un de vos domestiques.

Il s'empara du sac préparé par la domestique et il poussa Olivia jusqu'à la porte et en bas des marches.

— Reviendrez-vous bientôt, milady ?

Malcolm se tenait à la porte pendant qu'ils descendaient. Il cligna rapidement des paupières tandis que sir Daniel mettait son bras autour d'Olivia et la tirait sur son flanc.

— Elle ne reviendra pas, mon bon monsieur.

Il tendit la note au majordome.

— Veillez à ce que Sa Seigneurie reçoive cette missive.

Il poussa Olivia en bas des marches au-devant de la maison et dans le carrosse.

— Londres.

Olivia se cala dans la banquette en cuir souple au moment où le carrosse démarrait. Son cœur continuait de battre la chamade, comme s'il voulait fuir les limites de son corps. Elle serra les mains sur ses cuisses pour les empêcher de trembler.

Sir Daniel gardait le pistolet pointé sur elle, un sourire satisfait sur le visage. Elle pria pour que Jason déchiffre le message silencieux qu'elle lui avait laissé. Sinon, tout était perdu. Elle serait morte, et Jason serait amer et aurait le cœur brisé.

• • •

Jason monta les marches quatre à quatre au moment où Malcolm ouvrait la porte.

— Bonsoir, milord. J'ai une note pour vous.

— Mon doux, Malcolm, puis-je d'abord entrer ?

Son sourire s'effaça quand il remarqua le visage blême du majordome.

— Qu'y a-t-il ?

— Sa Seigneurie est partie avec sir Daniel il y a environ deux heures. Elle vous a laissé un mot.

Il tendit à Jason le morceau de vélin plié et scellé.

— Merci. Je serai dans la bibliothèque.

Les muscles de son ventre se contractèrent. Quelque chose clochait. Il avait dit à sir Daniel de rester loin d'Olivia. Jason brisa le sceau de la lettre et se redressa brusquement dans son fauteuil de cuir derrière la table de travail tandis qu'il lisait les premières phrases.

J, je vous quitte. Sir Daniel et moi sommes amants, et j'ai décidé de faire ma vie avec lui. Je vous prie de ne pas me suivre. Je ne reviendrai pas.

Il déposa la note, marcha jusqu'au buffet et se versa un brandy avec des mains tremblantes. Revenant à sa table de travail, il reprit le mot et poursuivit sa lecture.

Il n'y avait pas d'espoir pour notre mariage. Votre affirmation que vous alliez continuer à voir votre maîtresse, et vos projets de retourner sous peu à Londres en me laissant seule ici à la campagne une fois de plus… ont influencé ma décision.

O.

Son cœur battait la chamade. Il pouvait être idiot de le croire, mais Olivia n'était pas partie de son plein gré. Et les deux dernières phrases étaient sa manière de le lui faire comprendre. Dans un but inconnu, le salaud l'avait kidnappée.

— Malcolm !

Apparemment juste derrière la porte, le majordome entra dans la pièce.

— Oui, milord.

— Depuis combien de temps Sa Seigneurie et sir Daniel sont-ils partis ?

— Ils sont partis dans votre carrosse, il y a environ deux heures. J'ai pris la liberté de vous faire préparer un cheval dispos.

— Merci.

Jason passa à grandes enjambées devant son majordome et prit la direction de la porte.

— Votre Seigneurie ?

Malcolm le suivait.

Jason pivota.

— Oui.

— Ramenez-nous notre comtesse.

• • •

Après plusieurs heures sur la route, Olivia continuait à fixer l'obscurité de la nuit à travers la vitre du carrosse tandis que son esprit travaillait à toute vitesse. Jason comprendrait-il son message ? Ou serait-il blessé dès les premières lignes et ne poursuivrait pas sa lecture ? Cela avait été la seule chose qu'elle avait trouvée pour lui faire comprendre qu'elle ne l'avait pas trahi.

Elle lui avait refusé son cœur trop longtemps. Elle aurait dû lui avouer ses sentiments : qu'elle était profondément amoureuse de lui ! Le lui avait-elle dit lorsqu'il s'était confessé à elle, il n'aurait jamais cru les mensonges dans cette note. Sir Daniel tapa sur le toit du carrosse.

— Nous allons nous reposer ici pour la nuit. Ne tentez rien de stupide. Cela ne me dérangerait pas du tout de tuer l'un des aubergistes. Et cela resterait sur votre conscience.

Les lèvres serrées, elle hocha la tête. Une fois encore, il tint le pistolet contre son flanc pendant qu'ils entraient dans l'auberge bruyante. Ils s'approchèrent de l'aubergiste, qui les accueillit avec enthousiasme.

Sir Daniel leva le nez sur l'homme.

— Ma femme et moi avons besoin d'une salle à manger privée.

Olivia ouvrit la bouche en grand, et sir Daniel enfonça le pistolet dans ses côtes.

— Et Sa Seigneurie aimerait un bain, continua-t-il.

L'aubergiste fit une révérence et se précipita pour obéir à leurs ordres.

— Je ne suis pas votre femme ! Et je ne vais certainement pas partager une chambre avec vous.

Olivia siffla dans sa barbe tandis que sir Daniel resserrait sa prise sur ses épaules et la faisait avancer vers la salle à manger, où les guida la femme de l'aubergiste.

— Ma chère, vous êtes fatiguée et à bout de nerfs. Un bain chaud et un lit douillet vous remettront d'aplomb.

Il parla d'une voix forte.

« Tuerait-il réellement une de ces innocentes personnes, si je criais ? »

Il se pencha et lui murmura à l'oreille.

— Je vois votre cerveau travailler, ma chère. Ne songez pas à m'obliger à exercer ma colère contre vous.

Sir Daniel survola la pièce du regard.

— Mon premier tir sera dirigé vers cette enfant.

Il désigna le mur du fond, où une petite fille, fort probablement la fille des aubergistes, était assise pour manger un bol de soupe.

— Vous êtes un homme méchant et violent. Pas étonnant que mon mari vous méprise.

Olivia aspira l'air à travers ses dents serrées quand il tira son bras en arrière, puis violemment vers le haut. Des larmes lui montèrent aux yeux, mais elle cligna rapidement des paupières, car elle ne voulait pas que ce maudit homme voie la douleur qu'il lui avait causée. Après un repas de ragoût de poisson, de pain chaud, de fromage et de fruits que sir Daniel dévora, mais qu'Olivia poussa autour de son assiette, la femme de l'aubergiste entra pour dire à Olivia que son bain était prêt à l'étage dans leur chambre. Son estomac se révulsa. À l'évidence, sir Daniel ne la quitterait pas des yeux, mais sa plus grande crainte dans le fait de partager une chambre avec lui était provoquée par le désir qui brillait dans ses yeux. Pourquoi l'avait-elle un jour trouvé charmant et de bonne compagnie ? Quelle idiote elle avait été !

— Je vais escorter ma femme à l'étage.

Il hocha la tête en direction de la femme et tira la chaise d'Olivia. Il l'ancra sur son flanc encore une fois, et ils avancèrent. Une fois dans la grande salle commune bruyante, sir Daniel s'arrêta et tapota la jeune fille sur la tête, et il se tourna vers la femme de l'aubergiste.

— Votre enfant ?

La femme rayonna.

— Oui, c'est notre Gertie.

— Elle est belle. N'est-ce pas, ma chère ?

Il tira Olivia plus près de lui.

— Oui, murmura-t-elle, pleinement consciente de l'avertissement.

Une fois en haut, il la poussa dans la chambre, où une grande baignoire était posée au milieu, directement devant un petit feu dans l'âtre. Olivia croisa les bras et leva le menton.

— Je ne souhaite pas me laver ce soir.

Sir Daniel s'appuya contre la porte fermée, les bras croisés.

— Je ne me soucie pas de ce que vous souhaitez, milady. La baignoire est à vous, tout comme le lit. Où je vous rejoindrai sous peu. Faites-en ce que vous voulez.

Il ferma la porte doucement, et le verrou s'enclencha.

• • •

Jason repéra les lumières d'une autre auberge à quelques kilomètres plus loin. Il s'était arrêté aux deux dernières sans avoir la chance de trouver Olivia et sir Daniel. Frustré, il réfléchit pour décider s'il devait perdre du temps encore une fois pour vérifier, en présumant qu'ils s'étaient arrêtés pour la nuit, ou poursuivre sa route.

Son cœur résonnait en rythme avec le bruit des sabots. Olivia n'était pas partie de son plein gré. Peu importe ce que voulait sir Daniel, une fois qu'il l'aurait, il y avait de bonnes chances qu'il la tue. Il était confus ; pourquoi aurait-il amené Olivia avec lui s'il avait trouvé ce qu'il cherchait ? Jason ne doutait pas qu'il s'agisse là de la raison de la visite de sir Daniel. Malcolm avait confirmé qu'ils avaient tous les deux quitté la maison après avoir passé du temps dans la bibliothèque, où une série de papiers avaient été éparpillés sur le plancher et deux tiroirs de sa table de travail, ouverts et vidés.

Il s'arrêta devant l'auberge et repéra immédiatement son carrosse.

— Vous, garçon, étrillez bien mon cheval et nourrissez-le. Je vais rester ici un peu.

Jason jeta une pièce au jeune palefrenier et inspira profondément.

Le sang bouillonnant, Jason marcha à grands pas vers la porte et l'ouvrit à la volée. De la fumée, du bruit et l'odeur de la bière l'accueillirent. La salle commune contenait des douzaines d'hommes en état d'ébriété divers. Il survola la pièce du regard, ne voyant pas sir Daniel. Jason se fraya un chemin devant les tables, ses épaules repoussant les hommes tandis qu'il se faufilait dans la foule. Plusieurs clients jetèrent un coup d'œil à sa mâchoire serrée et à sa posture rigide et s'écartèrent de sa route.

— Olivia !

Il cria par-dessus le vacarme. La force de sa voix fit taire la salle. Du coin de l'œil, il aperçut du mouvement. Sir Daniel courait en haut des marches.

Jason fonça sur la table devant lui, renversant les hommes, les verres et les chaises hors de son chemin. Il sauta par-dessus la rampe d'escalier et attrapa sir Daniel par la cravate.

— Où est ma femme ?

— Olivia est avec moi. Elle ne souhaite plus être mariée à vous.

Jason grogna juste avant d'écraser son poing dans le visage de sir Daniel, le renversant sur le dos. Il glissa en bas des marches, roulant et bondissant. Jason le suivit en bas, le releva et lui assena un coup de poing dans l'estomac.

— Je vous ai demandé où elle était.

— En haut. Chambre trois.

Sir Daniel haleta ses mots et releva ses mains pour se couvrir le visage.

— Si vous êtes encore ici lorsque je redescendrai, la prochaine tenue élégante que votre corps portera sera pour votre enterrement.

Jason monta les marches en vitesse, jetant un coup d'œil aux numéros de chambre sur les portes en bois usé tandis qu'il parcourait à grands pas le corridor jusqu'à ce qu'il atteigne la numéro trois. Après avoir découvert la porte verrouillée, il recula et l'ouvrit d'un coup de pied, juste à temps pour voir sa femme enjamber la fenêtre.

Chapitre 26

— Jason !

Olivia cria alors que son derrière glissait du rebord de la fenêtre.

— Aïe.

Sa hanche et ses jambes étaient coincées sur le côté du bâtiment alors qu'elle serrait les poings sur les draps qu'elle avait attachés ensemble. Elle évalua la distance jusqu'au sol en baissant les yeux, et son cœur battit la chamade. Elle haleta et glissa de quelques pouces supplémentaires.

— Que diable faites-vous à sortir par la fenêtre ?

Le visage de Jason l'observait d'en haut.

— Pensez-vous, milord, que si vous réfléchissiez assez fort vous pourriez comprendre ce que je fais ?

Franchement, parfois, l'homme pouvait être tellement frustrant.

Il tendit la main vers elle, le bout de ses doigts à une courte distance de sa tête. S'il se servait du drap pour la remonter, il la traînerait peut-être contre les pierres du bâtiment.

— Je n'arrive pas à vous attraper ; mais ne bougez pas, je vais descendre pour vous attraper.

Olivia roula les yeux.

— Je ne compte pas tomber.

Ses mains la faisaient souffrir là où elle agrippait le drap pendant qu'elle se balançait d'avant en arrière en s'écrasant sur le bâtiment. Elle ne comptait pas du tout rester suspendue ici pendant que Jason se frayait un chemin en bas. Cette idée n'était pas une de ses meilleures. Elle avait froid, elle avait peur, et ses bras lui donnaient l'impression d'être étirée sur un instrument de torture. Ses doigts se desserrèrent un peu, et son estomac bondit quand elle glissa encore de quelques pouces.

• • •

Jason courut hors de la pièce, empruntant les marches deux à la fois. La vue d'Olivia glissant du rebord de la fenêtre l'effrayait comme rien d'autre ne l'avait fait dans sa vie. S'il ne la rejoignait pas à temps, elle pourrait se tuer en tombant. Des têtes se tournèrent vers lui quand il atteignit le rez-de-chaussée. L'aubergiste tenta de l'arrêter, mais il le repoussa. Tandis que Jason se précipitait hors de la pièce, il passa devant le jeune palefrenier parlant avec sir Daniel, qui tenait un linge ensanglanté sur son nez.

L'air humide de la nuit l'enveloppa quand il sortit du bâtiment d'un pas raide. Il jogga en virant le coin juste au moment où Olivia hurlait et que ses mains lâchaient le drap. Il se précipita en avant et grogna quand il l'attrapa.

— Il était temps, dit-elle entre deux goulées d'air.

Jason pencha la tête et s'empara de sa bouche. Olivia enroula les bras autour de son cou et lui rendit son baiser avec une férocité qu'il ne lui avait jamais connue avant. Il remua sa bouche sur la sienne, dévorant sa douceur.

— Doux Jésus, mon cœur s'est presque arrêté de battre quand je vous ai vue tomber.

Ses lèvres effleurèrent les siennes pendant qu'il parlait. Elle ferma les yeux et frissonna.

— Moi aussi.

Elle tendit la main et prit sa joue en coupe.

— Je ne pensais rien de ce que je vous ai écrit.

— Non ? Vous n'avez pas l'intention de vous enfuir avec sir Daniel ?

Ses beaux yeux violets s'emplirent de larmes.

— Non, milord. Il semble que Sa Seigneurie ait fait une chose totalement contraire à la haute société et soit tombée amoureuse de son mari.

Il appuya son front sur le sien.

— Cela signifie-t-il que vous avez changé d'avis sur la confiance que vous me portez ?

Olivia se pencha pour s'éloigner un peu de lui et plissa les yeux.

— Oui. Je vous donne mon cœur et, si vous ne le protégez pas, je vais vous traquer et causer des dommages à votre personne.

Jason rejeta la tête en arrière et éclata d'un rire sonore. Comme il aimait cette femme qui lui avait été imposée par le décret du vieux comte et qui s'était ensuite insinuée doucement dans son cœur.

Épilogue

Plusieurs semaines plus tard

Olivia étudia Jason depuis sa position à la porte de la bibliothèque tandis qu'il lisait une lettre de ses avocats.

— Des nouvelles de sir Daniel ?

On n'avait pas entendu parler de l'homme depuis ce soir fatidique à l'auberge. Le garçon d'écurie leur avait dit qu'il était parti en vitesse, avait volé l'un de leurs chevaux et s'était enfui dans la nuit.

— Non. Aucune nouvelle du scélérat.

Jason secoua la tête.

— Je ne peux pas encore croire à toute cette affaire. Mon père n'a jamais eu d'amour pour sir Daniel ou son père, mais je n'aurais jamais imaginé qu'il puisse faire une chose aussi stupide.

— Et la maison de ville de Londres.

— On la surveille encore. Le pauvre idiot dérangé n'aurait jamais dû écouter les divagations de son père.

Olivia contourna la grande table de travail et monta sur ses genoux. Elle glissa les paumes sur son large torse et entrelaça ses doigts sur sa nuque. Elle joua avec la mèche chatouillant le haut de sa cravate.

— Avez-vous vraiment cru que je vous quittais ?

— Un moment seulement, mon amour. Je n'étais pas encore sûr d'avoir conquis votre cœur. Cependant, votre petit message soulageait une douleur avant d'en créer une autre quand j'ai compris qu'on vous avait arrachée à mes bras.

Il repoussa les boucles qui s'étaient échappées de son chignon. Il effleura sa peau de ses lèvres chaudes, entraînant ses mamelons nouvellement sensibles à se contracter presque douloureusement. La tension commença dans son ventre et, avant de se perdre en lui, elle posa les mains sur son torse et poussa.

— J'ai quelque chose d'important à vous dire.

Jason tira à nouveau pour la rapprocher.

— Cela peut attendre.

Elle rit et s'éloigna davantage.

— Non. C'est important.

Jason soupira et s'appuya contre son fauteuil, les sourcils arqués.

La chaleur monta au visage d'Olivia quand elle plaça la main de Jason sur son ventre.

— Il semble que dans plusieurs mois, il sera temps d'aménager la nursery.

Il l'étudia un moment, ses yeux s'illuminant. Puis, il la prit dans ses bras, l'installa contre lui et posa son menton sur sa tête.

— Vous ai-je dit récemment combien je vous aime, milady ?

— Oui ; mais je ne m'en lasse pas, mon lord Arrogant.

Remerciements

À Char Chaffin, un partenaire, un critique et un auteur extraordinaire. Merci de me taper sur les doigts et de me couper de ces méchants mots répétitifs qui s'insinuent dans les manuscrits de tous les auteurs.

À l'auteure de livres de l'époque de la Régence anglaise Ella Quinn, pour son aide et ses conseils afin de trouver tous les bons termes de l'époque. Je suis la seule responsable de toute erreur dans ce livre.

À mon éditrice, Erin Molta, pour sa patience et sa diligence ; elle a coupé et jeté ce qu'il y avait en trop dans *L'épouse insaisissable.*

Aux membres de ma famille, qui s'accommodent de voir uniquement mon dos pendant que je tape sur mon ordinateur portable.

À mes trois chiens, qui s'assoient devant la porte arrière à côté de ma table de travail, où ils pensent que je reste pour les laisser entrer cent fois par jour. Si ce n'était d'eux, je ne ferais pas d'exercice.

À propos de l'auteure

Callie invente des histoires depuis l'école primaire, et écrire est sa façon de faire taire les voix dans sa tête. Elle a publié un certain nombre d'articles et d'entrevues au fil des ans, et elle a enfin décidé de mettre à l'épreuve ses talents d'auteure en écrivant des romans.

C'est en Oklahoma qu'elle a élu domicile avec son mari, leurs deux enfants adolescents et leurs trois chiens.

Vous pouvez communiquer avec elle sur Facebook, Twitter-@Callie-Hutton et sur son site Web au www.calliehutton.com. Passez y faire un tour et dire bonjour.

Ne manquez pas la suite…

Chapitre 1

Février 1814,
Devonshire, Angleterre

Le cœur battant d'excitation, Penelope Clayton regarda à travers ses lunettes pendant qu'elle posait le doigt en douceur sur les trois minuscules feuilles devant elle. Petites, vert tendre et délicates. Ses lèvres tressaillirent sous un léger sourire alors qu'elle se penchait plus près. Un nouveau spécimen – elle en était convaincue. D'une main tremblante, elle creusa autour de la plante à l'aide d'une des cuillères à thé en argent du manoir et libéra le menu bouton. Elle le leva sous la maigre lumière du soleil et soupira.

– Oui.

Impatiente de promener son crayon sur le papier pour dessiner la bouture dans son journal, elle rassembla son matériel et le fourra dans les poches de la vieille houppelande en lambeaux de son père. Le pas pressé par l'enthousiasme, elle sortit de l'aire boisée et entreprit la randonnée de trois kilomètres vers la maison. Elle prit la petite plante en coupe dans ses deux mains, prenant soin de ne pas la balloter tandis qu'elle avançait rapidement.

À peine le seuil de la porte arrière du manoir passé, elle s'arrêta brusquement et cria.

– Madame Potter ! Regardez ce que j'ai trouvé.

Elle leva son trophée pour un examen.

La femme plus âgée, cuisinière et gouvernante des Clayton depuis des années, secoua sa tête coiffée d'une charlotte.

– Voyez là la saleté qu'vous apportez dans ma cuisine.

Elle grimaça en apercevant les bottes crottées laissant des traînées de boue séchée sur le plancher autrement immaculé.

– Je suis désolée, madame Potter, mais regardez.

Penelope releva ses lunettes sur son nez avec un doigt sale et sourit largement.

– Un nouveau spécimen.

– Oh, jeune fille, y est temps d'cesser d'jouer dans la boue et d'vous trouver un bel homme pour vous donner une maison remplie d'petiots.

Penelope secoua la tête, faisant chuter ses boucles autour de ses épaules.

– Ce n'est pas pour moi, madame Potter. Je suis très heureuse de ma vie telle qu'elle est.

Après avoir déposé son trésor sur la table en donnant l'ordre à madame Potter de « la protéger de sa vie », elle quitta vite la cuisine. En tournant brusquement le coin, elle faillit percuter de plein fouet le majordome, Malcolm, qui surveillait la porte comme s'il s'attendait à ce qu'une horde de visiteurs fonde sur eux. Même s'il n'avait jamais eu un seul signe à cet effet depuis les trois ans qu'elle résidait dans la maison pleine de coins et de recoins.

— Malcolm, j'ai trouvé un nouveau spécimen !

Les yeux bruns et doux de l'homme plus âgé la contemplèrent avec affection.

— Très bien, mademoiselle. Je suis certain qu'il s'agit d'une découverte excitante pour vous.

— Oui, en effet.

Elle enferma ses jupes dans son poing pour les relever et courut en haut des marches, et elle trébucha quand son pied vêtu d'un bas piétina l'ourlet de sa robe.

— Attention, mademoiselle.

La voix paniquée de Malcolm atteignit ses oreilles tandis qu'elle se redressait avant de tomber sur le nez.

Elle agita la main en guise de réponse et continua au fond du couloir vers sa chambre à coucher.

La pièce jaune vif la mit de bonne humeur. Un papier peint rayé à motif floral recouvrait les murs, bannissant la journée sombre à l'extérieur. Elle traversa la chambre, ses orteils s'enfonçant dans le tapis fleuri de Bruxelles tandis qu'elle avançait à pas feutrés plus près du foyer, cherchant sa chaleur. En frissonnant, elle déboutonna le devant de sa robe et fit glisser le vêtement sur ses épaules, puis le long de son corps avant de le laisser tomber en flaque à ses pieds.

— Mademoiselle, vous auriez dû me sonner.

Daisy, la jeune femme de chambre, qu'elle oubliait la plupart du temps, entra dans la pièce, ses sourcils rapprochés plissant son front.

— Tenez, laissez-moi vous aider.

— Daisy, j'ai découvert un nouveau spécimen !

— Comme c'est merveilleux, mademoiselle.

Daisy s'agenouilla pour retirer les bas de sa maîtresse.

— Et qu'est-ce que cela signifie ?

— Cela signifie que je vais l'étudier pour le dessiner, puis j'enverrai l'information à la Linnean Society of London pour confirmation. Une fois qu'ils seront d'accord, le spécimen sera classifié, et je serai reconnue comme la femme qui l'a découvert.

Libérée de ses bas humides, elle examina ses mains et se dirigea vers le pichet d'eau et le bol sur sa commode.

— Évidemment, je ne peux pas utiliser mon véritable nom, car les femmes ne sont pas admises au sein de la Linnean. Donc, une fois de plus, L. D. Farnsworth aura une découverte intéressante à rapporter.

— Bien, c'est dommage, mademoiselle, puisque vous accomplissez tout le travail.

Haussant les épaules devant l'injustice de la vie, Penelope fit de son mieux pour frotter la saleté sous ses ongles. Elle devait réellement essayer de se souvenir de porter ses gants de jardinage, comme l'avait prévenue sa tante, qui l'avait réprimandée de nombreuses fois.

— Cependant, c'est tout de même impressionnant de savoir que je suis une découvreuse même si personne d'autre n'est au courant.

Une heure plus tard, Penelope était assise dans le vieux fauteuil en cuir de son père, à côté du foyer confortable. La pluie bombardait les fenêtres de la bibliothèque, les bourrasques la poussant sur le verre comme autant d'aiguilles. Elle remonta ses lunettes sur son nez et gribouilla, le journal en équilibre sur ses cuisses.

Se mordillant la lèvre dans sa concentration, elle avait replié un pied sous elle, l'autre tapant le tapis en cadence. Elle remua ses doigts contractés, tendit la main vers sa tasse de thé, frappa le côté de l'objet et le fit tomber sur le plancher, renversant le liquide.

— Oh, zut.

Elle se leva d'un bond, juste au moment où le bruit inhabituel du marteau de la porte d'entrée résonnait dans la pièce. Un regard rapide à la vieille horloge grand-père en chêne dans un coin révéla qu'il était vingt et une heures quinze. Ils ne recevaient jamais de visiteurs au manoir Gromley, à l'exception de tante Phoebe, qui s'annonçait toujours des semaines à l'avance. Qui diable pouvait bien être à leur porte d'entrée ?

Elle s'agenouilla pour éponger le thé avant que madame Potter le voie, chassant l'événement bizarre en le mettant sur le compte d'un voyageur fort probablement perdu. Quelques minutes plus tard, Malcolm entra dans la bibliothèque, tenant une feuille de papier pliée.

— Mademoiselle, il y a une mademoiselle Bloom à la porte, qui arrive avec un message de la part de lady Bellinghan.

Elle tendit la main vers le mot.

— Tante Phoebe ? Comme c'est étrange. Envoyez chercher du thé, je vous prie, Malcolm. Je semble avoir renversé le mien et je suis convaincue que notre invitée aura bien besoin d'une tasse.

La porte s'ouvrit, et une femme d'âge moyen, qui à l'évidence avait parcouru une certaine distance, entra dans la pièce. Mademoiselle Bloom était potelée, ses boucles brunes mouillées lui collaient au front, et ses joues étaient rosies naturellement ou à cause du froid.

Penelope désigna d'un geste le fauteuil à côté du feu.

— Je vous en prie, assoyez-vous afin de vous réchauffer, mademoiselle Bloom. C'est une affreuse soirée pour voyager.

— Merci beaucoup, mademoiselle. Vous êtes vraiment gentille.

La femme soupira de soulagement tandis qu'elle s'installait et tendait les mains vers les flammes.

— J'ai envoyé chercher du thé. Il devrait arriver bientôt. Pendant que nous attendons, je vais prendre un moment pour lire le mot de ma tante.

Elle se cala dans son fauteuil, elle déplia la feuille et lut, son horreur grandissant à mesure qu'elle parcourait les lignes.

Ma très chère nièce,

Une fois encore, je dois vous exprimer ma détresse de vous savoir enterrée si loin de la Cité à un aussi jeune âge. Je sais que par le passé, vous avez ignoré mes suggestions de venir à Londres pour une saison mondaine, mais aujourd'hui, je dois insister. Je pense que ce ne serait pas faire honneur à la mémoire de ma sœur que de permettre à son enfant unique de vivre à la campagne, avec pour seul avenir la vie d'une vieille fille.

Votre tuteur, lord Monroe, est d'accord avec moi, alors je vous envoie mademoiselle Harriet Bloom. C'est une sœur de ma dame de compagnie, et puisque Nanny ne peut pas voyager très loin de votre demeure, mademoiselle Bloom vous servira de compagne et vous aidera à vous préparer pour votre voyage.

Penelope avala plusieurs fois, un nœud se formant dans son estomac. Londres ? Une saison mondaine ? Non, c'était impossible. En essayant de se calmer, elle ordonna au valet de pied de poser le thé sur la table basse devant elle. Une variété de sandwichs et de pâtisseries raffinés remplissait le plateau, ainsi qu'une théière en porcelaine et des tasses et des soucoupes. Penelope tendit la main vers la théière, l'esprit en ébullition. Comment diable pouvait-elle se sortir de ce guêpier ?

Après avoir versé le thé, elle tenta d'étouffer son angoisse et elle poursuivit sa lecture, la feuille dans sa main tremblant maintenant.

Comme ma santé n'est plus ce qu'elle était, j'ai demandé l'assistance d'une amie de longue date, Sa Seigneurie la duchesse de Manchester, qui doit vous aider pour vos débuts dans la société. Sa fille, lady Mary, sera aussi lancée dans le monde au cours de cette saison-ci.

Je vous prie de ne pas vous encombrer en voyageant avec beaucoup de vêtements, car votre tuteur a autorisé l'achat d'une nouvelle garde-robe complète.

Je m'attends à ce que vous vous présentiez à la duchesse d'ici la fin de la semaine. Mademoiselle Bloom connaît la direction à suivre. Organisez, je vous prie, une visite chez moi une fois que vous serez installée. C'est une excellente occasion pour vous, Penelope ;

assurez-vous de vous montrer sous votre meilleur jour à la duchesse et à sa famille.

Avec toute mon affection,

Lady Bellinghan

La feuille voleta doucement jusqu'au tapis tandis que Penelope s'affaissait dans son fauteuil. C'était impensable. Quand elle vivait en Amérique, ses quelques tentatives, à l'époque, pour s'introduire dans la haute société, alors qu'elle était poussée par son père à participer à la vie sociale à Boston, avaient été désastreuses.

Membre éminent de la Boston Botanical Society, son père l'avait traînée dans de nombreuses danses, soirées musicales et autres événements sociaux organisés par des confrères du groupe et leurs familles. Elle avait passé ses soirées le cœur gros, mourant d'envie de retrouver la sécurité de sa chambre à coucher, avec ses livres et ses papiers éparpillés partout.

Après quelques mois à le supplier de la laisser à la maison, son père avait cédé et ils avaient avec bonheur repris leurs soirées tranquilles ensemble, occupées par des discussions scientifiques et des parties d'échec dans sa bibliothèque. C'étaient là les moments les plus heureux de la vie de Penelope, mais tout cela s'était terminé brusquement quand il était décédé dans un accident de calèche.

Son tuteur désigné, le frère le plus âgé de son père, le comte de Monroe, avait insisté pour qu'elle quitte Boston et vive en Angleterre. Veuf et avec ses filles mariées, il avait été plus qu'heureux de l'abandonner à ses propres moyens au manoir Gromley, avec une Nanny vieillissante à demeure ainsi qu'un personnel complet. Aujourd'hui, ce confort et cette sécurité lui étaient arrachés. Une fois encore, on la ferait parader devant la haute société, et elle ferait une folle d'elle.

Elle remonta ses lunettes sur son nez, se rappelant le nombre de fois où sa tante avait insisté auprès d'elle pour dire que les gentlemen n'aimaient pas les dames qui portaient des lunettes et paraissaient intelligentes. Elle l'avait maintes fois avertie d'abandonner ses lunettes en présence de prétendants potentiels.

Apparemment, il valait mieux faire croire aux hommes qu'ils étaient plus forts, plus intelligents et plus sages qu'ils ne l'étaient véritablement. Tout ce simulacre semblait stupide, et elle n'avait aucun désir d'en faire partie. Ce dont elle n'avait vraiment pas envie, par-dessus tout, c'était d'un mari.

La seule pensée d'un homme lui disant où elle pouvait ou ne pouvait pas aller, avec qui elle devait s'associer, mais encore plus, comment elle devait occuper ses journées, la terrifiait.

Elle traversa la pièce et fixa la nuit noire comme de l'encre. La pluie s'était transformée en brume légère, presque comme si le ciel avait épuisé ses larmes. Elle fit courir sa paume sur la vitre pour essuyer l'humidité. Demain, elle quitterait la maison qu'elle avait appris à aimer pour passer du temps avec des étrangers et être projetée dans une vie qui la rendait nauséeuse.

***

Après le petit déjeuner le lendemain matin, Penelope jeta sa pelisse sur ses épaules et sortit de la maison, perdue dans ses pensées. Elle donna un coup de pied sur quelques cailloux sur son chemin, vagabondant, plongée dans ses réflexions sur l'injustice du monde. Une fois encore, elle serait arrachée à son foyer et poussée dans un univers non désiré et inhospitalier. Au lieu de ressentir de l'excitation devant ce qu'une autre jeune femme apprécierait pleinement, elle n'éprouvait que de la crainte.

Si son père n'avait pas rédigé son testament de manière à inclure un tuteur jusqu'à ce qu'elle se marie ou atteigne l'âge de vingt-cinq ans, elle aurait géré ses fonds, sa vie et agi selon ses désirs. Au lieu de cela, elle devait s'incliner devant les ordres de lord Monroe et de sa tante.

Elle s'arrêta brusquement, la bouche grande ouverte d'une manière très peu digne d'une dame. Dans toute sa consternation devant sa future vie sociale forcée, elle avait complètement oublié sa nouvelle découverte. Elle ne pouvait pas la laisser ici. Il serait nécessaire d'emballer la plante délicate avec beaucoup de soins et d'apporter le trésor avec elle à Londres. Tout comme ses journaux et ses volumes sur la botanique. Elle ne devait pas les omettre, eux non plus.

« Mon doux. »

Elle tourna les talons et se hâta vers la maison. À quoi pensait-elle ? Au lieu de s'apitoyer sur son sort à cause de sa présence obligatoire dans la Cité, elle devrait se préparer pour son voyage comme une véritable scientifique. Il faudrait envelopper son spécimen dans des serviettes humides pour le transport. Et elle aurait besoin de temps pour emballer tous ses livres et ses papiers. Elle devait se dépêcher.

— Mademoiselle, vos malles ont été remplies et rangées dans le carrosse nous emmenant à Londres.

Mademoiselle Bloom se tenait dans l'entrée à l'arrière du manoir, sa pelisse boutonnée et son bonnet bien attaché sous son menton ample.

– Pas tout de suite. Je dois m'occuper de certaines choses.

Penelope frôla sa compagne en passant devant elle, la faisant presque tomber au sol.

– Oh, je suis désolée. Je reviens immédiatement.

Elle parla par-dessus son épaule, ne remarquant pas de suite la domestique debout devant elle, plumeau en main. La jeune fille, habituée au comportement de sa maîtresse, s'écarta précipitamment de sa route pour éviter une collision.

– Bonjour, mademoiselle.

La domestique exécuta une révérence rapide.

Penelope hocha la tête en entrant en hâte dans la cuisine.

– Je vous l'ai dit, Madeline, il n'est pas nécessaire de me faire la révérence.

– Oui, mademoiselle.

La fille plia encore légèrement les genoux.

– Madame Potter, j'ai besoin de plusieurs chiffons mouillés. Je vous prie de me les apporter dans la bibliothèque.

Elle prit une pâtisserie sur la table et reprit la direction de la sortie, des miettes tombant derrière elle tandis qu'elle marchait.